CB056583

SOLARPUNK

HISTÓRIAS ECOLÓGICAS E FANTÁSTICAS EM UM MUNDO SUSTENTÁVEL

Organizado por

GERSON LODI-RIBEIRO

1ª EDIÇÃO

Editora Draco

SÃO PAULO

2013

© 2013 by Carlos Orsi, Telmo Marçal, Romeu Martins, Antonio Luiz M. C. Costa, Gabriel Cantareira, Daniel Dutra, André S. Silva, Roberta Spindler e Gerson Lodi-Ribeiro

Todos os direitos reservados à Editora Draco

Publisher: Erick Santos Cardoso
Produção editorial: Janaina Chervezan
Organização: Gerson Lodi-Ribeiro
Revisão: Eduardo Kasse
Ilustração de capa: Ericksama

Dados Internacionais de Catalogação na Publicação (CIP)
Ana Lúcia Merege 4667/CRB7

Lodi-Ribeiro, Gerson (organizador)
Solarpunk: histórias ecológicas e fantásticas de um mundo sustentável / organizado por Gerson Lodi-Ribeiro. – São Paulo: Draco, 2012

Vários Autores
ISBN 978-85-62942-70-9

1. Contos brasileiros I. Lodi-Ribeiro, Gerson

CDD-869.93

Índices para catálogo sistemático:
1. Contos : Literatura brasileira 869.93

1ª edição, 2013

Editora Draco
R. Luis Tosta Nunes, 298
Jd. Esther Yolanda – São Paulo – SP
CEP 05372-170
editoradraco@gmail.com
www.editoradraco.com
www.facebook.com/editoradraco
twitter: @editoradraco

Sumário

Prefácio 6

Carlos Orsi 12
Soylent Green is People!

Telmo Marçal 52
O Confronto dos Reinos

Romeu Martins 66
E Atenção: Notícia urgente!

Antonio Luiz M. C. Costa 80
Era Uma Vez um Mundo

Gabriel Cantareira 110
Fuga

Daniel I. Dutra 124
Gary Johnson

André S. Silva 146
Xibalba Sonha com o Oeste

Roberta Spindler 178
Sol no Coração

Gerson Lodi-Ribeiro 192
Azul Cobalto e o Enigma

Organizador & Autores **260**

Prefácio

Com a publicação desta *Solarpunk*, encerramos com tônica mezzo-otimista nossa "triantologia punk", isto é, uma trilogia de antologias temáticas (conceito inédito no âmbito da FC&F lusófona!), iniciada em 2010 com a *Vaporpunk: relatos* steampunk *publicados sob as ordens de Suas Majestades*, e sustentada em 2011 pela *Dieselpunk: arquivos confidenciais de uma Bela Época.*

Tanto na *Vaporpunk* quanto na *Dieselpunk*, a maioria das narrativas constituiu história alternativa, *lato sensu* ou *stricto sensu.* Já na *Solarpunk*, em virtude da imposição da abordagem de temáticas associadas ao emprego das energias ditas "verdes" ou alternativas, a maior parte dos textos é ficção científica autêntica, com cenários futuristas e seus ícones e arquétipos característicos. Apesar disso, as histórias alternativas persistem em pelo menos um terço dos enredos, mesmo que mescladas com temas e elementos mais típicos da ficção científica propriamente dita. Essa migração das histórias alternativas *bona fide* rumo à ficção científica é até certo ponto justificável pela evolução natural dos conceitos e tópicos *vaporpunk* e *dieselpunk* para o *greenpunk.*

Aliás, o título "Greenpunk" chegou a ser cogitado para esta derradeira peça da triantologia. Contudo, julgamos por bem descartá-lo, por considerar que os conceitos "green" e "punk" são antagônicos em boa parte das acepções vigentes.

Em termos de representatividade, infelizmente, apenas uma das nove narrativas que você está prestes a degustar foi escrita por uma autora, Roberta Spindler. Da mesma forma, apenas um trabalho foi escrito por autor português, Telmo Marçal.

À semelhança do que ocorreu com suas irmãs mais velhas, de maneira geral, a *Solarpunk* procurou privilegiar narrativas de maior fôlego, noveletas e até novelas, em detrimento de contos.

Os temas abordados variam do aproveitamento da energia dos relâmpagos atmosféricos à produção de biocombustíveis pelas artes da nanotecnologia; dos grandes veleiros espaciais impulsionados pela pressão da radiação solar aos conversores de matéria em energia; passando pelo advento de humanos fotossintéticos, pela extração da energia da aura humana armazenada noutra dimensão, pelo terrorismo contra empreendimentos e governos verdes, e pelo desenvolvimento precoce de fontes energéticas tidas como convencionais.

Nove narrativas selecionadas com critério dentre cerca de meia centena de submissões de qualidade para deleite dos apreciadores da boa literatura fantástica lusófona.

Boa leitura.

Gerson Lodi-Ribeiro
Rio, junho de 2012.

SOLARPUNK

Soylent Green is People!

Carlos Orsi

QUANDO A POLÍCIA FINALMENTE derrubou a porta da garagem e encontrou o corpo de Raul dentro do carro, depois de a fumaça sumir, tudo indicava um caso triste, mas razoavelmente simples, de suicídio. Foi só quando as autoridades iniciaram o sempre penoso processo de localizar os parentes mais próximos da vítima, para transmitir a notícia, que a trama, como se diz nos romances policiais, emaranhou-se.

Raul Gonçalves da Nóbrega era engenheiro da DNArt&Tech. Você com certeza tem algum produto deles no banheiro, seja uma cultura de bactérias para esfregar na pele (a DNArt detém a patente de um organismo que usa raios UV para fazer fotossíntese e que secreta um pigmento dourado, funcionando como bloqueador solar e bronzeador artificial ao mesmo tempo), ou o popular hormônio depilador-afrodisíaco.

Mas eu falava sobre os parentes mais próximos. Raul era filho único e, mesmo tendo já mais de cinquenta anos de idade, vivia ainda com a mãe, uma senhora inválida de mais de noventa que, estranhamente, não foi encontrada na casa pelos policiais que atenderam à ocorrência. A casa em que viviam não tinha empregados, e a automação residencial era mínima e "burra".

Agora, suponho que algumas sobrancelhas tenham se erguido quando a palavra "inválida" apareceu no parágrafo acima.

De fato, é difícil imaginar uma condição, aquém da morte pura e simples, que não possa ser grandemente mitigada por alguma combinação de terapia genética e cibernética, e que essas terapias estejam fora das possibilidades de um engenheiro bem-sucedido, solteiro, sem filhos.

Além disso, é claro, noventa anos está bem longe de ser uma idade terminal, ou coisa assim.

O leitor provavelmente já atinou com a resposta: Albertina Gonçalves era membro da Igreja dos Puritanos. Sua fé permitia que aceitasse auxílios externos para suprir as debilidades físicas – óculos e cadeira de rodas, por exemplo – mas não interferências mais diretas no Templo Inviolável do Espírito Santo que era seu corpo.

Nem mesmo a substituição de seus cristalinos opacos ela permitiu, preferindo a semicegueira leitosa das cataratas; medicamentos e suplementos, a partir de um certo grau de complexidade tecnológica, tinham de ser discretamente "contrabandeados" em sua alimentação, que o filho amorosamente preparava e servia, todos os dias.

Havia meses que Albertina simplesmente não almoçava: esperava Raul voltar o do trabalho para que ele lhe preparasse um jantar mais substancial e comessem juntos, ela na cama, ele sentado junto à cabeceira.

A cadeira de rodas (na verdade, uma maglev) foi encontrada no quarto, flutuando ao lado da cama, mas vazia. Havia sinais de poeira no assento, sugerindo que não era usada há tempos. Os óculos trabalhados de aro de platina, virtualmente inúteis em face às cataratas, mas preservados como ícone de vaidade, estavam fechados sobre uma flanela cor de lavanda, na mesa-de-cabeceira. Havia sinais de que alguém havia se deitado e, depois, levantado – a cama estava desarrumada, com a coberta puxada. Havia uma fina camada de poeira sobre os lençóis.

– Será que ela saiu andando por aí? – Um dos dois investigadores presentes brincou.

– Só se foi descalça – O outro respondeu, apontando para os chinelos que despontavam debaixo da cama.

A busca na casa não revelou sinal da senhora. A garagem continha apenas o carro. No carro, um modelo off-road movido a biodiesel, apenas o corpo de Raul. Os armários com as roupas de Albertina estavam repletos, com poucos cabides vazios. Se ela havia decidido viajar, saíra com pouco mais que as roupas do corpo. Foram encontradas ainda três malas, abertas e vazias.

Outros cômodos do imóvel, que era pequeno e funcional sem, no entanto, deixar de ser luxuoso, também revelaram poucas pistas. O quarto de Raul se encontrava em melhor estado que o da mãe: cama arrumada, o lençol esticado como o de um catre de caserna.

A cozinha era só uma cozinha, ainda que em grande escala: armários embutidos, um copo solitário no centro da pia com um resto de suco no fundo, um enorme complexo geladeira-adega-freezer ligado a um sistema híbrido solar/eólico no telhado.

O fogão, uma coisa de aço escovado e marfim sintético, conectava-se a um tanque biodigestor na área de serviço, um cilindro do tamanho aproximado de um cão labrador adulto onde bactérias patenteadas transformavam cascas de batata, de banana e óleo de soja usado em gás combustível.

A área de serviço dava para um jardim estreito, porém comprido e exuberante, onde, em meio a alamedas pavimentadas com mármore rosa envelhecido, havia algumas gaiolas vazias e bebedouros de pássaros que não pareciam atrair uma grande audiência. Um dos policiais registrou, em seu relatório, ter sentido um cheiro de cerveja em algum ponto entre amoreiras e as bromélias ornamentais, mas o dado não chamou a atenção de ninguém.

Foi nesse ponto que entrei no caso.

Como fazem os puritanos fiéis, Albertina deixara, em testamento, todos os bens para a Igreja, caso Raul não estivesse mais vivo por ocasião de sua morte. A combinação entre uma vida relativamente longa, encerrada após décadas passadas às custas de um parente rico, e juros compostos é poderosa. Portanto, estabelecer que a mãe estava morta e que o filho a precedera rumo ao Grande Mistério, tornou-se assunto do mais grave interesse para o líder máximo da denominação, o Arcipreste Sérvio, que rapidamente pôs a considerável máquina jurídica da Igreja a trabalhar para este fim.

Suponho que o arcipreste não teria sentido pruridos em me contratar logo de cara – consigo imaginá-lo listando os vários precedentes de homens indignos chamados a servir à causa do Senhor, como o desobediente Jonas, o adúltero Davi ou o covarde Pedro – mas minha agência, com toda certeza, entrou no caso ainda bem abaixo do radar de seus advogados. Embora minha participação tenha acabado vinculada à demanda da Igreja, o fato é que ingressei na investigação de outra forma.

Sabrina era alta, morena de cabelos longos, olhos castanhos e pele de uma cor entre o marrom claro e o vermelho escuro, a tonalidade exata da minha marca favorita de *bitter ale*. Os lábios e o nariz eram delgados demais para a moda da época, o nariz, sem ser protuberante, era estreito como uma navalha, o que lhe dava uma aparência cruel que, a bem da verdade, não me incomodava nem um pouco. Eu estava sentado quando ela entrou no escritório com um vestido branco curto. Seus joelhos me hipnotizaram.

– Sua secretária disse que eu podia entrar.

Meu silêncio provavelmente a deixara insegura. Balancei um pouco a cabeça para voltar à Terra, sorri e indiquei uma das duas poltronas vazias que reservo aos clientes.

"Minha secretária" era um sistema medíocre de automação comercial que basicamente escaneava os visitantes em busca de armas ocultas, ou material biológico incompatível (alguns tipos de antisséptico bucal não interagem bem com as bactérias que uso para controlar a oleosidade da pele, e é meio chato ficar driblando perdigotos durante a conversa), além de fazer um levantamento antropométrico do visitante nas redes sociais e nos arquivos da PMU e da PF.

Assim, nos três segundos que Sabrina levou para se sentar elegantemente na poltrona, o tampo de minha escrivaninha me apresentou sua página pessoal no FaceSpace, seu Currículo Lattes e um "nada consta" da Secretaria de Segurança Pública. Para obter uma análise de crédito eu precisaria do número do CPF, o que ela iria me fornecer se eu pegasse seu caso, fosse ele qual fosse.

De acordo com "minha secretária", ela se chamava Sabrina Toledo, tinha 48 anos, meia dúzia de doutorados em áreas como medicina, genética, química orgânica, biofísica e agrotecnologia. Era funcionária do departamento de pesquisa e desenvolvimento da DNArt&Tech.

– Doutora Toledo, – apoiei os cotovelos na escrivaninha e juntei as pontas dos dedos na altura do queixo, fazendo uma pirâmide com as mãos, – em que posso ajudá-la?

Não havia mais insegurança em seus olhos, apenas um ceticismo frio. Quase dava para ver o brilho dos neurônios disparando, enquanto ela tentava decidir se eu era sério ou um picareta, se devia me contar tudo, apenas um pouco ou dar meia-volta e sair sem abrir a boca.

– Meu marido. – Por algum motivo, decidiu que eu merecia um voto de confiança. – Está morto.

– Meus pêsames.

Sabrina reagiu com um sorriso tênue, tão pasteurizado e sem sentido quanto minha expressão mecânica de simpatia.

– Eu gostaria de receber a herança que ele deixou.

– Essa é uma questão para advogados, não? Por que precisa de um detetive?

– Nós não éramos *realmente* casados. – Ela suspirou. – Ele fazia questão de manter segredo, porque a mãe dependia dele, só tinha a ele. Enfim, ninguém sabia que éramos casados, e por isso a herdeira natural é a mãe, não eu.

– Precisa provar que havia união estável? Também seria um caso mais adequado a um advogado...

– A mãe dele está desaparecida.

Foi a minha vez de respirar fundo e soltar o ar num longo suspiro.

– Conte-me tudo.

Ela me contou. Foi aí que fiquei sabendo da morte de Raul, do sumiço de Albertina, da movimentação de placas tectônicas desencadeada por Sérvio nos meios forenses. Além das economias da mãe, a fortuna considerável do filho também estava em jogo, já que Albertina era a herdeira natural do patrimônio do engenheiro, que oficialmente morrera solteiro e sem filhos.

– Tenho advogados trabalhando para provar que Raul e eu mantínhamos um relacionamento do tipo que me garante os direitos de herança. Para mim, éramos casados.

Ela fez uma pausa. Aguardei. Era evidente que ainda tinha mais a dizer.

– Mas a Igreja está me sabotando. Algumas testemunhas, colegas de trabalho que sabiam como Raul e eu éramos... íntimos, agora se recusam a falar em juízo. Estão sofrendo ameaças.

Deixei que a expressão de meu rosto traísse a incredulidade que sentia. Não é só porque você é paranoico que as pessoas não estão tentando te pegar, certo, mas, ainda assim...

Sabrina leu corretamente o que se passava por trás de meus olhos e abriu um sorriso ao mesmo tempo triste e sarcástico:

– Vamos lá, senhor detetive. Você conhece a tática do "choro e ranger de dentes", não conhece?

Esse era o nome dado a uma suposta rede de intimidação mantida pelos seguidores do arcipreste e dedicada a, essencialmente, infernizar – ou aterrorizar, dependendo do caso – desafetos da Igreja. Jornalistas que escreviam artigos ridicularizando o puritanismo tinham seus blogs hackeados, ou encontravam ratos mortos em suas caixas de correio; políticos que se recusavam a aprovar leis do interesse da Igreja de repente viravam alvo de acusações esdrúxulas de assédio sexual, ou assistiam impotentes enquanto malfeitos esquecidos do passado – subornos recebidos há décadas, doações ilegais de campanha no início de suas carreiras – eram trazidos impiedosamente à luz.

Um médico que escrevera um livro denunciando os males da doutrina do "templo inviolável" para a saúde pública se viu alvo de processos judiciais simultâneos em vinte Estados. A obra foi apreendida um dia depois de sair da gráfica. A edição digital, disponibilizada por uma grande livraria internacional, saíra contaminada por vírus.

– Conheço essa lenda urbana. – Respondi. – Mas ela nunca foi provada.

Sabrina começou a se levantar da poltrona.

– Se é isso que você pensa, sendo detetive...

Alarmado pelo movimento súbito dos joelhos e pela perspectiva atroz de eles serem levados para longe de mim tão cedo, fiz um sinal para que ela se detivesse:

– O que você quer que eu faça?

– Encontre a mãe.

Fiz cara de quem não estava entendendo. Afinal, se a mãe estivesse viva, a herança seguiria em disputa e Sabrina continuaria a correr o risco de ficar sem nada.

– O corpo de dona Albertina não foi achado. – Minha cliente explicou. – O caso dos puritanos depende de duas coisas: que ela esteja morta, e que tenha morrido depois do filho. Eu quero que você *prove* que ela está viva.

– Mesmo?

Meu cinismo foi recompensado com mais um dos sorrisos tristes--sarcásticos. Ao que tudo indicava, o estoque era inesgotável.

– Ou, ao menos, estabeleça uma dúvida razoável que meus advogados possam usar.

Compreendi:

– Para infernizar a Igreja. Distraí-la. Criar confusão no campo inimigo, enquanto você avança no reconhecimento da união estável.

Ela estreitou os lábios.

– Exato.

Então, passamos a discutir os detalhes.

A primeira coisa que fiz, depois que Sabrina me deixou, foi buscar por Albertina Gonçalves no FaceSpace. Os puritanos podem ser radicalmente contra implantes cibernéticos e DNA recombinante, mas não há nada em seu credo que proíba interação nas redes sociais. Pelo que minha cliente havia dito, eu sabia que sua sogra estava praticamente cega, mas...

E a senhora tinha, mesmo, uma presença na rede social. Modesta, a bem dizer: citava o marido falecido, o filho executivo, trazia algumas fotos sóbrias e pudicas, versículos bíblicos e um calendário de atividades religiosas que parara de ser atualizado havia cerca de seis meses.

Mesmo nas imagens conservadoras, era possível ver que Albertina tinha sido bela, talvez quase até o fim. Aos 87, ainda mostrava uma face vigorosa, onde as rugas (poucas, até) pareciam mais marcas de caráter do que de idade.

Curiosamente, a página ainda constava como ativa. Não tinha sido convertida em *in memoriam*. Talvez, pensei, apenas o filho tivesse o grau de acesso necessário para fazer a atualização fatídica. O que não deixaria de ser irônico, de um modo meio que paradoxal.

Por curiosidade, visitei a página de Raul. Também ainda não tinha assumido as cores do luto. Na dele, o status de relacionamento era "comprometido", mas Sabrina não aparecia na lista de seguidores e o link para "parceiro ou parceira" estava inativo.

Entre as pessoas muito sozinhas, o fervor religioso muitas vezes está ligado à necessidade de companhia e interação social: a submissão à doutrina é o "preço" de ter amigos, apoio e companhia. Portanto, não me surpreendi ao ver que, com exceção de Raul, todos os demais seguidores de Albertina eram membros do rebanho de Sérvio. Anotei os três ou quatro dos nomes e endereços que pareceram mais promissores à minha boa e velha intuição e fui para a rua.

Muita gente imagina que, neste mundo de redes, correio eletrônico e telepresença, o trabalho de detetive pode ser feito, todo, de trás da escrivaninha. Não nego que muita coisa pode ser feita assim. É possível aprender um bocado e deduzir outro tanto, apenas a partir da presença virtual das pessoas. Mas, quando se trata de entrevistar testemunhas relutantes, nada supera o peso moral da presença física.

E eu tinha a impressão de que minhas fontes relacionadas à Igreja seriam todas, na melhor das hipóteses, altamente relutantes. Quando não hostis.

Tenho de dizer, portanto, que minha conversa com a primeira das pessoas que procurei foi uma surpresa agradável. Eu decidira começar por Olavo Pereira porque ele era o homem que mais aparecia em fotos ao lado de Albertina no FaceSpace, tinha uma idade muito próxima à dela (93, para ser exato) e, incidentalmente, era muito parecido com o falecido Raul.

Por recomendação de meu advogado, apresso-me a acrescentar que não estou insinuando que Olavo fosse o verdadeiro pai do suposto suicida. Mas se o filho é parecido com o pai (o que não deixa de ser uma inferência cabível), e depois de viúva a mãe se aproxima de um homem parecido com o filho, isso pode indicar que, na verdade, ela procura um substituto para o marido morto.

Olavo era um homem alto – tinha bem um palmo a mais que eu – e magro, mas com um tórax de nadador olímpico. Sua pele tinha a textura e a cor exatas do couro das botas que uso para fazer trilha pela serra, no fim de semana. Sob um par de densas sobrancelhas brancas, olhos azuis intensos me observavam enquanto ele abria a porta de seu apartamento, um imóvel que era confortável sem ser luxuoso, localizado perto do centro da cidade.

Ficava num prédio antigo que, supus, devia ter problemas crônicos com encanamentos e com o ciclo do lixo, tendo sido construído antes da era dos biodigestores urbanos.

Antes de aparecer, eu havia enviado um SMS explicando o motivo de minha visita – uma investigação sobre o destino de Albertina – e ele respondera pondo-se à disposição. Depois do firme aperto de mão e de Olavo me convidar para entrar, fiz um comentário genérico sobre sua aparência saudável.

Ele riu, abanando a cabeça:

– As pessoas tendem a pensar que nós, puritanos, somos um monte de carcaças humanas, ruínas vivas, porque recusamos a permitir que a tecnologia interfira com a morada física que Deus julgou por bem conceder a nossos espíritos, mas a verdade é exatamente o oposto. Nós *cuidamos* do templo. Alimentação e exercício, uma vida ativa. Se as pessoas realmente se importassem com a saúde que Deus lhes deu, próteses e implantes genéticos seriam desnecessários.

Pensei em mencionar os casos de câncer hereditário, diabete tipo I, amputações e, no geral, os inúmeros diagnósticos neonatais de baixa expectativa de vida congênita e outros problemas que só podiam ser curados ou contornados por meio de terapia genética ou próteses, mas me contive. Eu não tinha nada a ganhar hostilizando uma fonte que se mostrava disposta a falar.

– Albertina tinha uma vida, assim, tão ativa quanto a sua? O senhor parece passar muito tempo ao ar livre.

– Pareço feito de couro curtido, não é? – Ele voltou a rir. – Não há como negar. No que me diz respeito, este apartamento é só um lugar onde passo os intervalos entre meus passeios e atividades ao ar livre. Minha vida é mesmo na serra.

Fiz um movimento com a cabeça dando a entender que compreendia perfeitamente. A cidade ficava no que poderia ser descrito como o fundo de uma tigela. A borda, cercando-nos por todos os lados, era a serra, um complexo de montanhas de aclive suave cobertas por mata (quase) virgem, entremeadas por riachos e cachoeiras, marcadas aqui e ali por praias fluviais de cascalho e cortadas por parques e trilhas para andarilhos.

– Respondendo à sua pergunta, – Olavo prosseguiu, – Albertina foi tão ativa quanto eu e até um pouco mais, até uns seis meses atrás.

– Mas ela estava praticamente cega por causa da catarata, e a cadeira de rodas...

– É verdade que as pernas dela não funcionavam mais, mas aquela "cadeira de rodas" *levitava* sobre rochas, rios, grama, o que quer que fosse! Quanto à cegueira, ela nunca estava sozinha e você não faz ideia do que os sistemas de sonar e radar são capazes, hoje em dia. Albertina amava o campo, o espaço aberto, o vento nos cabelos...

– "Amava"? O que aconteceu?

Ele encolheu os ombros:

– De repente, nada mais a interessava. Coisas que ela considerava fáceis viraram desafios que não valia a pena enfrentar. Passou a ter medo de sair de casa com a cadeira, como se o sonar na máquina não fosse mais preciso que os olhos de um cão-guia. Ela... ela...

Os olhos estavam marejados. Ele bateu o do copo de suco de laranja que tinha nas mãos no tampo da mesa, com força. O barulho foi alto, desconcertante, mas o vidro aguentou.

– Eu não devia contar isso. – Falou por fim, sua voz bombástica assumindo, de súbito, um tom quase confidencial. – Mas não é exatamente um segredo. Chegamos quase a brigar a respeito, na Igreja. Antes de ela parar de ir de vez.

– Sim?

– Era como se Albertina tivesse *decidido* ser uma inválida. De uma hora para a outra.

Depois de um intervalo de silêncio, perguntei:

– Ela nunca falou em fugir? Desaparecer? Ir embora?

Ele balançou a cabeça:

– E deixar o filho? De jeito nenhum. O garoto era a vida dela.

– Mas e se ela fosse fugir? Se se cansasse do filho, de repente, ou se o filho morresse? Com quem fugiria?

– Comigo. E eu ainda estou aqui.

Agradeci e fui embora.

Pondo o carro em piloto automático, liguei para minha cliente.

– Seu marido tinha amigos na firma?

– Amigos?

– Amigos. Pessoas a quem pudesse fazer confidências, com que saía à noite para encher a cara...

– Ele tinha a mim. E, de qualquer forma, nos últimos meses a mãe consumia a maior parte de seu tempo livre.

Mulheres. Respirei fundo, antes de prosseguir.

– Há coisas que um homem conta para um colega de bar que ele não contaria para a esposa. Noiva. Namorada. Mãe. O que quer que seja.

A linha ficou quieta por alguns instantes. Cheguei a desconfiar que a ligação houvesse caído. Então, a voz de Sabrina voltou, um pouco mais fria do que de início:

– Não trabalhávamos juntos. Nossas áreas eram diversas, ele sendo um engenheiro e eu atuando na pesquisa pura. Mas ele falava de um sujeito... Antônio alguma-coisa. Do setor dele. Aplicações de Biocombustível. Eles saíam para tomar cerveja juntos, às vezes. Pelo menos, era o que Raul me dizia.

– Você chegou a citá-lo como testemunha?

– Não. Minhas testemunhas são basicamente amigas minhas e o pessoal do RH e da segurança, que registram todos os relacionamentos na empresa e...

– Obrigado. Você pode me passar o contato de uma dessas suas amigas?

Ela hesitou um pouco – ponderando que os puritanos já haviam infernizado bastante as "meninas", etc. e tal – mas não muito, e acabou me fornecendo os dados. No fim, agradeci e desliguei.

Não foi muito difícil usar a rede para levantar alguns fatos básicos a respeito um certo "Antônio alguma-coisa" (Kobaiashi de Toledo, na verdade), engenheiro de biocombustíveis da DNArt&Tech. Trocamos algumas mensagens instantâneas e ele concordou em me encontrar para uns drinques e azeitonas no início da noite.

Já era quase meio-dia, o que me deixava com a questão do almoço em aberto. Liguei para meu contato na polícia. Seria interessante saber que rumo a investigação oficial sobre o destino de Albertina estava tomando. Mas só conseguimos combinar um encontro para o dia seguinte.

Daí, sem disposição de encarar outras fontes de dentro da Igreja antes de ouvir um pouco do "outro lado" e, por pura falta de opção, telefonei para a amiga de Sabrina. Ela atendeu logo no primeiro toque. Chamava-se Cláudia e também tinha sua meia dezena de PhDs.

Depois de alguma relutância e de fazer com que eu explicasse minhas razões e objetivos de cinco maneiras diferentes, ela aceitou meu convite para almoçar, mas fez questão de escolher o restaurante e a hora: o Piccolo Cuoco, à uma e meia. Reprimindo um grunhido, concordei.

A cidade vinha se desenvolvendo bastante nos últimos anos – ei, era até capaz de sustentar meia dúzia de detetives particulares! – mas, entre as dores do crescimento, havia os frutos inevitáveis do choque entre o provincianismo arraigado e o desejo de sofisticação.

O Piccolo Cuoco era um desses frutos. Supostamente um restaurante tradicional de família italiana, na verdade era propriedade de um espanhol de passado obscuro. Tinha todos os sinais externos de uma cantina chique – das peças de mortadela importada penduradas no teto à toalha xadrez nas mesas e à equipe de garçons *mezzo* insolentes de sotaque carregado – mas a comida era lastimável.

Na última vez em que eu estivera lá, para jantar, tinha pedido um penne com lascas de bacalhau que me obrigara a entrar pela madrugada arrancando, com uma pinça, espinhas de peixe das gengivas e do céu da boca.

A despeito do sobrenome, Cláudia Abdala era loura, e de olhos azuis. Nada que parecesse artificial, mas e daí? Hoje em dia, um bom médico consegue reprogramar virtualmente qualquer gene, inclusive os responsáveis pela pigmentação. Há um debate interminável sobre a ética do uso "fútil" de terapia retroviral, mas quem tem dinheiro para pagar não costuma prestar atenção nessas coisas.

Também era uma mulher alta, bela e elegante. Hoje em dia, contudo, todas são, exceto por algumas puritanas e outras que optam por usar seus corpos como base para algum tipo de *statement* – ainda que, mesmo nesses casos, a situação seja ambígua: certa vez conheci uma poeta que tinha um único olho, vermelho, bem no meio da testa e que, ainda assim, ou por causa disso, era sexy como o diabo.

Mas eu tinha certeza de que Cláudia jamais faria nada tão anticonvencional. Seus lábios eram cheios e o nariz, arredondado, exatamente o que ditava a moda. Numa multidão, cercada por outras mulheres da mesma idade, faixa de renda e posição social, seria impossível distingui-la das outras. Seriam todas clones acidentais.

Pude notar que, num restaurante habitado e frequentado por dezenas de outras aves da mesma plumagem, o anonimato que suas opções estéticas lhe garantiam não parecia suficiente. A amiga de minha cliente entrou no restaurante usando um chapéu de aba larga e óculos escuros espelhados. Olhava periodicamente por cima do ombro, como uma má atriz num péssimo filme de espionagem. Sua linguagem corporal era confusa e errática.

Só vi seus olhos, injetados e meio amarelados, quando ela finalmente se sentou diante de mim e retirou os óculos num gesto dramático. Estava atrasada: eu já curtia meu segundo cálice de fernet.

Escrevi que ela se sentou, mas o mais correto teria sido "desabou". Seu peso caiu sobre a cadeira como um fardo intolerável.

– Você não tem ideia do que fizeram comigo. – Ela enfatizou as palavras "ideia" e "comigo". – Não tem mesmo.

E se lançou num longo solilóquio sobre indignidades, reais ou imaginadas, sofridas nas mãos da conspiração dos puritanos. Seu refil de microbiota intestinal transgênica, essencial para o controle do peso, havia sido sabotado, daí os olhos inchados e a coordenação motora deficiente; seu carro tinha sido parado por um guarda exatamente um dia depois de o licenciamento vencer, mas antes que ela tivesse tempo de pagá-lo, sendo que o guarda se mostrara particularmente insensível, além de surpreendentemente honesto. Por fim, o único cartão de crédito que tinha na bolsa para arcar com o táxi, depois de ter o veículo apreendido, era, exatamente, o que estava com o limite estourado.

– Tudo isso, – finalizou, tirando um lenço da bolsa para enxugar uma lágrima que tinha ficado presa numa covinha estrategicamente posicionada sobre o canto esquerdo da boca, – na manhã do dia em que eu iria ao cartório registrar meu depoimento, você sabe, sobre o relacionamento da Sabrina com aquele engenheiro.

Ergui a mão esquerda e contei os eventos na ponta dos dedos:

– Microbiota, guarda, cartão. – Fiz uma pausa para agradecer ao garçom que punha uma jarra de sangria na mesa e continuei: – Teria de ser trabalho de alguém com acesso ao seu armário de remédios, aos seus documentos, para descobrir o licenciamento vencido e avisar a polícia, e à sua carteira, para garantir que apenas o cartão estourado estivesse lá dentro.

– E à minha correspondência eletrônica, para ver, na fatura, qual o cartão estourado. – Completou com um certo ar de desprezo. – Grande detetive, você é. Acha que eu já não havia pensado nisso tudo?

– Oh, bem. Então, quem foi?

– Minha secretária pessoal. – Pausa. – Mantenho uma secretária humana. – Acrescentou, incapaz de resistir à oportunidade de ostentar status. – Ela é puritana. Eu a contratei por causa disso: esses fanáticos religiosos costumam trabalhar duro e...

– . . . Se contentar com pouco?

Será que a breve pausa que se seguiu constituiu um sintoma de culpa?

– Mais ou menos isso. – Cláudia concedeu, por fim.

– E o guarda, era puritano também?

– Não sei. Mas tenho quase certeza de que sim. Ela deve ter ligado diretamente para ele. Imagine, *recolher* meu carro por causa...

– E você a demitiu?

Cláudia me lançou um olhar do mais puro horror:

– Como eu poderia *viver* sem ela?

– Então sua assistente sabe que você está aqui.

– Não. – Pela primeira vez desde o início de nossa conversa, algo parecido com um sorriso surgiu no rosto dela. A covinha se acentuou, com certo charme. – Agora eu tenho uma *agenda secreta.*

A comida chegou. Nada de frutos do mar para mim, desta vez.

– Mas você estava com medo de ter sido seguida. – Apontei.

– A agenda pode ser secreta, mas meus movimentos...

– Certo. – Dei uma primeira garfada no espaguete e decidi que era hora de tratar dos negócios. – Então, o que você pode me dizer sobre o relacionamento de Raul e Sabrina? Há quanto tempo eles estavam juntos?

– Anos. – Respondeu, sem pestanejar. – Não muitos, mas pelo menos dois anos. Chegaram a falar em casamento, mesmo, acho que faz uns sete ou oito meses, mas a coisa acabou não indo adiante.

– Romperam?

– Oh, não. Continuaram juntos. Só não falaram mais em *morar* juntos.

Mastiguei meu macarrão pensativamente, digerindo a informação. A comida dela chegou em seguida, uma coisa cheia de folhas roxas e com cheiro de peixe defumado. Em silêncio, desejei que tivesse mais sorte com seu salmão ou atum do que eu tivera com meu bacalhau.

– E como era esse "estar juntos" ou "continuar juntos" deles?

Cláudia fez um gesto vago com as mãos, girando a faca e deixando garfo apoiado na borda do prato. Era como se quisesse dizer "assim, sei lá, entende?" sem precisar abrir a boca. Depois de refletir um pouco e de tomar dois breves goles de água com gás, tentou explicar:

– Bom, eles trabalhavam em setores diferentes. Acho que se conheceram quando Raul foi instruído a tentar criar um processo que desse viabilidade comercial a uma levedura nova que ela havia inventado. Eles tiveram algumas reuniões, ele foi ao laboratório, ela foi à oficina, eles levaram a reunião para a cafeteria e, bem... Você sabe como é. Abelhinhas e florzinhas. O curso da natureza. De onde vêm os bebês. Et cetera.

– O namoro era de conhecimento público, então?

– Não exatamente. A diretoria certamente sabia, com o tipo de software de reconhecimento de padrões que as câmeras de segurança têm hoje em dia, que dizem até se a pessoa que está indo ao banheiro precisa mesmo ou é só para fazer hora. Mas, entre os colegas, era tudo muito discreto. Sabrina é supertranquila, comentava coisas com as amigas... comigo... mas me parece que Raul, não. Ninguém no setor dele sabia que ele estava comprometido. Os dois fizeram uma viagem juntos para a Europa no ano passado, depois de muito esforço para sincronizar algumas folgas a que tinham direito, mas a equipe de engenharia achava que Raul tinha ido a trabalho.

Ergui levemente as sobrancelhas:

– E como você sabe disso?

– Ouvi os meninos comentando na época. É o tipo de coisa que chama atenção, ainda mais que eu sabia a verdade.

– E eles falaram em se casar e viver juntos.

– Isso.

– Foi logo depois da viagem?

– Boa pergunta. Sim, ouvi Sabrina tocar no assunto uma ou duas semanas depois que eles voltaram, acho.

– Você ainda vai depor sobre o relacionamento dela?

Desde o início da refeição, Cláudia havia de acalmado bastante. Os fatos de ela ter chegado ao restaurante incólume e de a comida não estar, aparentemente, envenenada ou sabotada de alguma forma estavam reconstruindo seu senso de autoconfiança rapidamente.

– Estou pensando em ir daqui direto para o cartório. Assim que terminarmos a sobremesa, ligo para o advogado. – A covinha se aprofundou, de novo, maliciosa, mas em seguida uma expressão de temor se formou em seu rosto de boneca. – Você não foi seguido até aqui, foi? Se eles sabem que você está trabalhando para ela e nos virem juntos...

Pensei um pouco no assunto. Minha entrevista anterior tinha sido com um puritano. Um tipo boa-praça, mas nada impedia que ele tivesse telefonado para a igreja logo depois de eu sair, passando as coordenadas.

Dei de ombros. Era improvável que algum amador conseguisse me seguir sem que eu notasse. E se Cláudia tinha mesmo despistado a secretária, não via o que tínhamos a temer.

– Não fui seguido. – Respondi, soando só um pouco mais confiante do que realmente me sentia.

O fato é que eu não estava mesmo levando a sério a ideia de uma campanha de "choro e ranger de dentes" contra minha cliente. Cláudia descrevera uma sequência de eventos infelizes – problemas com a microbiota, com o carro, com o banco – mas não era nada que não pudesse ser atribuído a uma conjunção infeliz de coincidências.

A ficção está repleta de investigadores que vivem repetindo coisas como "coincidências não existem" ou "não acredito em coincidências", mas o acaso é uma influência muito mais poderosa do que a maioria das pessoas está disposta a admitir. Azar e incompetência matam muito mais gente do que assassinos profissionais e gênios do crime.

Minha predisposição de culpar o destino estúpido e cruel, em oposição a forças racionais ocultas, pelas vicissitudes da vida foi abalada, no entanto, quando voltei ao escritório depois do almoço, pois ainda faltavam algumas horas para a entrevista com o amigo de Raul, e minha secretária me disse "bom-dia".

Era uma parte bem simples do programa, a máquina dizer "bom-dia", "boa-tarde" ou "boa-noite" sempre que a porta se abria, de acordo com o horário. Dispositivos do século XX já eram capazes de fazer isso sem dificuldade. Meu software era barato, mas não *tão* barato a ponto de confundir o meio da tarde com o período matutino.

E isso podia ser só impressão minha, mas a voz sintética estava meio arrastada.

– Recados? – Perguntei. Como todo mundo, ando com telefone plugado na orelha e tenho uma tela passiva de mídia na lente dos óculos, mas não dou nem o número e nem privilégio de acesso, ao público em geral. A secretária tem um filtro que define quando passar a ligação para mim, quando me alertar para o aparecimento de algo interessante no FaceSpace.

Ou quando, simplesmente, anotar a mensagem.

– Apenas um senhor veio aqui. Identificou-se como "Arquimandrita Serapião", falando em nome da Igreja Puritana. Busca online confirmou a identidade e revelou que "arquimandrita" é um título reservado, por essa denominação, a irmãos celibatários nos estágios iniciais do sacerdócio...

– Certo. – Cortei. – Ele disse o que queria?

– Apenas pediu para que você ligasse quando pudesse. Deixou um número de telefone.

– Certo.

– Devo fazer a ligação?

– Daqui a pouco.

Saindo da antessala e indo para o escritório propriamente dito, parei junto à máquina de café. Os drinques do almoço estavam começando a fazer efeito e o cafezinho do restaurante tinha sido pouco mais que água quente tingida de preto.

Olhando para a máquina, senti uma ponta de culpa por não ter oferecido uma dose a Sabrina, quando ela viera me contratar.

Aqueles joelhos tinham me desnorteado, sem dúvida. Perdi uma grande chance de impressioná-la.

O grão que uso é particularmente bom e minha obsessão em manter o aparelho bem regulado é comparável à de outros caras com o motor de seus carros. Não adianta nada ter o melhor grão do mundo se o ponto de torrefação estiver errado ou, pior, se a pressão e a temperatura da água não estiverem bem calibradas.

Programei a máquina para um *ristretto* e esperei, como de costume. Estava me preparando para pôr o copinho na base onde o café deveria cair, quando alguma coisa me fez arregalar os olhos e dar um passo para trás.

Não sei exatamente de onde veio o aviso. É possível que, de modo quase inconsciente, eu tenha percebido uma tênue vibração anormal do grande cilindro dourado que formava o corpo principal da máquina. Qualquer que fosse a causa de meu recuo instintivo, porém, logo o aparelho começou a sibilar como uma cobra irritada. O som veio num crescendo até se tornar um gorgolejo alto que desembocou num jato de água fervente e vapor, que saltou em minha direção.

Programada para ter minha segurança como prioridade máxima, a secretária permaneceu em silêncio. Alguns respingos tinham atingido a manga da camisa e a barra do paletó. Onde molhado, o tecido produzia uma fumaça fina e branca, pequenos fiapos de nuvem.

Era água, apenas água, mas à temperatura absurdamente alta, obtida graças à pressão no interior da máquina. Se eu estivesse segurando o copo sob o bico da cafeteira no instante do jato, a pele provavelmente agora estaria se soltando da carne. Nada que alguns dias com creme restaurador não consertasse, mas a dor teria sido...

Apenas imaginar a intensidade da dor me transmitiu um arrepio espinha acima e senti um vento gelado na nuca. O copinho – uso os de espuma, que prefiro às velhas xícaras de porcelana, não só pela forma como difundem melhor o calor, mas também porque não me cortam as mãos quando os esmago – estava esquecido, no punho crispado da mão direita. Imagino que, se tivesse um espelho diante de mim naquele momento, teria visto um rosto roxo de raiva.

– Modo diagnóstico. – Ordenei com a voz surpreendentemente calma. – Em primeiro plano. – Em resposta à instrução, que desativava todas as funções da secretária enquanto o software realizava uma busca por defeitos ou vírus, ouvi algumas notas de música erudita e as luzes do escritório de repente ficaram mais intensas, já que, sem a secretária funcionando, não havia ninguém para controlar o *dimmer* inteligente.

Liguei em seguida para Cid, um especialista em segurança de sistemas com quem troco favores de vez em quando. Ele acessou remotamente o programa da secretária e me deu o laudo preliminar em menos de quinze minutos:

"– Seja quem for que fez isso, foi um cara esperto."

– Isso, o quê?

"– Sua secretária foi desorientada com uma sobrecarga de dados. Lembra um velho episódio de seriado de TV, quando o computador é desabilitado porque lhe pedem que determine o 'último dígito de pi'?"

– Acho que não assisti.

"– Bom, foi algo parecido. Sua secretária parecia distraída e desatenta porque *estava* desatenta, e *tinha sido* distraída."

– Por quem?

"– Por alguém que leu o manual de usuário desse modelo muito melhor do que você, acho. Bem o suficiente para saber como usar comandos de voz para definir uma atividade prioritária de alto nível, capaz de mobilizar a maior parte dos recursos computacionais e deixar todas as outras prioridades para trás."

– Incluindo a de zelar pela minha segurança e a de impedir a sabotagem da máquina de café.

"– Por exemplo isso, sim. A origem da ordem foi apagada, mas a ordem ainda está aqui: uma análise do fluxo de energia na litografia *Queda D'Água*, de M.C. Escher."

Eu conhecia a imagem. Havia, de fato, uma reprodução na parede da antessala do escritório. E sabia que a tarefa dada à secretária era impossível, já que a água na gravura parece subir e descer ao mesmo tempo (gosto de Escher exatamente por conta dos paradoxos gráficos). Quem quer que houvesse sido o *hacker*, havia trabalhado rápido e com o material à mão.

– Quanto tempo? Quanto dinheiro?

"– Já está feito." – Ele respondeu, rindo. – "Como eu disse, qualquer um familiar com o manual do proprietário saberia como criar o problema e também como resolvê-lo. Assim que a secretária voltar do modo diagnóstico, vai funcionar direito. Só sugiro um *upgrade*. Quanto ao preço, um dia você me paga uma cerveja aí e estamos quites."

Depois de agradecer e de me despedir, fui ajustar a cafeteira. Como no caso da secretária, a causa do problema em si não era complexa – uma mera manipulação, digamos assim, *maliciosa* das válvulas – mas, diferentemente do que ocorrera no caso no programa, o dano iria me custar caro: havia anéis de vedação a trocar, e pelo menos um tubo de bronze estava levemente deformado.

Em seguida, minha cota de "coincidências infelizes" já preenchida pelo resto da semana, liguei para o provável autor de todo o caos ao redor, o Arquimandrita Serapião. Antes de pirar, a secretária havia imprimido o número e deixado a tira de papel grudada em minha escrivaninha.

Tomei o cuidado de manter o vídeo desativado, para não dar ao canalha o prazer de ver minha cara roxa de raiva.

Ele atendeu ao telefone logo no primeiro toque e, depois de me saudar antes que eu dissesse quem era. O arquimandrita parecia supor que essa prestidigitação tola com o identificador de chamadas iria me desconcertar.

"– Suponho que o senhor tenha recebido... *meu recado*."

A forma como ele pronunciou "meu recado" me fez lembrar da inflexão de Bela Lugosi ao dizer "vinho" em "Eu não bebo... vinho", nas cenas iniciais de *Drácula*. Tive de conter a vontade de rir. O cara realmente achava que estava me intimidando. Com que tipo de gente esse povo está acostumado a lidar, afinal?

Olavo, o único fiel puritano que eu entrevistara até aí, não tinha me parecido um completo idiota, mas se ele levava gente como o Arquimandrita Serapião a sério...

– Minha secretária mencionou que o senhor havia ligado. Em que posso ajudar?

"– E tudo bem com o senhor? Como está de saúde? Como vão os negócios?"

– Muito bem, obrigado.

Silêncio constrangedor. Para ele. O que esperava que eu dissesse?

"Na verdade, acabo de sofrer uma pequena queimadura..." ou "Que horror, minha secretária deu pane"?

– Fico feliz em saber. Que sua conduta futura lhe permita continuar assim.

E então me lembrei de algo que havia lido muito tempo atrás em algum lugar, de como os arquimandritas originais – monges do tempo do Império Bizantino – recusavam-se a tomar banho, por considerarem a preocupação com higiene pessoal uma forma imperdoável de vaidade. "A imundície inenarrável dos santos cobria vários quarteirões em Alexandria, numa emanação de pureza espiritual que ofendia os próprios abutres do céu", escrevera alguém.

Não tive muita dificuldade em imaginar Serapião emanando bodum em algum beco medieval.

– Agradeço a preocupação. – Respondi, num tom neutro. – Em que posso ajudá-lo?

"– Ah. Sim." – Ele soou meio mortificado, talvez por ter abandonar o jogo de ameaças veladas sem marcar nenhum ponto. – "A Igreja gostaria de contratá-lo."

– Ah, sim?

"– Chegou a nosso conhecimento que o senhor está realizando um inquérito privado em relação ao passamento de uma de nossas fiéis..."

– Desaparecimento.

"– Perdão?"

– Não é "passamento", é "desaparecimento". Não há prova concreta de que a senhora em questão esteja morta.

"– Então, o senhor confirma seu envolvimento no caso?"

Tive de sorrir. O velho – a ligação era sem imagem, mas só conseguia imaginá-lo como um velho, e gordo ainda por cima – achava que havia, por meios maquiavélicos, extraído uma informação importante de mim.

– Bem, já que pelo menos um fiel de sua igreja já conversou comigo a respeito, não há motivo para negar, não é mesmo?

"– De fato."

Notei, mais uma vez, o tom mortificado. Meu "pelo menos um" o deixara intrigado. Talvez houvesse puritanos relapsos por aí, ignominiosos a ponto de não comunicar à hierarquia o contato com este infiel xereta? Ah, dúvida cruel.

Crueldade, aliás, era algo que eu começava a sentir no fundo da garganta, um sabor metálico, que deixa a saliva amarga. Aquele escroto tinha sabotado meu escritório para me intimidar e, reconhecendo tardiamente o erro de estratégia, apelava agora para ameaças indiretas e charadas pueris. Não demoraria muito para que chegasse à oferta de suborno. Resolvi lhe dar corda:

– Já que estabelecemos, para nossa mútua satisfação, meu envolvimento no caso do desaparecimento de dona Albertina, o que, diga-me, posso fazer por você? – Fiz questão de dar um tom insolente ao "você".

Para minha surpresa, o arquimandrita ignorou a provocação:

"– A Igreja gostaria de acompanhar seus esforços. Fui autorizado a mencionar a possibilidade de um incentivo, uma recompensa, por assim dizer, caso o corpo seja localizado."

– E se não for possível localizá-lo?

"– Bem, suponho que, para um homem de seu talento e criatividade, não deve ser *realmente* de todo impossível encontrar uma solução."

Minha paciência se esvaía depressa.

– Mesmo? E que solução seria?

Eu fazia uma boa ideia de o que o verme tinha em mente: que eu roubasse um cadáver adequado ou, até, que matasse uma senhora qualquer que fosse um similar razoável. Bastava que o corpo estivesse corretamente mutilado para ser irreconhecível, e eles decerto saberiam quem subornar para que os exames de DNA fornecessem o resultado desejado. Mas meu desejo era ouvir o filho da puta dizer. Solicitar o crime. Encomendar o presunto.

Claro, minha raiva havia superado o bom senso: por mais rudimentares que fossem os meios e técnicas do velho Serapião, até mesmo ele era esperto demais para propor um crime, de modo explícito, numa conversa que poderia estar sendo gravada. Como, de fato, estava.

"– Se nós aqui na Igreja soubéssemos, senhor, não precisaríamos oferecer incentivos ou recompensas a profissionais de seu calibre." – Respondeu num tom glacial.

– Alguma ideia do valor da recompensa?
– A generosidade do arcipreste é bem conhecida. Imagine seus honorários usuais para tratar de um caso de pessoa desaparecida...
– Não preciso imaginar. Tenho a tabela aqui na minha frente.
– ... e multiplique o valor por dez.

Era um bom dinheiro. Não o suficiente para me garantir uma aposentadoria precoce, mas, ainda assim, um dinheiro *muito* bom. Havia a questão ética de atuar num mesmo caso tendo dois clientes com propósitos antagônicos, de Sabrina ser uma pessoa infinitamente mais agradável e, importantíssimo, o de Serapião ter detonado minha cafeteira. Conseguir uma peça de bronze a preço razoável para substituir o tubo deformado levaria semanas, talvez até meses, neste mundo onde tudo é feito de polímero e biomassa.

– Vai tomar no cu! – Falei, desligando o telefone em seguida.

Sentindo-me mais leve e fagueiro, decidi ir a pé para casa. O plano para o restante da tarde era ponderar as informações que eu já havia obtido até então e pôr uma camisa limpa antes de partir para o bar onde iria conversar à noite com Antônio, o ex-colega de trabalho de Raul.

Eu vivia num apartamento não muito distante do escritório, se bem que, na maioria das vezes, preferia usar o VLT para me deslocar. A distância era de duas estações.

Estava passando pela porta da estação onde costumava embarcar quando notei um sujeito se destacando de uma rodinha que assistia a uma apresentação de cães bípedes dançarinos (essa modificação não tinha sido proibida?) e começando a andar na mesma direção que eu, mas se mantendo alguns passos atrás. Notei que ele tinha colocado alguma coisa na boca e, enquanto andava, dedicava-se a mastigar com vigor. Tive a sensação de que não era chiclete de bola.

Apertei o passo, entrei numa padaria onde o dono e os funcionários me conheciam e em silêncio, pedindo permissão e desculpas por meio de gestos e mímica, corri para os fundos, onde havia uma saída de carga e descarga.

Do lado de fora, caminhei na direção oposta à de minha casa até encontrar a primeira esquina, e daí contornei o quarteirão de volta, retornando pelo mesmo trecho de calçada que havia usado ao sair do escritório.

Logo vi a nuca do mascador de goma um pouco adiante, parado junto à entrada da padaria, fingindo estudar os doces na vitrine. Ele obviamente estava tentando me localizar ali dentro, em meio à confusão de fregueses que se acotovelavam no balcão, equilibravam-se nas mesinhas precárias e faziam uma fila barulhenta no caixa.

Tive de admitir que o interior caótico do estabelecimento, o reflexo do sol na vitrine, a fumaça geral de bacon frito e vapor d'água que preenchia a padaria, tudo isso somado ao fato de que eu não estava mais lá, dificultavam um bocado seu serviço.

Atravessei a rua e me sentei numa das mesinhas de um restaurante japonês self-service que ocupava parte da calçada, passando a observar meu pobre perseguidor. Ele ainda ficou, de um modo que me pareceu meio patético, fingindo prestar atenção na vitrine por mais alguns minutos – tentando ler presságios e portentos nos contornos do creme de ovo batido e açúcar que recobria as rosquinhas, talvez? – mas depois, com uma tentativa não de todo feliz de demonstrar dignidade e indiferença, afastou-se e voltou a caminhar.

Por um instante temi que fosse se dirigir ao ponto onde eu estava, mas em vez disso continuou a caminhar na direção geral de minha casa. Curioso, passei a segui-lo.

Se meu perseguidor era péssimo na prática, alguém ao menos se dera ao trabalho de lhe ensinar a teoria da campana. Uma vez tendo perdido de vista a pessoa que você deveria seguir, dizem os velhos mestres, o melhor é se dirigir a um lugar para onde o alvo terá de ir mais cedo ou mais tarde e, se possível, retomar o serviço a partir dali.

A alternativa é dar o expediente por encerrado e tentar de novo no dia seguinte, mas o mascador misterioso não estava disposto a deixar para amanhã o que podia fazer hoje. Seguindo-o, vi que parava bem perto do prédio onde moro, mas num ângulo que lhe permitia observar os três degraus largos da entrada principal sem ser captado pela câmera biométrica do porteiro eletrônico. E ficou lá, o ombro esquerdo malandramente apoiado num poste de luz, esperando eu aparecer.

Depois de me posicionar uns trinta metros atrás dele, comecei a caminhar, de forma rápida e decidida, em sua direção.

Eu tinha uma ideia razoável do que estava acontecendo. Só que, se estivesse enganado, o que pretendia fazer com o ruminante acabaria me rendendo um processo por agressão, talvez até lesão corporal, se o promotor estivesse com enxaqueca. Mas pensei, e daí? O que é uma ferida a mais para um lazarento?

Assim que me vi a dois passos de suas costas, ergui o braço e, sem diminuir minha velocidade, agarrei-o pelo ombro, girando-o com violência em torno do poste. Antes ele que tivesse tempo de se recuperar da surpresa e do desequilíbrio causados pelo safanão, meti-lhe um belo soco de esquerda na cara.

O impacto fez com que cuspisse uma massa leitosa, rosada, no poste, e com a mão direita agarrei-o com força pela nuca e empurrei sua cabeça até esfregar-lhe nariz, testa as bochechas na gosma. Quando o soltei, ele titubeou por alguns instantes, e imaginei se cairia sentado, mas não: manteve-se em pé. Histericamente, se pôs a friccionar o rosto com as fraldas da camisa. Mas já era tarde.

Enquanto isso, eu havia dado um passo para trás e observava, sabendo o que esperar. Não demorou muito para os efeitos da pasta de manifestarem, à medida que a saliva que mantinha o vírus inerte evaporava: bolhas enormes, grotescas e um tanto ou quanto dolorosas – a se julgar pelos gritos e gemidos – passaram a eclodir na fronte e ao redor dos olhos. Se alguma se formasse no interior das narinas, ele iria precisar de ajuda médica. Se meu humor melhorasse, eu talvez me sentisse compelido a chamar alguém.

A rua não estava muito movimentada e, de qualquer modo, minha vizinhança era uma daquelas em que as pessoas sabem o valor de dar amplo espaço e privacidade ao próximo, principalmente quando o próximo parece ser um tipo violento e a vítima não é ninguém que você conheça.

Senti uma satisfação meio mórbida ao ver o rosto de meu perseguidor se desfigurar em alta velocidade. Boa parte dessa satisfação adveio do fato de que eu estivera certo em minha conjectura: o que o imbecil viera mastigando era uma "pegadinha", um preparado feito à base de uma versão modificada do vírus papiloma, o mesmo que provoca as verrugas comuns. O da pegadinha é muito mais rápido e as verrugas que produz são muito maiores e mais frágeis. Ele também é não-contagioso e seus efeitos costumam desaparecer em, no máximo, dez dias.

O que não quer dizer que um ataque usando essa versão biológica da torta de creme na cara não seja humilhante, desconfortável e embaraçoso para a vítima, o que constitui todo o propósito da pegadinha.

O produto em si é ilegal, mas qualquer anarquista com acesso a um laboratório de fundo de quintal, qualquer estudante de ensino médio com um pendor para bio-hacking é capaz de sintetizar algumas dezenas de mililitros em poucas horas, como muitas patricinhas esnobes, celebridades televisivas, policiais e mesmo alguns senadores especialmente fotogênicos já descobriram.

Notando que ainda era capaz de respirar, o estranho deu um berro soprano e saiu correndo.

– Diga a Serapião que ainda lhe devo um chute no traseiro! – Gritei para o fugitivo, que já virava a esquina. *Choro e ranger de dentes.* Bando de idiotas!

Antônio Kobaiashi de Toledo era um homem alto e magro, que vestia calças azul-marinho e um paletó cor de mostarda cheio de bolsos com botões no peito, nas laterais, nos antebraços, exatamente como ditava a moda. Sua pele era escura como ônix polido. Não havia um único fio de cabelo em sua cabeça acima das orelhas mas, abaixo, descortinava-se uma longa e densa barba branca.

O efeito geral dessa aparência, complementada por um par de óculos redondos de aro dourado, era o de uma pessoa idosa, convencional o bastante para ser confiável, mas dotada de profundas reservas de sabedoria. O que devia ser exatamente a primeira impressão que Antônio desejava implantar no inconsciente de todos os que entravam em sua órbita.

Ele já estava sentado no balcão do bar quando cheguei. Havia uma caneca de cerveja cor de âmbar junto de seu cotovelo e um prato de azeitonas à frente. Apresentei-me, pedi uma caneca para mim também, sentei e começamos a conversar.

A primeira coisa que Antônio me disse era que tinha sido dele a ligação para as autoridades que levara a polícia a derrubar a porta da garagem de Raul.

– O cara não vinha trabalhar havia uma semana e nem atendia o telefone. Tinha que ter algo errado. Raul nunca faltava, mesmo se estivesse trabalhando em casa, investindo seu tempo livre num projeto novo.

– Derrubar a porta me pareceu algo meio radical. – Ponderei. – Eles não tinham empregados ou um mordomo virtual que pudesse reconhecer as credenciais da polícia e abrir a garagem?

Antônio balançou a cabeça:

– A automação na casa era mínima, vestigial, mesmo. O sistema lavava e passava as roupas, administrava o aquecimento de água e aspirava o chão, e só. A mãe era virtualmente uma ludita, não confiava em máquinas nem para cozinhar, nem para lavar a louça. Por seu lado, Raul era paranoico com automação inteligente. Tinha medo de ser hackaeado, principalmente quando levava projetos importantes para casa.

– E que projeto era esse? Se é que você pode comentar...

Ele sorriu:

– Acho que não poderia, se estivesse oficialmente envolvido, mas como era uma coisa entre ele e a namorada, a tal de Sabrina do laboratório, creio que...

Aquilo me surpreendeu:

– Namorada? – Eu não dissera a ninguém que Sabrina, que se dizia noiva de Raul, havia me contratado, mas apenas que estava trabalhando para "partes interessadas" no desaparecimento da mãe dele. E pelo que a amiga de Sabrina, Cláudia, dissera, o relacionamento dos dois era mantido em segredo.

Antônio engoliu duas azeitonas e me lançou um olhar entre divertido e culpado, mais ou menos como os que homens casados trocam entre si ao entrar num puteiro.

– Aposto que um passarinho lhe contou que o namoro dos pombinhos era altamente classificado, certo? – Ele riu. – Bem, de certa forma, era, ainda que de um jeito meio desastrado. O resto do pessoal da engenharia provavelmente teria notado, se se desse ao trabalho de prestar atenção. Quanto a mim, como poderia não notar? Raul tinha me convidado para ser padrinho.

– Padrinho. – Repeti, passando recibo de lerdeza mental.

– Padrinho de casamento. Eles chegaram, se não a marcar data, pelo menos a definir uma espécie de janela de oportunidade, um período ideal. Deveriam ter trocado os votos uns dois meses atrás, mas quatro meses antes, desistiram. Quando veio me "dispensar" do serviço de padrinho, Raul estava bem embaraçado...

– Ele deu algum motivo?

– Disse apenas que o momento certo ainda não havia chegado, algo assim.

– Mencionou a mãe?

Antônio parou para pensar um pouco:

– Não. – Disse, por fim. – Creio que não. Pelo menos, não nesse contexto.

Terminei minha caneca de cerveja e pedi outra. Enquanto esperava, comentei:

– Então, ele ficou uma semana sem aparecer e você chamou a polícia.

– Isto. Eu sabia que ele andava fazendo uns testes informais fora do horário do expediente, mas, como já expliquei, Raul era um sujeito caxias e, mesmo se estivesse cuidando de algum projeto em casa, da meia-noite às seis, ele jamais cogitaria compensar as horas-extras enforcando tempo de firma. Era bobo assim.

Minha cerveja chegou e sujei a ponta do nariz no colarinho alto. Depois de usar o guardanapo, voltei a perguntar sobre o projeto. Antônio respondeu apontando para o meu copo:

– Essa cerveja que você está tomando é feita por leveduras que transformam o açúcar natural da cevada em álcool e liberam gás carbônico no processo.

– Certo.

– Boa parte da energia que usamos hoje em dia no transporte, biodiesel, bioquerosene, etanol, é feita da mesma forma. Leveduras, ou às vezes bactérias, transformam biomassa em moléculas precursoras que, depois, são convertidas no tipo de combustível que cada veículo específico requer. As antigas refinarias de petróleo se transformaram em grandes cervejarias.

– Por causa do aquecimento global. – Sugeri.

– Em parte, sim. Mas o preço do petróleo também teve algo a ver com isso. – O sorriso maroto de pai de família no bordel voltou a aparecer em seu rosto. – Plantar cana ainda é mais barato do que perfurar a plataforma continental. Mas pode não ser para sempre. Porque existe a questão do rendimento.

– Rendimento?

Ele fez uma pausa para trocar a caneca vazia por uma cheia, e então prosseguiu:

– Em linhas gerais, extrai-se mais energia de um litro de petróleo do que de um quilo de cana. E a demanda mundial só faz aumentar. Em breve, chegaremos a um ponto em que voltará a fazer sentido, sentido econômico, pelo menos, extrair e refinar petróleo, como se fazia lá no século XX. A menos que consigamos extrair mais energia das plantas.

– Celulose?

– Celulose, isso. Plantas são feitas de outras coisas além de açúcar, como celulose, gordura e proteínas, e há rotas biológicas para converter isso tudo em combustível. A questão é apenas de preço e de resíduos indesejáveis. A celulose já entrou na roda no início do século. Gordura animal é usada há décadas para produzir querosene de aviação. Proteína é a nova fronteira, principalmente por causa dos resíduos.

– Resíduos?

– Amônia. Nitratos. Antigamente, o pessoal pensava que isso não seria um problema, que depois que os levedos e as bactérias terminassem de transformar a proteína em combustível, a parte com o nitrogênio poderia ser reaproveitada como fertilizante. Um ciclo fechado: nitratos para o solo, solo para a planta, planta para os nitratos. Mas aí... Já ouviu falar na poluição por nitrogênio?

Fiz que não com a cabeça. Ele engoliu mais três azeitonas.

– Resumindo, ter compostos de nitrogênio à solta por aí, no solo, no ar e na água não é uma boa ideia. Chuva ácida. Poluição de lagos e oceanos. Ruim, muito ruim. Não no início, mas com o passar do tempo... Os fertilizantes sintéticos tiveram de ser regulamentados quase até à extinção, há cerca de dez anos. Daí, o sonho dourado do biocombustível de proteína foi por água abaixo.

–A menos que alguém inventasse um processo capaz de neutralizar o nitrogênio. – Acrescentei. – Que era no que Raul e Sabrina estavam trabalhando.

– Isto. Ela desenvolveu o organismo, ele estava trabalhando no reator, digestor ou seja lá qual o tipo de aparelho que tinha construído em casa. Se tivesse dado certo, teria sido fantástico.

– Porque iria permitir aproveitar 100% das plantas?

– E dos animais.

No tipo de literatura que costumo consumir, a frase "senti um punho gelado fechando-se sobre meu coração" aparece com uma certa frequência, mas eu jamais havia entendido seu significado até este momento. Alguma coisa estava tomando forma no fundo de minha mente e não era nada de bom.

– Animais?

– Claro. – A questão parecia divertir meu interlocutor. – Animais são, fundamentalmente, gordura e proteína. O processamento da gordura já é antigo. Nas zonas urbanas mais densas, restaurantes conseguem fazer um bom dinheiro repassando sobras de gordura para as usinas. Se desse para processar a proteína também, seria possível reaproveitar praticamente todo o lixo orgânico como fonte de combustível, as partes imprestáveis dos animais abatidos para consumo, carcaças de cães e gatos... Além de criar um forte incentivo para o combate ativo de pragas urbanas, como ratos e pombos.

– E os ossos?

– Osso também é proteína. Colágeno, principalmente. Precisaríamos de filtros para segurar os minerais, cálcio e todo o resto, mas mesmo assim...

Seus olhos assumiram um brilho distante, sonhador. Era o cérebro de engenheiro, entretido em meio a especulações sobre uma máquina imaginária. De minha parte, eu só conseguia pensar no final de um filme de cem anos atrás, uma velha produção em 2D.

Um ator famoso na época, grande canastrão, mas com uma presença de tela fantástica, corria pelas ruas gritando *"Soylent Green is people!"*, "Soylent Green é gente!", referindo-se a uns biscoitos verdes que constituíam a base da dieta humana, no mundo do filme. Naquele enredo, as pessoas eram canibais e não sabiam.

– E por que, – obriguei-me, com um esforço de vontade, a pôr de lado meu devaneio cinematográfico, – ele estava trabalhando nisso em casa? O projeto certamente seria do interesse da empresa.

– Era algo que ele estava desenvolvendo junto com Sabrina. Creio que tinha começado como uma missão oficial da firma, mas evoluiu para um projeto pessoal dos dois. Acho que queriam apresentar a tecnologia à direção quando já estivesse pronta, ou ao menos quando já tivessem um protótipo funcional. Ou, então... Olha, você não ou ouviu isso de mim, mas talvez eles quisessem fundar uma empresa só deles. Sua própria companhia. Se pudessem provar que todo o desenvolvimento havia sido feito fora do horário do expediente...

– Entendi.

Meu estômago me incomodava. Não consegui terminar a segunda caneca de cerveja. Sinal eloquente de saúde em declínio, no meu caso. Depois de mais algumas linhas de diálogo inconsequente, pedi licença e saí.

No caminho para a estação do VLT, apressado, liguei para meu contato na polícia. A voz explodiu do outro lado da conexão:

– Caralho, mano, eu já não disse que hoje não dá...

Major Adriana da Polícia Metropolitana Unificada, – que parte da imprensa adora chamar de Polícia Unificada Metropolitana, só para sacanear com o acrônimo – minha querida irmãzinha, nascida dois anos depois de mim, sempre carinhosa com o irmão maior.

– Cala essa boca suja de merda, Dri. – Ao falar com a Adriana, sempre acho bom impor minha autoridade logo de cara. Imagino que qualquer outra pessoa que tentasse mandá-la calar a boca, incluindo meu cunhado, acabaria com um cano de 9 mm enfiado numa das narinas, ou noutro orifício qualquer. Mas ser o irmão mais velho traz alguns privilégios atávicos. – Cala a boca e me escuta. É importante...

Ela havia dito que não teria tempo de falar comigo naquele dia por causa de uma festa na escola onde minha sobrinha estudava, mas o fato de Dri ter atendido à ligação com um sonoro "caralho" era sinal de que, ao menos por enquanto, estava sozinha e podia falar livremente.

Mas eu sabia que aquilo não ia durar, então, bem depressa, resumi os eventos do dia e a hipótese que me ocorrera durante a conversa com Antônio, que continuava a me embrulhar o estômago.

Ela me ouviu com certa exasperação no início, mas, à medida que as implicações de cada etapa da investigação iam ficando claras, passou a mostrar interesse mais pronunciado. No fim, engatamos uma boa conversa sobre o caso, e foi aí que obtive muitas das informações que apresentei logo no início deste relato.

Assim que terminamos a conversa, – eu já estava dentro do trem, – ela me prometeu mandar uma equipe de peritos para dar uma segunda olhada na casa do Raul. Com ênfase especial ao carro, que ficara na garagem após a remoção do corpo, e na parte do jardim onde os policiais haviam sentido o cheiro de cerveja.

Para minha decepção, o Arquimandrita Serapião não era nem gordo, nem velho e nem sequer fedia. O sujeito que entrou no meu escritório, na tarde do dia seguinte, era alto, magro, exalava um suave aroma de mogno e frutas críticas, com uma breve nota de incenso. Vestia um terno cinza risca-de-giz elegantíssimo com o paletó cheio de bolsos (e dragonas nos ombros, algo que antecipava a moda safári da próxima estação), chapéu panamá e, para não dizer que tudo nele era lindo e atual, tinha uma barbicha carapinha que parecia o rabo de uma ovelha morta, colado em seu queixo com cuspe.

– Boa-tarde, Revendidíssimo. – A voz suave de minha secretária cumprimentou o recém-chegado.

Sua expressão, que já não era das mais agradáveis, fechou-se por completo. O rabo de ovelha agora parecia uma nuvem de tempestade, pronta a soltar raios. Quanto a mim, abri o mais beatífico dos meus sorrisos, enquanto sinalizava para que ele se sentasse:

– O sistema teve problemas ontem e ainda não voltou ao normal. – Falei, expressando uma comiseração que, espero, soou tão falsa quanto de fato era. – Ela queria dizer "reverendíssimo".

Ele grunhiu alguma coisa enquanto se sentava e, uma vez acomodado, disse:

– Fiquei surpreso com seu telefonema. Depois da forma abrupta com que...

– Mas o senhor não foi, então nada de mau aconteceu.

– Não fui?

– Fazer o que lhe sugeri ontem, antes de desligar to telefone.

O arquimandrita ficou lívido. Com interesse quase clínico, observei enquanto o sangue sumia de seu rosto. Ele teria levantado e saído do escritório naquele mesmo instante. Teria, talvez, tentado me agredir, se não fossem as ordens que tinha recebido diretamente do Arcipreste Sérvio, com quem eu falara na noite anterior.

Não tinha sido muito difícil obter acesso pessoal ao líder supremo da Igreja dos Puritanos, depois que deixei escapar, para um dos aspones que serviam como escudos do arcipreste nas redes de comunicação, que minha fofíssima irmãzinha, major da PMU, estava interessada no caso Albertina.

A insinuação das possibilidades ilimitadas de manipulação de fatos e depoimentos por meio de nepotismo e tráfico de influência dentro da própria polícia, que eu deixara propositalmente no ar, inebriara a cúpula da Igreja. O suficiente, ao que tudo indicava, para reduzir o arquimandrita à mais abjeta submissão.

Exatamente como esperado: antes de fazer contato com a Igreja, eu havia falado com meu advogado e ele me dissera que, embora fosse possível, em teoria, desembaraçar o patrimônio dos Gonçalves da Nóbrega no curto prazo, as chances de isso acontecer sem o corpo de Albertina eram mínimas.

As leis a respeito de patrimônio e herança vinham mudando bastante nos últimos vinte anos, por conta das novas possibilidades como clonagem, upload de consciência e reprodução humana assexuada, mas ainda não era assim tão fácil declarar alguém morto.

Se os puritanos queriam mesmo pôr as mãos na totalidade da herança da família, eles precisavam desesperadamente de boas evidências de que a senhora estava mesmo morta, e precisavam disso antes que Sabrina conseguisse provar a união estável.

– O reverendo – falei com a felicidade que sempre sinto nas raras vezes em que sei que estou com todas as cartas na mão – havia mencionado algo como um pagamento de dez vezes meus honorários usuais, caso um corpo fosse produzido.

Ele se inclinou para a frente na cadeira, ansioso:

– Leve-me ao corpo.

– Pague-me o dinheiro.

Serapião recuou, desconfiado.

– Vamos lá. – Minha alegria era tanta que sentia a cabeça leve nos ombros. – Eu não enganaria vocês. Não quero pivetes cuspindo papiloma na minha cara em cada esquina, pelo resto da vida.

Ele refletiu um pouco a respeito. Em seguida, retirou um portátil do bolso, digitou alguma coisa e, dois minutos depois, vi, no terminal da escrivaninha, a barra de crédito de minha conta bancária mudar de cor – do laranja para o verde – e subir, subir.

– O corpo? – O arquimandrita estava impaciente.

– Aqui. – Empurrei-lhe, por sobre a escrivaninha, um calhamaço de papel que havia imprimido mais cedo. – Este é o conteúdo, ainda não oficial, do resultado de uma perícia detalhada realizada no automóvel onde Raul foi encontrado, e num digestor experimental montado secretamente no jardim da casa. A polícia esteve lá pela manhã.

– O corpo estava no carro? Onde? No banco? No porta-malas? Como esses idiotas não notaram isso antes...

– Não. Estava no tanque.

Serapião calou-se.

– Os detalhes estão aí. Precipitação de cálcio no filtro de combustível. Indício de corrosão por amônia na mangueira. O laboratório encontrou até vestígios de DNA mitocondrial no reservatório, o que permitiu uma identificação positiva.

Adriana havia me passado os dados preliminares da perícia pouco depois das dez horas. Levemente irregular, mas o sangue é mais espesso que a água. Ademais, ninguém teria periciado o tanque se eu não tivesse sugerido e, no fim, também faço minha cota de serviços sujos para a PMU, quando a major assovia.

– Não entendo...

– Raul estava trabalhando num processo para produzir biodiesel a partir de proteína animal. Seres humanos são animais. Albertina era um ser humano. Quer que desenhe um diagrama?

– Ele usou a mãe para produzir a fumaça que o sufocou até a morte?

– O cadáver da mãe. Não creio que ela ainda estivesse viva quando ele a enfiou no digestor, onde, por sinal, os policiais encontraram retalhos de uma camisola e também alguns fios de cabelo, ainda com vestígios de material genético na raiz. Mas, de resto, boa síntese. Foi isso mesmo.

– Mas isso é... *obsceno.*

– Ele vivia em função da mãe, para cuidar da mãe. Quando ela morreu...

– Ela realmente *está morta*, então.

O almofadinha sequer tinha a decência de esconder a ponta de triunfo na voz.

– Bem, esta é a boa notícia. – Prossegui, preparando meu petardo. – A polícia tem provas de que Albertina está morta. A má notícia, ao menos para vocês puritanos, é que a mesma prova mostra que ela morreu *antes* do filho. Já que o corpo dela foi a arma do suicídio dele, não parece haver outra saída, logicamente falando, a menos que seus advogados consigam provar que Raul inventou a máquina do tempo, e mesmo assim a história ainda continua complicada. – Sorri, reciclando minha falsa comiseração. – O que quer dizer que *ele* é o herdeiro, não vocês. E, sem ele, a fortuna vai para... Bem, para alguém que não são vocês. Sinto muitíssimo.

– Não. – O arquimandrita se levantou de supetão, rangendo os dentes de raiva. – Não sente.

– É, não sinto. E sabe aquilo que falei sobre os pivetes com papiloma? Era mentira. Vou adorar quebrar a cara deles quando vierem atrás de mim. Um de cada vez ou todos juntos, tanto faz.

Sabrina entrou uma hora depois de o homem da Igreja ter se mandado. A máquina de café ainda não tinha sido consertada. O trabalho teria de ser artesanal. Então tirei uma garrafa de *bourbon* da gaveta, dois copos do tamanho de dedais, e servi uma dose para cada um de nós.

Ela estava usando calças compridas e uma blusa de gola alta. Roupas marrons, quase da cor de sua pele, mas largas: a única curva notável era a elevação dos seios e, mesmo assim, mais sugerida do que marcada. Nada de decote e joelhos desta vez.

Eu lhe enviara o relatório da polícia ainda pela manhã. Agora, havia insegurança em seus olhos: ela queria saber o quanto eu realmente tinha deduzido. Se a entregaria à polícia.

– Raul ficou uma semana sem ir ao trabalho, algo totalmente avesso a seu caráter e a seu jeito de ser. – Falei, assim que ela se sentou. – Mas quem chamou a polícia não foi a esposa, e sim um colega.

– Ele me ligou, dizendo que a mãe tinha morrido. E que precisava de um tempo sozinho, para... para processar o que tinha acontecido, e então...

– E então você deixou o homem da sua vida totalmente só, numa casa compacta e com o cadáver da própria mãe, por sete dias, sem dizer nada para ninguém, é isso? Até que ele ficou louco de dor e solidão e resolveu se matar também, é isso?

– Dizendo dessa forma soa tão *horrível*. Mas... sim.

– Mas por que se matar assim, sufocando na fumaça do corpo da mãe? Seria uma coisa sexual? Psicopatológica? Uma mensagem? O que você acha?

– Eu... eu...

Ela estava assustada. Ela sabia que eu sabia.

– Posso oferecer uma explicação? – Sem esperar resposta, comecei. – Albertina era um obstáculo. Um empecilho. Mesmo cega e paraplégica, era uma senhora ativa, animada, quase independente... Até que o filho começou a falar em casamento. Em trazer outra mulher para viver na casa, ou sair de casa e deixá-la só, tanto faz. Albertina não poderia permitir isso. E qual o método que escolheu para impor sua vontade ao filho? O método milenar das mães de filhos únicos: chantagem, não, *tortura* emocional. Culpa.

Minha cliente engoliu em seco.

– Todas as pessoas que sabiam de seu plano para se casar com Raul também me disseram que eles foram cancelados há cerca de seis meses. Mais ou menos na mesma época em que, nas palavras de um amigo e provável namorado, Albertina *decidiu tornar-se* uma inválida, bloqueando a rota de fuga do filho. Mas filhos de mulheres fortes e assertivas tendem a se envolver com mulheres fortes e assertivas, e aposto que você é bem o tipo. Vendo que Raul não se casaria enquanto Albertina continuasse com seu jogo de mãezinha inválida, você concluiu que era hora de se livrar de Albertina. Desconfio que a ideia de descartar o corpo por meio do escapamento do carro foi sua, não foi? Com Albertina dissolvida na atmosfera, seria possível sustentar a ilusão de que ela havia recuperado a boa disposição e decidira viajar, sair em férias, mudar-se para outro país. Enquanto que vocês, finalmente, poderiam ficar juntos.

– Interessante. – Ela reuniu forças para construir uma máscara de impassividade. Mas os olhos continuavam tensos, assombrados. – Ainda que um tanto ou quanto mórbido.

– A adequação de meios e fins era tão grande, – prossegui, como se não tivesse sido interrompido, – com o protótipo instalado no jardim da casa, e o fato de Albertina depender de Raul para receber seus tônicos e remédios, que fez você se esquecer do fator psicológico da *culpa*. Nos sete dias em que o corpo de Albertina fermentou no digestor, Raul foi se destroçando de dentro para fora. Até que, no fim, resolveu aplicar uma forma de justiça a si mesmo: como havia permitido que a mãe fosse morta, agora ele permitiria que ela o matasse. Assim, ele encheu o tanque, trancou as portas, baixou os vidros, acelerou... Fico imaginando o que teria acontecido se Antônio tivesse ligado para a polícia um dia, ou mesmo uma hora, mais cedo.

– Acho que nunca saberemos, não é mesmo? – Ela estava sorrindo. Não um sorriso falso, mas algo que acentuava a composição cruel de seu rosto: havia recobrado a compostura. Geralmente é o que ocorre quando alguém vê seus pecados expostos e, de imediato, nada lhe acontece. Todos nutrimos um medo atávico de que o chão se abra sob nossos pés quando alguma vilania que cometemos é articulada claramente em palavras. Mas, se não surgem consequências instantâneas, relaxamos e baixamos a guarda. Algumas pessoas até tiram grande prazer, exultação, do efeito.

O que as deixa mais vulneráveis do que imaginam.

– Existe um copo. – Falei. – Um copo com um vestígio de suco, deixado na pia da cozinha da casa de Raul. Deve estar embalado, em algum armário de evidência da polícia. Não sei que testes as autoridades realizaram nele, ou que novos testes ainda poderão realizar. Certamente que impressões digitais foram coletadas e a borda analisada em busca de sinais de material genético. Fico imaginando se não seriam suas as digitais, seu o DNA.

Ela deu de ombros:

– E se forem? Isso só prova que eu estive lá, um dia. E por que não teria estado? Raul e eu namorávamos. Na verdade, não há nenhuma prova de que a morte de Albertina não tenha sido perfeitamente natural.

– Fico imaginando se havia veneno no copo.

– Veneno? – Soltou um riso nervoso.

– A casa estava em perfeita ordem, exceto por dois detalhes: a cama de Albertina e esse copo. A cama onde ela dormiu pela última vez, e o copo... talvez o copo de onde ela bebeu pela última vez?

Sabrina tremia. A temperatura na sala era de 25°C.

– E se houver veneno no fundo, DNA de Albertina na borda, e digitais... Haveria outras digitais misturadas às de Raul, eu me pergunto?

– Fraco, estúpido, sentimental, infantil, invertebrado, idiota... Maldito imbecil, *não acredito que não tenha lavado o copo depois que saí de lá!*

– Bom blefe, o do copo.

Sorri. Não é sempre que Adriana reconhece os méritos do irmão mais velho. Um pouco ao longe, minha sobrinha gritava, agarrada ao pescoço do pai. Pelo pouco que pude entender, ela temia ser tragada por um buraco negro, e a coluna cervical do meu pobre cunhado era sua última âncora neste Universo.

Por mais incongruente que possa parecer, ambos estavam se divertindo um bocado.

– Tinha sido o último drinque de Raul, não?

– Sim. Ele tomou uma mistura de leite, conhaque e suco de manga antes de entrar no carro e se matar. Acho que não viu muita razão em lavar louça, se não ia mais precisar dela.

– Faz sentido.

– Totalmente.

Ao longe, a gravidade do buraco negro arrastara meu cunhado para o chão, e agora pai e filha rolavam pela grama. Era uma manhã de sol no parque da serra e o gramado ainda estava macio com o orvalho da madrugada.

– Aqueles dois vão ter uma coceira dos diabos, mais tarde. – Observei, crítico.

– Faz parte. – Adriana respondeu. – Mas como você soube que ela é que tinha preparado o veneno para Albertina?

Dei de ombros.

– A mãe não aceitaria um copo de suco de nenhuma outra pessoa que não o filho. Ela provavelmente nem sabia que Sabrina estava na casa. Raul tinha de levar a bebida até ela. Mas ele não teria conseguido pôr o veneno no copo.

– No depoimento, Sabrina disse que ele só entrou na cozinha quando a mistura já estava pronta.

Assenti com a cabeça:

– Faz sentido. Assim, sem testemunhar nada, ele poderia manter a ilusão de que não havia nada de errado. Raul era o tipo de homem que deixaria uma mulher forte fazer o que quisesse com ele, mas por isso mesmo era incapaz de fazer qualquer coisa contra uma mulher forte.

– Bem diferente de você, certo, maninho?

Olhei para cima, para o céu azul, fingindo pensar profundamente.

– Felizmente, não tenho mulheres fortes na família.

E saí correndo, fugindo da polícia.

O Confronto dos Reinos

Telmo Marçal

DANTES EU TAMBÉM fazia pouco do amor. Gozava com os papalvos que se derretem frente à televisão, a babar as paixonetas dos galãs e das ingênuas. Nunca pensei que me tocasse a mim: a angústia agridoce, o fogo no peito, a vertigem... Por causa do amor estou escondido na serra, entre as árvores, à espreita na mira da carabina. Em busca de alvos para cumprir a minha vingança.

Nunca gramei os Folhas de Couve. Mesmo antes de ter conhecido algum. Agora tenho-lhes um ódio de morte: assassinaram minha namorada.

Uma vez, quando era puto, entramos num hotel dos Verdocas, eu e mais dois cupinchas, qual deles o mais chanfrado. A segregação ainda não estava aprovada, mas era como se estivesse: aquela malta fazia o que queria e ninguém dizia nada; andavam com eles nas palminhas.

Não ligamos pevide às trombas do porteiro. Um dos meus amigos era tão abusado que lhe disse muito sério:

– O senhor está com má cara. Deve ser fome. Quer vir comer qualquer coisa? – O gajo ia responder torto mas engasgou-se a tempo. Veio a tossir atrás de nós até ao balcão.

O recepcionista é que avisou qualquer coisa sobre a espelunca ser reservada a pessoas clorofilizadas. Era precisamente o que queríamos ouvir.

– Reservado a quê? A Cabeças de Alcachofra? Tem de me mostrar a alínea do alvará onde diz isso. A mim parece-me um hotel com bar, onde toda a gente tem direito a beber um copo.

Tiveram de engolir aquilo. Mas nós não conseguimos engolir nada que prestasse. Só serviam mistelas de compostos vitamínicos e sais minerais.

Por que é que o chefe me escolheu para aquela missão? Seria por causa da minha experiência anterior?

Aqui há tempos já me tinha calhado um número com os Florzinhas de Estufa. A mensagem chegou quando ainda estava a lavar a remela dos olhos.

– Estás acordado, mariconço? Toca a abrir a pestana. Há trabalho para fazer. Vais buscar um Molho de Espargos e passeá-los pelo meio da manada. Com cuidadinho para ninguém levar uma dentada. Vá, despacha-te, mexe esse cu da cama pra fora.

Nem sempre se percebe o que o chefe quer dizer. Felizmente as especificações da missão vêm sempre em tom formal. Mandavam estar às nove horas junto ao portão de um palácio, na Vila de Sintra, para escoltar a delegação oficial dos Talos de Couve aos Paços do Concelho. Nada de muito complicado, não fosse faltarem menos de trinta minutos para o dito *rendez-vous*. Desarvorei pelas escadas abaixo, a rir para não chorar.

Mas à porta tinha uma limusine e batedores motorizados à espera. Tudo equipado com motores de combustão interna.

– Viva o luxo! – gabei eu, à laia de cumprimento.

Sentei-me ao lado do condutor e arrancamos com as sirenes a guinchar. Nenhum semáforo nos pareceu suficiente vermelho para parar.

Só dei conta de alguém no banco traseiro quando entramos na via rápida. Nem lhe disse nada, limitei-me a fazer uma chamada que o chefe apanhou enquanto levantava halteres no ginásio. O raio do velho, já com noventa anos bem medidos, muito gosta de torturar os ossos.

Dessa vez entendi bem a mensagem.

– Havia de ser bonito, deixar um Neandertal como tu à solta no meio dos Repolhos. Iam conversar sobre quê? Sobre os melhores tascos para comer pastéis de bacalhau? Tu ficas à porta, muito sossegadinho, a fazer figura de urso, e deixas a colega tratar de tudo. É jeitosa não é? Mas põe-te a pau, é meio aluada, anda cheia de vontade de passar para o outro lado. Não tem é dinheiro que chegue para os tratamentos.

O velho é cá dos meus: gosta delas de todas as cores, até verdes.

Olhei outra vez para a rapariga, que me disse um *Olá, bom dia* simpático. Nunca a tinha visto, por isso devia ser uma nova aquisição. Conheço a fronha de todos no serviço, não somos assim tantos: Lisboa já não tem muito que guardar.

No regresso a colega e os Lagartões conversaram todo o caminho, comigo a fazer de pau-de-cabeleira. Quando largamos os passageiros disse ao motorista:

– Vai ver se chove. – E mudei-me para os assentos de trás.

Fiquei a conhecer uma rapariga maravilhosa chamada Rita. Acho que me apaixonei logo naquela primeira conversa.

Uma rapariga maravilhosa, mas também preocupada. Apreensiva com a loucura do mundo.

– Achas normal que seja preciso mandar agentes especiais guardar os dirigentes da Estufa?

Disse-lhe uma parvoíce para desanuviar:

– A nossa missão é garantir que eles vistam as túnicas, se não ainda vinham para aí com os tomates à mostra.

E ela riu-se, tão simpática, tão bonita.

A verdade é que pairava alguma raiva no ar. As pessoas estavam a perder a admiração pelos seres solares. Anda aqui a malta a passar da negra, a comer papas de aveia e a tomar banho de água fria, e aqueles os senhores repimpados ao sol, longe da barafunda, a beber sumos e a cagar fininho.

Até havia gente, diziam os relatórios, que levava o assunto demasiado a peito. E nessa manhã, enquanto me apaixonava, recebi precisamente um recado desses. *"Possibilidade de provocações por parte de manifestantes; reforçar medidas de segurança."*

A paragem seguinte era na gaiola dos papagaios, o Palácio de São Bento. Há sempre grupos de malucos, ao fundo da escadaria, a protestar contra qualquer coisa. Deixei de ser um pinga-amor e entrei em modo profissional. Mandei vir um artefato ainda maior para substituir a limusine, devidamente blindado, com canhão de água na torre e eu próprio ao volante. Ela e as pernas dela a meu lado e os Cabeças de Melancia encafuados na retaguarda, a fazer cara de enjoados.

Para não nos ouvirem Rita baixou a voz:

– Espero que consigam.

– O quê?

– Não sabes o que se discute hoje no parlamento?

Então não sabia? Eu e toda a gente. Até tinham vindo equipes de reportagem estrangeiras. O Talo de Couve-Mor ia palrar o seu discurso para convencer os deputados.

Convencidos já eles estavam – chusma de pançudos – a deixar os Verdinhos andar à vara larga. Ia-se lá saber porquê!?

Rita tinha a sua visão particular dos porquês.

– Todos temos direito à nossa privacidade. Eles estão fartos de curiosos e de turistas; é compreensível.

Sabem o que eu respondi, todo derretido?

– Tens toda a razão, concordo a cem por cento.

Desejo realizado: o Regime Especial das Colônias de Pessoas Clorofilizadas foi aprovado com muitas palmas e vivas. Quem se dispunha a viver sem ingerir alimentos sólidos estava voluntariamente segregado da restante sociedade.

Convidei a colega para sair, a pretexto de celebrarmos o acontecimento. Fomos às esplanadas do Centro Comercial de Belém, o único sítio onde ainda se pode beber um copo nesta cidade moribunda. Experimentei uns argumentos, de mansinho, para não espantar a caça.

– Não achas que foram um bocadinho longe de mais? Na prática as colônias ficam totalmente autônomas, é como se fossem território soberano. As instituições, o governo, nós, ninguém manda lá nada...

Ela quase me convenceu que era tudo para proteção do modo de vida especial dos tipos enxertados.

– Mas não achas que a criação de guetos pode ter efeitos negativos?

– Um gueto, a bela Vila de Sintra?

Pois, a bela Vila de Sintra, a Colônia Piloto, onde deixamos de poder ir passear e comer uma queijada.

– Não é assim tão drástico, não fomos proibidos de entrar nas colônias. – Ela suavizou.

– Pois não, mas temos de pedir autorização primeiro.

Rita preocupou-se em explicar com argumentos que estivessem ao meu alcance.

– É um bom negócio para ambas as partes. Com os clorofilizados o governo deixa de se preocupar. Sobra mais para distribuir pelos outros. Em troca deixamo-los sossegados. Ninguém lá vai meter o nariz.

Acabei a concordar com ela, mas só porque estava bêbado.

– Sim, sim. Tens razão. Essa gente tem um nariz muito delicado. Imagina se lhes entrava por ali adentro um selvagem a beber uma cervejola e a mastigar um sanduíche de pernil!

E ela voltou a rir-se.

Tanta compreensão valeu-me ter companhia para o resto da noite. E também na seguinte, e numa outra, até que passamos a acordar juntos todos os dias.

Noutro dia Rita perguntou diretamente:

– Não gostas das clorofilas puras? São tão bonitas, tão esbeltas…

E eu menti.

– Sei lá se gosto, nunca experimentei.

A verdade é que numa ocasião me deixei levar pelos anúncios. "*Venha colher uma flor*".

Era no último piso de um prédio com vista para o Tejo, à hora do nascer do sol. O terraço estava transformado em estufa. Elas e eles passeavam entre as plantas, vestidos só com o sorriso, muito verdinhos, muito magrinhos, a oferecer bebidas deslavadas. Até tinha a sua piada. Mas para conseguir alguma coisa das florzinhas era preciso investir. A coisa estava montada para as miúdas sacarem o delas. Não são nada baratos os tratamentos para se atingir a pureza vegetal.

Escolhi uma e pedi a sessão privada no solário. Tudo muito delicado, músicas para dormir, fuminhos de cheiro. E de resto era quase só massagens, a rapariga não passava daquilo. Acabei por ter de ser eu a sacudir o galho.

Eu acho que a culpa é desta crise, que nunca mais passa. Os tontinhos metem-se nisto da clorofilização com medo de passar fome. Pensam que o sol ao menos não esgota, como aconteceu ao resto. Enfim, cada maluco com sua mania!

As coisas começaram a dar para o torto num dia em que estava no átrio da sede, pronto a sair, à espera da Rita. O implante desatou a berrar:

– Onde é que vais, ó palhaço? Dá meia volta ao cavalo e sobe cá acima ao gabinete.

Sexta-feira, cinco da tarde, e o chefe não estava no ginásio. Havia bronca da grossa.

Amarinhei pelas escadas até o quinto andar. Estávamos em plena campanha *"Uma semana sem elevador"*, com os serviços públicos a dar o exemplo.

O chefe ao vivo, com gravata e tudo, parece pelo menos tão velho quanto é. Acho que ele paga para não o reformarem. É uma forma de investir as economias como qualquer outra. Gosto quando ele diz:

– Quero viver até os duzentos anos, estar no ativo até os cem, e dar nelas até os cento e cinquenta.

Passado um minuto chegou Rita, muito menos esbaforida que eu. Pensei que íamos levar um sermão por causa do namoro, mas não era nada disso.

– Não estão fartos de andar a tomar conta dos rolas murchas e das conas moles? Querem um trabalhinho de espião a sério? Infiltrados? Disfarçados e tudo? Pois tenho aqui o que precisam: Umas férias em Sintra, à conta do orçamento.

Mentalmente abri um sorriso de orelha a orelha – os Verdinhos metidos em sarilhos – mas por fora mantive a cara de pau.

– Está a dar-lhes a moléstia? Ou o Grande Talo anda a tramar alguma?

O velho encarquilhou-me a testa:

– Eles é que pediram a nossa ajuda. E vocês são os meus dois agentes com mais experiência nesta área. Quero tudo bem espiolhado mas sem dar nas vistas. Vão entrar na Colônia disfarçados de acólitos. Aqui o maricas vai ficar tão giro!

Uma semana de preparativos. Para Rita foi realmente como ganhar um pacote de férias pagas; para mim foi a pior semana da vida. Queriam-me esguio e seco como uma palha. Drogaram-me a tiroide até ficar pele e osso, passei horas emplastrado para a pele beber uma corzinha, rapei fome de cão vadio. Com a minha querida foi mais fácil: o tratamento dela já ia a meio caminho. Entre transfusões, injeções e radiações conseguiram mudá-la de espécie no tempo previsto. Como eu não definhei que chegasse ela partiu com avanço.

Penso muitas vezes nisto: afinal o que distingue as plantas dos animais? As plantas têm clorofila e produzem o seu próprio alimento; foi o que me ensinaram na escola. Mas eu sei que há situações dúbias, naquela bicharada pequena: seres que aproveitam o melhor dos dois reinos. E agora fazemos isso com as pessoas. Uma nova espécie.

Para mim não passa de uma aberração.

Com Rita era diferente, claro. Temos de saber distinguir as plantas comestíveis das venenosas.

Finalmente fiquei escanifrado que chegasse. Apresentei-me no posto de controle da Colônia com uma história aldrabada: professor do ensino básico, Verdocas dos cinco costados, acabado de chegar do Porto, à procura de estufa onde enraizar. Encaminharam-me diretamente para o próprio vereador, que não por acaso também estava dentro da tramoia.

O Feijão-verde levantou-se da espreguiçadeira na marquise e deu-se ao incômodo de vestir um roupão para me receber.

– Sei que não é propriamente nosso admirador… – Ele entrou a tatear. – Mas disfarça muito bem.

Claro que disfarçava bem. À custa das duas piores semanas da minha vida. Estava tal qual um caniço em água choca. Trazer isso à ideia fez-me responder torto:

– Eu cá gosto de enfardar à antiga, carne e vinho, à moda dos primitivos. Não me apetece passar o resto da vida com azia.

Ele fingiu que não se ofendeu e passou logo às coisas práticas.

– Misture-se, mantenha o disfarce, e abra esses ouvidos. Alguma coisa se há-de comentar nos terraços. Mas seja discreto…

Claro! Nada podia transpirar lá para fora; os Verdinhos eram o máximo, a Colônia Piloto funcionava em perfeita harmonia.

Só que eu tinha prioridades. A primeira era saber da minha colega.

O tipo ficou a olhar com cara de parvo.

– A sua colega... Há dois dias que não sabemos dela. Acho melhor juntar esse aos outros problemas...

Meu sangue gelou.

Ainda não contei porque andavam tão encagaçados no herbário. É que tinham desaparecido pessoas. Sem deixar rasto nem recado e sem passar pelos postos de controle. As pistas eram nenhuma. E o Cabeça de Alcachofra dizia-me com aquele desplante que não sabia da Rita. Estive vai-não-vai para o rilhar em caldo verde.

Ele continuava a falar.

– Diga-me qual é o seu plano. Quanto tempo vai ficar? Como é que vai aguentar sem comer?

Mas eu já mal o ouvia.

O chefe achava que era tudo um mal-entendido.

– Ninguém desapareceu, isso foram uns novatos que ganharam tino e deram à sola sem dizer água vai.

É que ele via aquela seita apenas como uma moda tonta. Mas eu parti logo do princípio que estava a lidar com criminosos. Gajos que fazem aquilo a eles próprios são capazes de tudo. Que diabo! Eles martirizam-se, enxertam montes de merdas, só para passarem a vida de papo para o ar. Preparei-me para encontrar corpos.

Virei-me ao vereador e disse-lhe que queria vasculhar as lixeiras e o sistema de esgotos, que ia mandar vir brigadas especializadas, que precisava de mais gente para ajudar.

Ficou em estado de choque. Até baba lhe escorreu pelo canto da boca, só de imaginar os Neandertais a entrar por ali afora. Lembrou-se logo de qualquer coisa para ajudar:

– Há um grupo de munícipes, membros da comunidade solar, que ultimamente andam um pouco esquisitos...

O mais que lhe arranquei chegou para ordenar uma pequena lista com nomes, endereços e terraços prediletos. Comecei logo a dar as minhas voltas, lá por cima, onde as Lagartixas competem com os coletores fotovoltaicos.

Fiquei a ouvi-los falar. Tudo malta jovem. Parvoíce atrás de parvoíce. Tratamentos de hormônios para aqui, suplementos de enzimas para acolá... Para os entender precisava de ser farmacêutico.

Ouvi miúdos da faculdade discutir as vantagens de remover órgãos tão supérfluos como o baço e o fígado.

– Só é pena ser tão caro, – queixava-se um. – Tenho de ver se o banco me empresta o dinheiro.

Viver sem órgãos, além de caro, também é impossível, tanto quanto sei. Mas se esta loucura continua...

A tarde chegou ao fim e não consegui topar nenhum dos listados. Resolvi ir fazer uma espera à porta do que morava mais próximo. Sentei-me num banco de jardim e tentei parecer inocente, enquanto comparava a cara dos transeuntes com as imagens que me tinham enviado do escritório.

Reconheci o tipo mal o vi e cosi-me a ele. Andamos por ali, rua acima, rua abaixo, até fazer lusco-fusco. Enfiou-se num beco escon-so. Aguentei meia dúzia de batidas de coração e esgueirei-me pela mesma porta onde o vi entrar. Não estava trancada.

Escuridão e silêncio. Saquei da lanterna. A seguir ao pequeno *hall* de entrada havia um corredor. Ao fundo ficava a cozinha. Quando entrei o teto iluminou-se.

Pequenos eletrodomésticos alinhados na bancada, tachos, pratos e talheres no escorredor, fogão com a tampa aberta e vestígios de gordura na placa. Ao canto um balde de lixo malcheiroso. Noutro canto a pá e a vassoura de controlar as migalhas. A mais banal das cozinhas. Tão descabida no contexto como uma nota de cem no meu bolso.

A minha barriga rosnou e deu pulos. Há quantas horas não comia?

Escancarei o frigorífico.

Lá dentro estava Rita, cortada aos bocados, guardados em sacos de plástico.

Eles entraram de arma em punho.

– Apanhado com a boca na botija, a assaltar o frigorífico. Com que então és um Come e Caga! Já desconfiávamos.

Tirei a cabeça da minha namorada do saco, segurei-a pelos cabe-los e avancei para lha esfregar nos focinhos.

Reparei no cano de duas pistolas levantadas à altura do peito. Lembrei a tempo que a missão não estava concluída. Não havia mistério algum nos desaparecimentos, apenas crime, mas ain-da me escapavam as razões e os pormenores. Optei por perder momentaneamente o pio e a força anímica. Ordenaram-me que voltasse ao corredor, obedeci, conduziram-me à sala de jantar.

Um espaço amplo, com vista para o pátio interior ajardinado. Ao centro uma grande mesa, com toalha, serviço de louça, garfos e facas. Os comensais eram mais ou menos uma dúzia. Fizeram-se mudos com a nossa chegada. O que estava à cabeceira levantou-se com cerimônia.

– Meu caro Inspetor seja muito bem-vindo a esta nossa tertúlia.

Que gente tão horrível. Negros, queimados, sem carne nas gengivas. Alguns estavam tão encarquilhados que pareciam aqueles fósseis da turfa que mostram nos documentários. Um dos espectros perguntou se eu era servido. Os outros desataram às gargalhadas, como cadáveres a chocalhar.

– Seus velhos filhos da puta!

Riram-se ainda mais, os danados. Uns quantos fizeram questão de se apresentar, declinando nome e idade. O que disse ter cinquenta e cinco assegurou que era o mais velho da companhia. Tal qual um esqueleto desenterrado.

– Então estás bem fodido, pá! Parece que já deves anos ao cangalheiro.

– É o preço a pagar, rapaz, – respondeu ele. – Mas vale bem a pena.

Concordei em jantar com eles, tínhamos muito para conversar. Quem raios seriam e no que se entretinham aqueles esquizoides entre os esquizoides? Aprovaram com entusiasmo a minha decisão.

– Ótimo! Hoje vamos comer carne fresca, já estava farto dos congelados…

Já vos disse antes: às vezes sou tão ingênuo que mais pareço retardado. Só quando ouvi a disposição:

– Preparem-no para amanhã, tem tempo de sangrar toda a noite. Para o jantar tira-se só umas febras da coxa. – É que percebi ser eu o prato principal do repasto.

Senti-me tão baralhado.

– Mas… mas vocês não precisam comer!

– Não precisamos comer mas gostamos, – explicou o velhote acabado dos cinquenta e cinco anos. – Apreciamos todos os prazeres da vida.

Uma senhora horripilante gozou:

– Somos plantas carnívoras.

Depois falou um dos crápulas da pistola.

– Aqui é difícil abastecer o frigorífico. O que nos tem safo são os agentes secretos que por cá aparecem. A outra era mais tenrinha, mas tu também marchas...

O resto deste episódio tem pouco que contar. Desatei ao murro e ao pontapé e foi até me fartar. Quando os tinha bem moidinhos de pancada, espojados pelo chão, cada um a ganir para seu lado, parei e pensei: o que fazer agora com tão distintos cavalheiros e respeitáveis damas? Talvez esmagá-los como às uvas no lagar, pisá-los, espremer-lhes bem a seiva.

Mas quando levantei a bota para começar a faina ouvi rebuliço no corredor. Pensei que eram os reforços deles. Afinal eram os meus. E a conduzir a banda vinha o vereador gabarolas.

– Parece que chegamos mesmo a tempo de o salvar.

– Salvar-me? A mim? Mais dez minutos e deixava-lhe o jardim completamente limpo de ervas daninhas.

Voltei à sede em Lisboa, nessa mesma noite, depois de ter levado muitas palmadinhas no ombro. Os assassinos ficaram lá, à guarda dos seus pares. Nem um murmúrio do que tinha acontecido transpirou para os mexeriqueiros dos noticiários. Na barriga pesava-me o azedo do jejum e do fracasso. Porquê o fracasso, se a missão tinha sido um êxito? Era só um mau pressentimento.

Ainda consegui arranjar de jantar e depois enfiei-me no gabinete sem pregar olho. Já era quase manhã quando apareceu o chefe à porta, a caminho do ginásio.

– Deu-te insônia, pá?

Disse-lhe que queria despachar o processo com urgência. Estava a tratar das provas para levar ao Ministério Público.

– Provas, quais provas? O que é que te mandei fazer ontem? Vai para casa, descansa, tira uns dias de folga. Não te mandei preparar processos, pois não?

Na verdade ele tinha dito para ir dormir e apresentar-me às nove em ponto no serviço.

– E fecha a boca, pá, pareces uma sardinha fora de água.

Fechei a boca e caí na cadeira. Percebi que a irritação do velho era a sério, mas não alcancei a razão.

– Está-me a estranhar, chefe? Quero ver aqueles antropófagos condenados, quanto mais depressa melhor.

Foi quando ele deixou cair a bomba.

– Meu rapaz! As coisas nem sempre são como nós queremos. Desenfia o nariz dessa história se não queres que to corte rente. Os Verdocas que tratem do assunto à maneira deles.

– O quê? Eu bem topei o vereador e os outros. Só queriam saber se os amiguinhos estavam de saúde. Até ameaçaram com um processo por uso excessivo da força... Por mim reunia um grupo e entrava por ali adentro para os linchar.

Tive de ouvir um sermão daqueles.

– Os interesses da nação falam mais alto que os interesses da tua pica. Estás aqui para dar o couro pela pátria e para fazer o que te mando. Se te mandar despejar um balde cheio de merda pela cabeça abaixo tu despejas. Se te mandar esquecer um assunto tu esqueces. Isto é uma guerra entre a civilização e a barbárie. O que tu achas ou deixas de achar não é para aqui chamado.

De repente as peças encaixaram todas nesta cabeça tonta. Até se me reviraram as tripas. Que estúpido, que ingênuo! Aqueles cabrões faziam todos panelinha uns com os outros. O meu chefe incluído. Não queriam que pacóvios sonhassem que estavam a ser comidos por parvos. Iam abafar os crimes para proteger o esquema das colônias.

Os humanos clorofilizados não são a maravilha que pintam. E muito menos o passo em frente, a esperança da humanidade. São apenas uma experiência maluca. Têm-se safado porque são apadrinhados pelas mais altas instâncias. Apadrinhados? Eu sei lá! Inventados, apoiados, suportados… Mais um plano patético para salvar o planeta do naufrágio. Um plano condenado ao fracasso; basta ver o estado lastimoso em que os otários ficam passados uns anos.

Só me lembrei de uma resposta para o meu querido mentor:

– Podes meter a pátria, a civilização e os teus amiguinhos verdinhos pelas hemorroidas acima, até te saírem pela boca.

Os que mandam no mundo só veem o que querem ver. Inventam as verdades que fazem moda no momento e acreditam nelas com fervor. Nunca admitem um engano, não arrepiam caminho por maior que seja a tempestade que tenham pela frente. Arrastam-nos à beira do precipício e mandam-nos saltar, alegremente. É tanta a tolice, tanta a alienação, que ninguém faz simplesmente o que é preciso, sem hesitações, sem rodeios.

Eu vou fazer o que é preciso.

Sou um homem. Tenho-os no sítio. Comigo as coisas não ficam assim. Terei a minha vingança.

Mataram o meu amor. Serraram-na aos bocados. Comeram-na. Esses Folhas de Couve de merda!

Vou mandar uns quantos fazer estrume para debaixo dos torrões. Eu e a minha carabina de precisão com mira telescópica. Tantos quantos conseguir. Homens, mulheres, novos, velhos, que se fodam todos! Quando o sol subir. Quando estiverem a lagartar nos terraços.

Depois alguém há-de vir à minha procura.

Mas não me vão deitar a unha. Vou fugir para longe, largar esta mentira. A um homem sem amor só resta desaparecer. Talvez me junte a algum grupo clandestino. Aos tipos que defendem a energia nuclear, por exemplo. Se tivéssemos dessas centrais, a bombar à força toda, o mundo seria hoje bem diferente. Se calhar não era preciso inventar aberrações, como essa seita dos Cabeças de Repolho.

E Atenção: Notícia urgente!

Romeu Martins

[Âncora] *Agora são oito horas e um minuto da noite. Com o fim da transmissão da Voz do Brasil, sua rádio Tribuna Central, operando em Amplitude Modulada e nas ondas da Internet, volta ao plantão de notícias.*

[Jingle] *Têêêêêêêêê-Cê, Áááááááááá-Emê! A rádio que escuta você.*

[Âncora] *E voltamos a informar diretamente do interior do Paraná, onde o laboratório de uma empresa do setor de pesquisa agrícola corre o risco de ser invadido a qualquer momento por uma multidão de trabalhadores rurais sem-terra. Vamos falar com a repórter Helena Garcia, que acompanha tudo no local desde o início da tarde. Helena, você nos ouve? O que pode informar a nossos ouvintes em todo o Brasil? Boa noite.*

[Repórter] *Boa noite. Ouço bem, Herbert. Estou aqui no município de Telêmaco Borba, aproximadamente a 250 quilômetros da capital paranaense, Curitiba. Diante de mim está aquela que é considerada a maior e mais moderna estufa da América Latina, usada pela multinacional TransCiência como laboratório para o cultivo de produtos geneticamente modificados. É uma enorme redoma feita de um plástico especial, transparente. Neste momento, cerca de cem manifestantes do movimento Trabalhadores Campesinos gritam palavras de ordem e ameaçam invadir as instalações da empresa. São pessoas das mais diferentes origens, vejo descendentes de japoneses, de alemães, negros, gente de toda parte do estado. Também posso ver gente de todas as idades, desde senhores e senhoras com cabelos brancos até crianças, passando por uma maioria de jovens, que são a linha de frente na entrada da estufa. Somos a única equipe de imprensa presente na cobertura ao vivo da manifestação. Não podemos nos aproximar muito porque este movimento é bastante hostil à presença de jornalistas, mas acho que vocês podem ouvir os gritos de ordem deles pelo meu celular. Um instante, vou ajustar o fone direcional do TalkCel para tentar captar o som... Lá vai.*

[MULTIDÃO] *...com a comida de laboratório! Não somos cobaias das multinacionais! Fora com a comida de laboratório! Não somos cobaias das multinacionais! Um, dois, três, quatro-cinco-mil, queremos que os transgênicos vão pra puta que pariu! Um, dois, três...*

[REPÓRTER] *Como vocês podem perceber, o clima por aqui é de guerra desde o início do dia, quando os manifestantes armaram acampamento no terreno em volta da estufa. No meio da tarde, eles deixaram suas barracas improvisadas de lona azul e cercaram o laboratório, impedindo o acesso de pesquisadores e funcionários. Apesar de muitos dos recursos da empresa terem sido adquiridos através de convênios com a Universidade Federal do Paraná e com a Embrapa, o governador não autorizou o envio de tropas da Polícia Militar para conter a manifestação. No momento, apenas os seguranças da multinacional fazem um cordão de isolamento para tentar impedir a entrada de dezenas de pessoas, muitas delas armadas com enxadas, pás, foices e facões.*

[ÂNCORA] *Helena, você conseguiu falar com algum líder do movimento?*

[REPÓRTER] *Não, Herbert, como eu disse, os Trabalhadores Campesinos são uma dissidência muito radical do MST. O principal líder deles é um catarinense que se apresenta como Medina, mas se recusa a falar com a imprensa... Um instante... Atenção, estúdio, começou uma movimentação mais intensa aqui. Aparentemente, os manifestantes estão avançando contra o laboratório da empresa neste momento. Sim, eles romperam o cordão de isolamento e estão arrombando as portas da estufa. Com golpes de enxadas e chutes, a multidão forçou a entrada... Conseguiram, os Trabalhadores Campesinos invadem, neste momento, a maior estufa experimental da América Latina. Entre gritos e muita correria, dezenas de homens, mulheres e até crianças pequenas estão destruindo com golpes de foice as plantas transgênicas do local. Quem não está portando alguma ferramenta se encarrega de arrancar com as mãos ou pisotear as plantações.*

[ÂNCORA] *Alô, Helena, havia algum funcionário no interior do laboratório?*

[REPÓRTER] *Não, Herbert, a estufa estava vazia e mesmo os seguranças da TransCiência, que tentavam proteger o local, permanecem do lado de fora. Enquanto isso, mais e mais manifestantes entram no local pelas portas arrombadas. É muito difícil chegar mais perto, mas o ambiente é bastante iluminado e podemos ver a movimentação das pessoas através das paredes transparentes. Elas estão destruindo não apenas as plantas, mas todos os equipamentos ali dentro. Computadores são jogados ao chão, mesas reviradas. Posso ver que até galões enormes, provavelmente de fertilizante ou de outras substâncias químicas, são arremessados contra as paredes. O caos é generalizado no interior daquele que é o maior laboratório de pesquisas transgênicas do Brasil.*

[Âncora] *Helena, conseguimos estabelecer contato com um dos responsáveis pelas pesquisas feitas nesse laboratório. Orson Wellmann é o diretor-presidente da filial brasileira da TransCiência e cientista-chefe da unidade que está sendo invadida neste instante. Ele está no escritório da empresa, em Curitiba. Vamos passá-lo para sua linha, assim você pode entrevistá-lo e continuar a informar do local. Boa noite, senhor Wellmann.*

[Cientista] *Boa noite, jornalistas, boa noite, ouvintes e internautas no Brasil e no mundo.*

[Repórter] *Senhor Wellmann, o que o senhor tem a dizer sobre a pauta de reivindicações dos Trabalhadores Campesinos?*

[Cientista] *Minha cara Helena, sou eu quem pergunta: que pauta? Essas pessoas não estão interessadas em negociar, não apresentam nenhuma disposição para o diálogo.*

[Repórter] *Mas o movimento faz acusações de que sua empresa não trabalha apenas com a criação de alimentos alterados geneticamente. Eles acusam a TransCiência de ter ligações com grupos militares e alegam que vocês fazem experiências para a fabricação de armas, não é verdade? O que o senhor pode nos dizer a respeito?*

[Cientista] *Essas acusações, como você chama, são ridículas. Onde estão as provas? Isso não passa de calúnia e de especulações para nos prejudicar, uma vez que somos uma empresa globalizada, um conglomerado com ações negociadas nas principais bolsas do mundo e com participação de recursos de inúmeros fundos de investimento. Este laboratório que está sendo atacado à sua frente é um bom exemplo disso. Está vendo os grandes painéis espelhados acima do polímero transparente que forma as paredes da estufa?*

[Repórter] *Sim, eles formam uma espécie de cobertura nas laterais das instalações, mas...*

[Cientista] *Nós os chamamos de fotossintetizadores elétricos, uma tecnologia capaz de empregar os princípios da fotossíntese das plantas para a produção de eletricidade. Esses painéis captam a luz do sol para que as células biofotovoltáicas a converta em energia para todo o complexo, tornando essa unidade totalmente autônoma. Durante a noite, como agora, a eletricidade usada na iluminação e para alimentar os equipamentos é a mesma que foi armazenada nas baterias localizadas na parte central da estufa. Essa inovação tecnológica é cem por cento sustentável e foi totalmente desenvolvida por nós. Trabalhamos em muitas áreas distintas, em diversos setores da indústria. Porém, todas as nossas pesquisas são pautadas pela ética e pelo respeito às leis de cada país em que atuamos. Não é diferente com nossa filial no Brasil.*

[REPÓRTER] *Como o senhor classifica as ações dos manifestantes, então?*

[CIENTISTA] *Eles usam técnicas terroristas para impedir nosso trabalho e o progresso da ciência. Talvez os seus ouvintes já tenham ouvido falar dos neoluditas, não? Neoluditas são pessoas que, a exemplo do que aconteceu no início da Revolução Industrial, lá na Inglaterra, no século retrasado, temiam o avanço da ciência e da tecnologia. Eles têm medo – na verdade ódio – por tudo o que é novo e tentam impedir a marcha do futuro. Naquela época, no século dezenove, eram as máquinas automáticas de tecelagem. Hoje em dia, o alvo dos intolerantes são os organismos geneticamente modificados.*

[REPÓRTER] *Então, na sua opinião, os Trabalhadores Campesinos são um grupo terrorista e neoludita?*

[CIENTISTA] *Minha cara Helena, eu chamo essa gente de neolysenkistas. Explico o que é isso para você e para seus ouvintes qualificados no Brasil inteiro e em toda parte do mundo que nos ouvem pela internet. Trofim Lysenko foi um homem muito importante na antiga União Soviética, na metade dos anos trinta do século passado. Era o cientista favorito do ditador Josef Stálin. Ele dizia não acreditar na genética como era estudada no Ocidente, pois a considerava uma ciência burguesa, que não estaria de acordo com o materialismo dialético, a ideologia vigente no Estado soviético. Sua influência era tão grande que qualquer referência aos cromossomos foi banida dos livros didáticos daquele país, gerando um atraso científico e tecnológico incalculável. Mas, muito pior que isso: Lysenko afirmava que sua genética filosoficamente correta iria garantir uma produção de trigo maior para os russos no inverno. Sabe o que aconteceu na verdade, minha cara Helena?*

[REPÓRTER] *Não, nunca ouvi falar nisso...*

[CIENTISTA] *As teses malucas daquele homem levaram fome e miséria a milhões de pessoas nos campos e nas cidades da União Soviética. Destruíram a economia do país e condenaram à morte e à desnutrição muitos milhares de russos. E é isso o que essas pessoas, esses neolysenkistas, estão querendo reviver agora, aqui no Brasil, em pleno século vinte e um. Ao impedir o trabalho de cientistas genéticos, estão criando dificuldades para que se descubram novos medicamentos, novas fontes de alimentos, novos produtos que podem ser fundamentais para o futuro da humanidade e para a economia brasileira. O exemplo clássico que sempre cito é o de um tipo de morango geneticamente modificado. Experiências transgênicas permitiram utilizar genes do salmão, um peixe capaz de resistir a temperaturas baixíssimas, para criar frutas com essa mesma característica, um diferencial econômico e tanto.*

[Repórter] *Mas, se me permite, o senhor...*

[Cientista] *Falei para você, Helena, sobre a tecnologia biofotoelétrica que desenvolvemos para alimentar as necessidades de energia do nosso laboratório. Pois ainda mais importante que isso são os aprimoramentos que fizemos nas plantas cultivadas nesse local para melhor aproveitar sua capacidade natural de transformar a luz do sol em matéria orgânica. Nosso país é privilegiado tanto por sua diversidade genética natural quanto pelos índices elevados de incidência solar durante todo o ano, vantagens que levaram a TransCiência a decidir pela instalação da nossa estufa no Brasil. A mesma estufa que está sendo barbaramente destruída neste momento. Outra grande vantagem brasileira é contar com alguns dos melhores pesquisadores desta área em atividade no mundo. Principalmente entre os que trabalham com sequenciamento do genoma de plantas, um setor no qual os cientistas nacionais são referência reconhecida em toda parte. É um dos raros casos em que nos mantemos em pé de igualdade tecnológica com qualquer nação do chamado mundo desenvolvido. Não podemos perder esses diferenciais que nos destacam por conta de um grupo radical que insiste em viver no passado...*

[Repórter] *Senhor Wellmann, grata pela entrevista, mas preciso interromper para informar que algo estranho parece acontecer no interior da estufa invadida. Os gritos e o barulho de destruição diminuíram. Posso perceber que a movimentação dos manifestantes mudou de um segundo para outro.*

[Âncora] *Helena? Helena? Aqui é do estúdio. O que está havendo? O que você pode ver?*

[Repórter] *Tudo certo, Herbert. Sim, é isso mesmo! Vários dos manifestantes que até há pouco corriam e escavavam a terra pararam de se mexer. Pouco a pouco, cada vez mais sem-terra deixam de atacar as plantas e os equipamentos. Eles se limitam a ficar parados. É como se tivessem se esquecido do que estavam fazendo, parecem confusos. Quase todos, neste momento, estão imóveis, são poucos os que continuam... O que é aquilo? Não é possível! Aquelas pessoas começaram a atacar uns aos outros! Um homem acaba de esmagar a cabeça de uma criança com golpes de enxada... É horrível...*

[Âncora] *Helena, não estou entendendo, são os seguranças da empresa TransCiência que resolveram retomar o laboratório? O que está acontecendo?*

[Repórter] *Não, não, são os próprios trabalhadores rurais que estão se* *matando... Todos eles largaram as plantas e começaram a se atacar... Meu Deus do Céu! É a coisa mais horrível que já vi! Homens retalham uns aos outros e às mulheres e às crianças que os acompanhavam. Quem não levava alguma arma, joga objetos do local contra aquele que está mais próximo. Ou ataca com socos, pontapés e mordidas. Muitos estão no chão, se engalfinhando... Todos, mesmo as crianças pequenas, se atacam... o sangue escorre por todo lado.*

[Âncora] *Mas como isso é possível? Alguém chegou perto da estufa?*

[Repórter] *Ninguém se aproximou do local... Desculpe, Herbert, desculpem ouvintes, mas é muito complicado descrever o que estou vendo aqui. O nível de violência é terrível. Mesmo mulheres, que aparentavam ser as mães de algumas daquelas crianças, estão agredindo quem estiver a seu lado indiscriminadamente. Espere... vocês conseguiram ouvir isto, aí no estúdio, Herbert?*

[Âncora] *Pareceu um ruído de trovão... ou de uma explosão? Alguma granada? A polícia ou o Exército decidiram agir no local?*

[Repórter] *Difícil dizer, mas consegui ver um brilho e... Sim, uma nuvem de fumaça preta começa a sair da parte de trás da estufa. Posso ver as chamas, o lugar está pegando fogo. É isso mesmo, o incêndio se espalha cada vez mais rápido. Atinge as plantas e corre pelo chão, entre aqueles galões de produtos químicos que tiveram o conteúdo espalhado... Outra explosão, desta vez bem no meio da estufa! Várias pessoas foram arremessadas no ar... Meu Deus, mesmo assim eles continuam se atacando! Ninguém está tentando fugir pelas portas arrombadas. Aquelas pessoas ainda estão se matando... Mesmo quem está com o corpo coberto pelo fogo parece mais preocupado em ferir os colegas do que se proteger! Não é possível! Um homem bastante idoso que teve o braço arrancado e está com a roupa em chamas avançou em direção da porta, mas ao invés de correr para fora, pegou um facão caído no chão e voltou para atacar uma mulher pelas costas... Nada disso faz sentido...*

[Âncora] *Helena, que barulho foi esse? O que aconteceu? Você está bem?*

[Repórter] *Mais explosões, Herbert... Os galões de fertilizante explodem por toda parte... A fumaça negra se espalha e aparentemente é tóxica... Calma, peraí, não empurra! Tô trabalhando... Os seguranças estão abandonando o local e tentam me obrigar a sair daqui também... As luzes se apagaram, foram aquelas baterias que conservam a energia solar que explodiram agora há pouco. Só dá pra enxergar alguma coisa graças ao brilho do fogo. Posso ver que o teto está cedendo... Os enormes painéis que serviam para coletar a luz solar se espatifaram em milhões de pedaços. Cacos de vidro voam pelos céus. A estrutura* *de metal que dá sustentação ao teto e às paredes da redoma está nitidamente abalada. Acabou de desabar... Santo Deus! O ruído do aço se retorcendo é muito alto. Toneladas de material esmagaram dezenas de pessoas. Mesmo assim ninguém tenta escapar daquele inferno... Acho que ninguém sobreviveu... Alô, Herbert, não é mais possível ficar aqui. Os seguranças me empurraram para longe da estufa, só dá para ver o fogo, cada vez mais alto, e uma enorme coluna de fumaça que encobre a lua e as estrelas...*

[Âncora] *Alô, Helena? Alô?... Devem ter retirado nossa repórter do local. Vamos tentar retomar o link ao vivo com nossa reportagem. Vocês de todo o Brasil ouviram, aqui na Tribuna Central AM, o relato de uma invasão que acabou em tragédia, no interior do Paraná. Aproximadamente uma centena manifestantes do movimento Trabalhadores Campesinos pode ter morrido na tentativa de invasão de laboratórios da gigante do setor de agronegócios, TransCiência. Mais detalhes, depois do intervalo comercial, quando continuaremos com nossa cobertura exclusiva, ao vivo, no lugar onde acontece a notícia. Com o apoio da TalkCel, a única operadora de celular presente em cem por cento do território nacional, somos a emissora que escuta você.*

[Jingle] *Têêêêêêêêê-Cê, Áááááááááá-Emê! A rádio que escuta você.*

– Agora só vai ter enrolação. Já dá para desligar e comemorar.

Quem fala é um homem vestido inteiramente de branco, com cabelos tão claros quanto às roupas sociais que usa. Ele aciona o controle remoto e tira o som da aparelhagem à sua frente, numa cobertura localizada 250 quilômetros de onde aqueles eventos estavam sendo narrados.

Do outro lado do salão imenso, ainda com o celular em que concedeu a entrevista na mão, o segundo ocupante daquele apartamento se levanta do sofá com uma expressão entusiasmada no rosto. Ainda que escuros, os cabelos são bem mais escassos do que os de seu convidado e as roupas menos formais.

– Mude de estação, ponha alguma música enquanto eu pego o vinho. Temos muito a comemorar, tudo ocorreu exatamente como o previsto ou ainda melhor.

Ele se dirige a uma porta lateral, enquanto o visitante passa os olhos pela seleção musical disponível no display do equipamento de som. As setas no pequeno monólito negro fazem passar o nome dos artistas, álbuns e músicos na tela que antes mostrava a sintonia da estação de rádio Tribuna Central.

– Tinha alguma dúvida, Orson? Minha organização dá cem por cento de garantia nos serviços prestados aos contratantes. Dissemos que vocês iriam conseguir, ao mesmo tempo, a experiência que almejavam com humanos e toda a publicidade necessária para lançar o novo produto.

A voz em resposta vem abafada lá do ambiente climatizado da adega.

– Às vezes, a eficiência de vocês me assusta, caríssimo senhor Neves.

Indeciso diante de tantas opções nos arquivos em mp3, o homem de cabelos brancos acaba programando o modo *shuffle* no canal de jazz. Logo em seguida, Keith Jarrett começa a se difundir das torres negras das caixas de som presentes por toda a sala, espalhando acordes de piano pelo ambiente. Satisfeito com o resultado, o convidado larga o controle, saca dos bolsos maço e isqueiro e, enquanto acende o cigarro, passa a falar mais alto com seu anfitrião.

– Então? A nova arma é tudo aquilo que seus pesquisadores vinham anunciando mesmo.

– Bendita a hora em que li aquele *paper* da Royal Society sobre os possíveis impactos de um protozoário obscuro no comportamento da sociedade. – Ele põe a cabeça para fora da porta e aponta com o queixo para uma estante ao lado do equipamento de som. – Tem uma cópia impressa ali, eu estava revendo hoje pela manhã. Foram os cientistas londrinos que me deram a ideia de usar o *Toxoplasma gondii*, o causador da toxoplasmose, como matéria-prima para o gás do ódio.

Ainda sentado no sofá, Neves estica o braço até o sítio indicado e pega uma pasta branca com o logotipo da TransCiência: as letras TC em azul envolvidas por duas faixas cinzentas que simulam a estrutura helicoidal do DNA. Na mesma capa, o título do artigo de apenas seis páginas aparece no original em inglês e na tradução para o português: "Pode o *Toxoplasma gondii*, parasita comum do cérebro, influenciar a sociedade humana?".

– Ah, então foi esta a fonte original do seu *insight*.

– Isso mesmo. A Academia de Ciências do Reino Unido estava

preocupada com as evidências de que esse simples parasita podia afetar o cérebro das pessoas e induzir novos comportamentos. O protozoário se mostrou capaz de atravessar a membrana de nossas células de autodefesa, invadir o núcleo e simplesmente enganar todas as barreiras imunológicas do cérebro humano. Autêntico fenômeno da natureza, ele agia como um *hacker* que invade um computador, altera o software e o obriga o hardware a funcionar segundo sua vontade.

Sem ser visto pelo interlocutor, Neves ergue os olhos para o teto como se reagisse instintivamente a uma palestra especialmente monótona num seminário científico.

– Em um segundo documento, apresentado durante um encontro anual da Sociedade Internacional de Neurociência do Comportamento, disseram que o micro-organismo havia desvendado "o vocabulário dos neurotransmissores e hormônios".

– Em suma, estamos falando de um bichinho bem esperto. – O visitante folheia o *paper* sem prestar muita atenção. Afinal, a linguagem técnica naquelas poucas linhas é indecifrável para leigos como ele.

O verdadeiro especialista no assunto finalmente volta à sala exibindo como troféu uma garrafa de Romanée-Conti.

– Realmente... Olhe só, vou abrir esta preciosidade, assim que conseguir encontrar o saca-rolhas. A lista de alterações comportamentais que o nosso pequeno *biohacker* é capaz de provocar varia entre os sexos. Torna as mulheres mais afetivas e os homens mais conformistas. Parecia capaz de deixar as pessoas mais afeitas a sentimentos de culpa. Por um lado mais predispostas a se envolver em situações de perigo, por outro, avessas a mudanças.

– Uma alteração e tanto na química cerebral, com toda certeza. – A cara que Neves faz ainda passando a vista pelo documento não demonstra tanta certeza assim. – Compraria um lote desse parasita se ele conseguisse tornar minha última sogra, que o diabo a tenha, uma mulher mais afetiva... Mas acho que nem todo o... *Toxoplasma gondii* do mundo seria capaz de tal feito, como também acredito que o coitado falharia se tentasse me provocar esse tal de sentimento de culpa.

– Verdade, meu amigo, mas você é um caso perdido quanto a qualquer tipo de manifestação do superego, como culpa ou autocrítica, como bem sabemos. – Orson Wellmann ri da própria tirada enquanto revira gavetas em busca do saca-rolhas. Entre uma e outra, volta a falar entusiasmado. – A questão é que, no mundo inteiro, há bilhões de pessoas infectadas com toxoplasmose. Bilhões. Um detalhe que me chamou a atenção é que o país mais atingindo seria justamente o Brasil, com quase setenta por cento da população servindo de portadora para nosso amigo. Resultado, como é evidente, dos serviços indigentes de tratamento sanitário deste país, que facilitam o contágio do parasita. Não é irônico? O Brasil pode ter mesmo alguns dos melhores engenheiros genéticos do planeta, como eu disse para aquela repórter esbaforida, mas não consegue fazer o esgoto chegar em todas as casas e nem acabar com infestações de ratos. Por falar em ratos, o que me interessava mesmo era um outro experimento, feito em Oxford. Nele, se provou que o *Toxoplasma gondii* era responsável por uma alteração ainda mais radical no comportamento dos roedores. O parasita simplesmente induzia esses animais ao suicídio, imagine! Em um labirinto os cientistas marcaram alguns cantos com o cheiro da urina de gato. Indivíduos saudáveis fugiam dali como se o diabo os perseguisse. Mas para os espécimes contaminados, aquele odor provocava a mesma atração que o cheiro de comida. É como se os animais, controlados pelos micro-organismos em seus cérebros, implorassem para ser devorados!

Intuindo que a conversa poderia virar mesmo uma palestra, Neves larga o estudo inglês como se ele subitamente lhe aplicasse um choque elétrico, desamassa o paletó, levanta-se em direção ao dono do apartamento em busca de um atalho para um assunto qualquer que seja mais do seu domínio:

– É o que eu sempre digo, se uma coisa assim não puder ser usada como arma biológica, o que mais poderia?

– Foi exatamente o que pensei. Só precisávamos planejar um modo de aproveitar essa habilidade adorável do protozoário. Nos laboratórios da TransCiência detectamos, isolamos e potencializamos os genes responsáveis pela produção das substâncias que induzem mudanças comportamentais nos mamíferos. O próximo passo foi inserir esse código genético em algumas plantas, modificadas em laboratório, para que liberassem no ar uma nova toxina, junto com a produção normal de oxigênio. Temos assim o nosso gás do ódio. Onde minha empregada pôs esse saca-rolhas, mas que inferno?

Antes mesmo de chegar ao balcão onde está repousando a garrafa bojuda de vinho escuro, Neves observa o abridor esperando para ser utilizado em seu devido lugar: o suporte da parede.

– Muitas vezes tudo o que precisamos é de uma perspectiva externa, meu caro cientista. – Com a mesma mão que segura o cigarro, aponta para o abridor enquanto fala. – Imagino que vocês tenham em estoque gás suficiente para começar a produção industrial.

– *Merci, monsieur* Neves. Claro, claro, agora controlamos todo o processo e já podemos sintetizar o gás em grande escala, manipulando produtos químicos como as minhas queridas plantas faziam com a luz solar lá na estufa. Foi só fazer a, digamos, bioengenharia reversa da toxina que elas liberavam no ar. Por isso aquele laboratório se tornou dispensável e pudemos destruí-lo daqui, do conforto do meu apartamento, acionando os explosivos ocultos em sua estrutura. O ambiente hiperoxigenado e a quantidade de substâncias inflamáveis ajudaram a espalhar o incêndio e acabar com todas as pistas que nos comprometessem. O fogo vai consumir qualquer traço do gás e queimar todas as plantas e as cobaias humanas. As células de energia concentrada se encarregaram de explodir com toda e qualquer pista que poderia sobrar dos nossos experimentos por lá, deixando uma cratera em seu lugar.

Uma vez cortado o lacre, o cientista perfura a rolha espessa da garrafa enquanto fala, quase no mesmo ritmo da música que continua a tocar.

– As precauções nem são tanto por medo da investigação da polícia, a ideia era só evitar espionagem industrial. Afinal de contas, a investigação de nossos concorrentes privados é muito mais eficiente que a dos agentes do Estado. Agora é só acionar o seguro, pôr a culpa nos sem-terra e recuperar o dinheiro investido. Mas aquela estufa nos serviu como campo de provas na última experiência necessária: a aplicação da neurotoxina por via aérea em seres humanos numa situação real. Para tanto, aqueles camponeses raivosos que sua organização manipulou para atacar nosso laboratório solar de Telêmaco Borba foram um bocado úteis.

Soltando o nó da gravata, Neves ainda faz um gesto pedindo para o outro parar com os elogios.

– Essa foi a parte fácil do plano, nem exigiu os conhecimentos técnicos de sua equipe de cientistas. Minha organização é especializada em encontrar soluções criativas para o tipo de problema que você nos apresentou. Mão-de-obra é o que não falta. Então, criar um movimento social desses no Brasil é tão fácil quanto abrir uma ONG ou fundar uma nova igreja. Falo disso por experiência própria, pode acreditar. – No caminho, ele pega duas taças enquanto observa o esforço do outro para abrir a garrafa preciosa. – Parasitar a estrutura estatal e paraestatal deste país para fazê-la funcionar como queremos é um trabalho mais simples do que o do seu protozoário alterando comportamentos de ratos kamikaze. E o melhor é que, com toda a divulgação dramática que esse episódio vai alcançar nos próximos dias, teremos a propaganda ideal para apresentar o produto aos vários grupos que demonstraram interesse em adquirir o gás do ódio. ETA e IRA não estão mais no negócio, mas nossa rede já entrou em contato com o Hamas e o Hezbollah, com as Farc...

Um ruído seco o interrompe quando a rolha é enfim sacada do gargalo.

– *Voilá*, está aberto! Sim, a experiência foi a prova de que a toxina, quando lançada entre uma população predisposta à violência e com as condições necessárias para exercê-la, pode provocar uma chacina por controle remoto. – O cientista-chefe da TransCiência serve a bebida para seu convidado, tomando cuidado com cada gota. – E, graças à diversidade da amostra de camponeses que você nos forneceu, comprovamos que o gás funciona em ambos os sexos, em qualquer faixa etária e com diversas etnias. Não poderia ser mais perfeito! Quase choro de tanto rir ao me lembrar que nem mesmo Darwin se interessava pelos parasitas, sabia? Ele dizia que as criaturinhas rastejantes eram só um desvio no curso natural da evolução das espécies.

Wellmann entrega a taça ao outro, que dá a última tragada em seu cigarro e espera o anfitrião terminar de se servir.

– Então o velho Charles teve o seu dia de... como é mesmo o nome daquele russo que você citou na entrevista? Lysenko? Obrigado,

Orson. Um bom vinho sempre cai muito bem com o frio da noite que vocês têm aqui, em Curitiba.

O cientista se dá por satisfeito com um terço da taça preenchida e a ergue diante do visitante.

– Mesmo os gênios não são imunes a alguns tropeços, meu amigo. Mas vamos brindar: ao *Toxoplasma gondii,* aos meus cientistas e a suas cobaias humanas.

Já tendo se livrado do cigarro, Neves retribui o gesto, o que faz o cristal ressoar quando as taças se tocam.

– Eles cumpriram bem o papel deles, de ratos no labirinto. Ao futuro, que nos pertence. Saúde!

Neves prova o tinto, faz uma careta e sentencia:

– Muito fechado. O melhor é pôr para descansar um tempo no decantador.

Era Uma Vez um Mundo

Antonio Luiz M. C. Costa

– Patrícia Galvão, para o "Abaporu", o *Antropofagia*. O Capitão Luís Carlos Prestes e a microbiologista Olga Benário anunciaram que vão juntar os trapinhos e morar no Brasil no ano que vem, quando voltarem de Marte. Nas imagens a seguir, o casal agradece os parabéns da primeira-comissária da União das Nações Rosa Luxemburg, da presidenta alemã Clara Zetkin e do secretário-geral da Neogeia e presidente do Brasil João Cândido.

A audiência do programa mais popular da Piratininga Jereré ou Rede Piratininga, se não de toda a Porandutepé ou Infovia no Brasil, atingia um recorde histórico. A jovem âncora soube no mesmo instante, pois os dados fluíam por seu visor na forma de gráficos tridimensionais que ela abria e fechava com o piscar dos olhos, enquanto exibia uma edição bem-humorada das mensagens dos cosmonautas e dos políticos. Quase um bilhão de acessos.

Arrepiou-se, embora já quase não deixasse a fama lhe subir à cabeça. O *Abaporu* era o programa de maior audiência do Poranduba Mytanga ou Notícias Jovens, que começara no ano anterior, quase como uma brincadeira. Segundanistas de jornalismo foram contratados por um ano para criar um canal de notícias feito por jovens para jovens, leve e divertido. Foi a sensação do ano: ágil e franco, falando de coisas importantes com inteligência e simplicidade.

No segundo ano, a audiência explodiu e deixou para trás o sisudo Aporanduba, Notícias do Mundo, carro-chefe da rede. Boa parte do segredo estava ali, por trás do rosto atraente de cabelos eriçados e do visor espalhafatoso de última geração. Dali saíam as perguntas certeiras e atrevidas. Outra parte estava no conhecimento científico e nas técnicas impecáveis do parceiro, menos conhecido do público, mas igualmente importante: Avajoguyroá Apapocuva, o Guira.

A virtualidade editada já acabava, a entrevista ao vivo entraria em momentos. O visor avisou que o convidado estava pronto para ser entrevistado, ou devorado, como ela preferia. Testou a conexão e manejou as microcâmeras no ambiente para enquadrá-la e ao holo de maneira alternada ou simultânea e converter a cena numa experiência virtual que permitia ao cibernauta se pôr no lugar dela, dele ou de um observador neutro. Cruzou as pernas, acionou os projetores e o homem de safári branco apareceu com sua cadeira.

A oitenta mil quadras dali, num escritório parlamentar na capital da União das Nações, o holograma da jovem surgiu simultaneamente, em todo o seu esplendor, um passo à frente do entrevistado. Ela era selvagem, inteligente e besta, ai de quem a subestimava! E os olhos moles, olhos de fazer doer. O seu corpinho de vai-e-vem, umbilical e molengo, de não-sei-o-que-é-que-tem... Como recusar atendê-la? Como se zangar com ela?

Endireitou-se. Precisava abstrair da blusa transparente, dos calções vermelhos e de tudo que revelavam e sugeriam. Desviou o olhar para a vasta janela do escritório e olhou para outra paisagem igualmente magnífica mas menos perturbadora: o palácio do Conselho da União, o grande lago artificial, a savana restaurada no coração do Saara, a revoada de flamingos...

– De Cosmópolis, Raul Bopp, presidente da Comissão de Ciência e Cultura do Conselho da União. Pronto para ir pro moquém e ser devorado pelos nossos cibernautas, Deputado?

– Certamente, com prazer! Espero ser saboroso! – Sorriu, procurando parecer à vontade.

– Bom, o caso de Olga e Luís Carlos fez a audiência do acompanhamento da Missão Ares bombar como nunca. Superou o lançamento, a chegada, o desembarque e a descoberta dos bacterioides vivos em Hellas. Nestes dois anos e pouco, o público se interessou menos pelos avanços científicos do que pela vida pessoal dos cosmonautas. Pergunto: a União das Nações gastou cinco bilhões de cômputos só para criar a novela romântica mais cara da história?

A pergunta era inesperada, mas não era agressiva, era o tom

provocativo de quem realmente procura respostas convincentes. Seria bom que as tivesse.

– Eh, Pagu, eh! Suponho que a pergunta seja retórica, não creio que você pense assim... –Pareceu que ia enrolar, mas de repente mudou de ideia. – Olha, dito de outra maneira, a missão custa um cômputo a cada habitante do planeta, um dia de salário mínimo. Na parte que me toca, contribuo com prazer e não vejo o interesse pela convivência deles como uma perda de tempo, de jeito nenhum! – Gesticulou, entusiasmado.

– Por quê, Raul? Que há de bom em observar e discutir o que se passa a cada dia e a cada momento com sete pessoas reais enclausuradas juntas, acordando, brigando, trabalhando, almoçando, namorando? Estivessem numa casa em, sei lá, Jacarepaguá, seria um divertimento meio besta e mórbido, não é? Por que é diferente numa nave ou numa base marciana?

– Veja, não são sete pessoas quaisquer. São pessoas de coragem, inteligência e competência notáveis, fazendo algo extraordinário e são uma metonímia, uma sinédoque da humanidade. A base marciana é uma miniatura da União das Nações, na qual o público vê seu futuro e seus desafios, os problemas e conflitos da Terra e o poder do companheirismo para solucioná-los de maneira que todos eles, todos nós, saiamos vencedores. Essas pessoas foram escolhidas também para representar as sete confederações e sua capacidade de cooperar...

Pagu viu um gancho. "Infografa isso, Guira", enviou pelo visor com uma subvocalização ao parceiro que fez um mapa-múndi associando as regiões às fotos e biografias para ligar à sua página: Prestes e Neogeia, Benário e Eurásia, Zhou e Estásia, Sartika e Oceania... os mais interessados poderiam consultá-lo na rede após a entrevista.

– Mas já não tem um monte de projetos conjuntos e de programas culturais e educativos para promover a paz e amizade entre os povos? Precisávamos deste, em especial? – Inclinou a cabeça, parecendo sinceramente interessada na resposta.

– É outra coisa. Não é uma obra de engenharia, não é uma ficção, é um espetáculo da realidade, uma aventura ao vivo, verdadeira em todos os seus riscos e surpresas. O envolvimento das pessoas é muito maior quando o imponderável está em jogo. Somos humanos e é assim que nos emocionamos, com pessoas com as quais compartilhamos as peripécias da vida e aprendemos a nos identificar, mesmo que pareçam tão diferentes de nós!

– Então o benefício principal é político, Raul? Não é isso que se costuma ouvir!

– A meu ver, é central. Não vivi isso e você é ainda mais jovem. Porém, há muitas pessoas vivas que lutaram na Grande Guerra ou sofreram com ela, que não esqueceram os rancores do pós-guerra e os transmitiram a seus filhos. Por exemplo, eu me lembro de quando vi Santos-Dumont e Sinchi Yupanqui pisarem na Lua. Na ingenuidade de meus oito anos, eu me ufanei de meu país: o mundo se curva ao Brasil...

"Liga aqui, Guira!". Pagu pediu um elo para uma virtualidade sobre o pouso da Jacy 14-bis na Lua, que ele pusera na rede de manhã para comemorar o aniversário de 23 anos da façanha.

– ... mas em outras partes do mundo, – Raul continuou, – houve desconfiança e despeito: Brasil e o Tauantinsuio planejam monopolizar a tecnologia e o futuro? Quem são esses neogeianos para se dizerem representantes da humanidade? Por que ir à Lua quando há coisas mais importantes a fazer na Terra? Foi um erro e desta vez a União das Nações fez questão de promover a participação ativa de todas as confederações, ninguém ficou fora.

"Infografa aí, Guira". Pediu um esquema do projeto com as contribuições de cada confederação: o lançador Tupã 8, os aceleradores Xiuhtecuhtli e o segundo estágio Ch'askawanp'u da Neogeia, os robôs Junrei e os satélites de apoio da Estásia, o módulo de exploração Mbombe da Etiópica, a usina robótica Jinni da Afrásia, o hábitat Svarga da Índia, o módulo de decolagem Garuda da Oceania e o módulo de retorno Argos da Eurásia.

Pagu conferiu o tempo que estava para acabar e as perguntas dos cibernautas. Gostava de aproveitar pelo menos uma delas e desta vez eram milhões. Na maioria ingênuas ou periféricas, mas o Guira escolheu duas que eram populares e razoavelmente pertinentes.

– Raul, para terminar, duas perguntas do público. Número um, feita por mais ou menos vinte mil, contando as variantes: qual o interesse de descobrir bacterioides em Marte, se sabemos que existe vida extraterrestre muito mais avançada desde o caso Samsa, no século passado?

– Bem, uma coisa é termos uma forma de vida de origem desconhecida e provavelmente extraterrestre. Outra é encontrar um alienígena, mesmo microscópico, florescendo em seu hábitat natural. Mais interessante ainda é encontrá-la num mundo pouco hospitaleiro. É um indício de que a vida é um fenômeno bem mais comum do que muitos pensavam. Além disso, descobrimos uma bioquímica e um código genético diferentes, que acrescentam muito ao nosso conhecimento da vida. Seriam interessantes mesmo que fossem terrestres.

– Número dois, de mais de cem mil: por que não usamos robôs, para poupar gastos e evitar arriscar vidas humanas? Não seria, do mesmo jeito, um exemplo de cooperação mundial?

– Não tínhamos e ainda não temos robôs com a flexibilidade, inteligência e iniciativa de um cosmonauta humano. Talvez no futuro, mas duvido. Quer apostar que teremos cosmonautas humanos explorando planetas mais distantes que Marte antes do fim do século?

– Eu topo, Raul! Mas, puxa, se vivermos para algum de nós cobrar a aposta vamos ser tão velhinhos... apostamos o quê, um robô cuidador?

O cargueiro vindo de Oslo que ancorava em Fortaleza após doze dias era típico de seu tempo ao combinar remos e velas milenares com a última palavra em tecnologia. Além de três velas rígidas móveis que também eram painéis solares, tinha doze barbatanas configuradas para subir e descer com as ondas e movimentar maquinas hidráulicas. Um eletrolisador convertia as sobras de energia em hidrogênio para células de combustível, usadas quando faltava sol ou vento. Nesse navio quase totalmente robotizado, a função de comandante era tão solitária – salvo pelo acesso contínuo à Porandutepé – quanto fora, outrora, a de faroleiro.

O *Solfisk* levava 13 mil toneladas de bacalhau salgado, salmão defumado, picles de arenques e *gravlaks*. Só três pessoas na estatal norueguesa Norskargo, incluindo o Comandante Vidkun Quisling, sabiam que alguns dos contentores abrigavam uma carga muito especial. Revolucionários com armas antiquadas, mas bem conservadas e funcionais, descobertas pelo grupo num arsenal secreto da Guerra Mundial, esquecido numa caverna de um fiorde obscuro.

De que outra maneira armar um grupo de militantes, com o governo mundial proibindo a compra e a posse de armas? Que outro jeito de se esquivar à vigilância das câmaras automáticas onipresentes? Mesmo depois que os contentores fossem descarregados no porto por guindastes-robôs, os combatentes precisariam esperar o cair da noite para abri-los e sair protegidos por capas de invisibilidade e pela cumplicidade do administrador do porto, um simpatizante chamado Gustavo Barroso. O agente Salgado os conduziria ao teatro de operações num ônibus da Sigma Turismo. Era rastreável como qualquer outro veículo, mas podia seguir um caminho incomum e levar um grupo de estrangeiros sem chamar a atenção.

A entrevista acabou em gargalhadas, mas ao encerrar a conexão, Raul suspirou de alívio. E perguntou para o correligionário que lhe soprara dados e sugestões pelo auricular:

– E aí, seu Juca? O que achou do nosso desempenho?

– Batatal! Soou feito um estadista que sabe do que fala. Os comentários nas redes são 76% positivos. Mas alguns dos nossos colegas de comissão são capazes de achar que você os fez de bobos. Para muitos deles, essa argumentação não vai soar tão formidolosa.

– Deixa isso comigo. Como disse alguém, "na dúvida diga a verdade: vai surpreender os amigos e confundir os inimigos".

– Por falar em surpreender os amigos, qual a novidade com a cosmonáutica? Você falou com uma confiança que me fez cismar que tem carne debaixo desse angu.

– Ah, preciso mesmo lhe contar. – Esfregou as mãos. – Um físico alemão me trouxe um projeto que, se depender de mim, será construído bem antes de eu precisar de um robô cuidador. Só preciso que o brinquedinho que vamos inaugurar amanhã funcione direitinho para poder apresentá-lo ao Conselho. É o seguinte...

Feliz com a repercussão da entrevista, Pagu trocou ideias com Guira sobre o próximo programa, guardou o visor na mochila e se trocou. Eram os últimos a sair do estúdio. Os diodos de luz se apagavam, os ventiladores se desligavam e as portas se trancavam automaticamente à medida que sua passagem era registrada pelas câmaras. Dividiu um robotáxi com o colega e o carrinho elétrico de dois lugares cobrou dez milis de cada um ao deixá-los na estação da Lapa, onde se despediram. Poucas pessoas a reconheciam de boné e sem o visor, mas o maglevitador sim e lhe descontou mais dez milis ao entrar. Dois cronos depois, desceu na Estação da Luz e caminhou para sua casa na Barão de Piracicaba onde seus companheiros e esperavam. Comemorou o sucesso com uma noitada a três, deliciosa, mas sem exageros. Tinha que acordar cedo.

O sol ainda não nascera, mas por receio de algum aerorrobô sensível ao infravermelho, abrigaram-se sob os painéis de uma usina solar cercada de matas espinhosas do Agreste, a algumas dezenas de quadras do objetivo.

– Esta é a Coaracytaba. – O líder explicou, exibindo a planta com um holoprojetor. – Serve de residência aos trabalhadores da usina e de base para visitas. Aqui é o heliporto, parque, escola, centro de saúde, centro social e hospedaria. Os políticos vão se reunir no centro social, os jornalistas na hospedaria. Usaremos as capas de invisibilidade até o último instante.

Apagou a projeção e continuou:

– O grupo de Franco leva a maior parte dos homens e as melhores armas, porque vai invadir o centro social e é possível que surja alguma resistência ali. Provavelmente pouco eficaz, pois meio século reinando em paz sobre um povo de carneiros deixou essa gente mole e descuidada. Luxemburg deve trazer até seis seguranças e Cândido outro tanto, armados com atordoadores e pistolas magnéticas. Eliminem os agentes sem hesitar, mas é preciso capturar vivos os alvos principais. Se não for possível, pelo menos um ou dois deputados importantes. Tentem não matar civis sem necessidade, para não prejudicar a reputação de nossa causa.

Fez uma pausa e admirou os rostos impassíveis de seus homens, ferozes, atentos e disciplinados. Uma alcateia de respeito. Retomou:

– Meu grupo tomará os ônibus dos visitantes e cuidará dos jornalistas. Alguns são quase tão valiosos como reféns quanto os políticos. Mesmo com os ônibus, os vermelhos podem alcançar o destino antes de nós, pois os convertiplanos são capazes de chegar de Palmares em cinco cronos. Precisamos de audácia, disciplina e reféns para completar a missão.

Ligou o holo de novo para exibir o símbolo do movimento, uma bandeira negra tremulante com um furacão vermelho num círculo branco.

– Alguns de nós tombarão nesta empreitada. Os sobreviventes serão jogados nas masmorras do regime. Será inútil! Nosso golpe revelará a fragilidade desta civilização decadente e iniciará o colapso econômico e político da União. Milhões de valentes conhecerão nossa mensagem, seguirão nosso exemplo e nos resgatarão para liderar o novo mundo! Avante heróis!

– Melhor viver um dia de leão do que cem anos de cordeiro! – Seu imediato o secundou.

De manhã cedinho, Pagu despediu-se de Oswald e Tarsila no aeroporto e entrou na fila com o Guira. Ao ver a identificação, o funcionário da Ybytukatu a olhou, surpreso e sussurrou um pedido de holo autografado. Ela sorriu e assinou eletronicamente o visor dele.

Eles seguiram com os outros passageiros pela ponte de embarque comprida e se acomodaram nos assentos de um Jubapirá, um avião subsônico em forma de arraia. Enquanto Guira se distraía criando curvas coloridas e tridimensionais com um holoprojetor, ela se distraiu vendo o nascer do sol e o movimento dos caminhões-tanque de hidrogênio até o comandante dar o aviso da decolagem. O aparelho decolou e os telhados solares de Piratininga rebrilharam como ouro ao sol da manhã. Seria uma viagem de vinte e cinco cronos até Palmares.

Assim que o robô recolheu a bandeja do café da manhã, ela pôs o visor para rever subprogramas informativos para o especial do *Amanajé Mytanga*, *Mensageiro Jovem*, que ela e o Guira tinham preparado para depois juntar ou ligar à edição final. Em animações rápidas e humorísticas, contavam a história do uso da energia: a invenção do fogo, a roda d'água, os moinhos de vento, a máquina a vapor de Borba Gato, os motores a álcool e óleo de Aimberê e Bartolomeu de Gusmão, as grandes hidroelétricas de Pedro II, os geradores eólicos e solares de Andrada e Silva e as células de água-lítio e as usinas de hidrogênio de Gustavo Capanema. O reator nuclear pioneiro de Qarawayllu e a cooperação do Tauantinsuio com o Brasil e a União das Nações na Grande Guerra para lançar a bomba atômica em Scapa Flow.

Após a unificação do planeta, o estudo dos irmãos Rebouças mostrou os perigos da amplificação do efeito estufa para o clima e o ambiente planetário, as resoluções da União das Nações restringiram cada vez mais o uso dos combustíveis fósseis. E também da energia nuclear, depois que seus riscos foram evidenciados quando um terremoto seguido de tsunami arrasou a usina de Paramonga, no Tauantinsuio.

Passados cinquenta anos, havia apenas trinta usinas nucleares experimentais e trezentos pequenos reatores de pesquisa funcionando no mundo, todos debaixo de supervisão estrita da Comissão de Ciência e Cultura da União das Nações. E o carvão, petróleo e gás estavam sendo usados apenas como matérias-primas químicas. Centros mineiros e industriais antes pujantes desapareceram em muitas partes. Embora a União financiasse a substituição por fontes de energia renovável, a imposição provocou muito ressentimento na Eurásia, onde muitos viram a ameaça do aquecimento global como um pretexto forjado para privá-los de sua independência tecnológica e submetê-los à vulgaridade uniforme e opressiva dos painéis e aerogeradores que enfeavam paisagens antes magníficas.

Pagu olhou para fora, pensativa. Sobrevoavam um trecho ensolarado do sertão baiano. Onde outrora existira a caatinga, linhas regulares de geradores eólicos e as composições retangulares e circulares de painéis solares se alternavam de forma regular e geométrica com cultivos e as pastagens. Havia reservas de fauna e flora daquele e de outros biomas, mas era um mundo muito alterado pela mão humana, monotonamente simétrico e domado.

Antigas hidrelétricas ainda forneciam 4% da energia, geotérmicas outros 4% e as centrais maremotrizes e ondamotrizes 2%, mas 3,8 milhões de turbinas de vento geravam quase metade da energia usada em todo o mundo e os 40% restantes vinham de 40 mil usinas fotoelétricas, 49 mil usinas termossolares e 1,7 bilhão de telhados solares. Tudo aquilo cobria 280 milhões de quartas, mais que a área da Groenlândia. Os pitorescos telhados do passado agora só eram vistos em pinturas e fotos antigas, salvo nuns poucos prédios históricos. Algumas centrais, principalmente as que abasteciam usinas de hidrogênio, flutuavam no mar, mas a maior parte substituía paisagens outrora bucólicas ou selvagens. Cataratas majestosas e belas vilas e aldeias tinham desaparecido debaixo de lagos de hidrelétricas. E o futuro? Como seria dali a mais cem anos, com o dobro da população e o quádruplo da demanda de energia?

– Guira, isto não está muito parcial? Esse virtual de como seria o mundo se os combustíveis fósseis continuassem sendo usados, por exemplo, não estará exagerado? Derretimento de geleiras, multiplicação dos furacões, fome por secas e inundações, pessoas morrendo em cidades sufocadas pela poluição... Não soa oficialista demais para você?

O colega olhou para ela, divertido.

– Oficialista? São citações de um documentário organizado pela professora Lacerda de Moura. Conhece, né? Ela é mais anarquista que você, mas acha que se a Guerra Mundial não abolisse o capitalismo e impusesse a conversão energética, estaríamos muito pior.

– Mesmo assim, eu queria equilibrar. Quando a esmola é demais, o santo desconfia e o nosso público, que não é bobo, também. Vamos mostrar que há um outro lado, que isso teve um preço. Protestos contra a poluição de rios pela mineração de quartzo e por fábricas de painéis solares... Teve um em Minas no ano passado e outro na China. As cidades abandonadas pelo fechamento das minas de carvão no Ruhr e nas Midlands, cem milhões de aves mortas todo ano pelas pás dos aerogeradores, poluição visual, alteração do regime de ventos...

– Posso fazer, mas qual a medida certa?

– Vamos ver na hora de montar. Por enquanto só queria ter material à mão pra isso.

– Tá bem, vou separar.

O avião chegou no horário. Quando saíam para o saguão do aeroporto, uma mestiça bonita os abordou. Os dois a reconheceram: embora ainda não tivessem se encontrado fisicamente, era um rosto quase tão conhecido no Brasil quanto o de Pagu.

– Oxente! Tu és a Pagu da Poranduba Mytanga, certo?

– Prazer! Guira, você conhece a Anaíde Beiriz da Rede Quilombo, né?

– Claro...

– Guira, que massa te conhecer! – Ela o saudou com um tom mais do que caloroso e lhe tocou o peito nu. – Gosto muito do teu trabalho. Coisa porreta, da gota serena!

Ela ofereceu um selinho e o rapaz retribuiu, todo contente. Só depois ela beijou a colega, que ficou preocupada. Reconhecia que Guira recebia uma parcela menor do que merecia da fama da dupla. Ver alguém lhe dar valor normalmente a deixava satisfeita. Mas aquela pantera dos olhos dormentes... Será que queria lhe roubar o parceiro? Se ela quisesse só levá-lo para a cama, daria a maior força, mas algo lhe dizia que era mais sério. Profissional.

– A galera que vai pro Intirana tá daquele lado – Anaíde avisou. – 'Bora?

Assentiram e a seguiram até onde flutuava um holograma com o logo do Instituto de Pesquisas Energéticas e Nucleares da Universidade de Palmares, um átomo estilizado com o brasão de Palmares no lugar do núcleo, enxada e martelo cruzados sobre um livro e uma estrela. Jornalistas brasileiros e estrangeiros se reuniam em torno da mulher que o projetava com seu comunicador, uma negra de trancinhas e bata colorida.

– Ah, chegou a turma de Piratininga, bom dia! – Reconheceu-os. E virou para o colega de traços mexicas. – Tlohtli, já dá para lotar um convertiplano. Levo esse pessoal e tu esperas o resto, tá? *Vo kinen me pos petin*, "sigam-me", pediu ela em koina, língua oficial da União das Nações.

– *Damn newspeak!* – Uma voz de homem resmungou atrás de Pagu, quando se puseram a caminho do pátio. Ela se voltou e reconheceu Tina Modotti, da ENN, *Euraziatische en Noord-Colombiaanse Netwerk*, ao lado de um homem branco, alto e magro, de cabelo desalinhado. Vestia preto da gravata aos sapatos, sinal de um certo estilo de anarquismo radical. Sorriu sem entender e ele ficou sem graça, mas Tina a cumprimentou:

– *Lascia*, a viagem o deixou de mau humor. Embarcamos em Nova Amsterdã tarde da noite, ele vinha de Londres e não dorme bem em avião, você sabe...

– Mais de sete horas e meia! – Ele reclamou.

– Heim? – Pagu perguntou, sem entender, ao sair do corredor para o bafo quente e o sol nordestino do pátio de concreto.

– Foi uma viagem de cento e trinta cronos. –Tina explicou. – *Mi piace presentare* George Orwell, da ENBC, que desaprova a koina e o sistema decimal e *molte altre cose.*

Pagu notou o relógio de pulso antiquado com ponteiros.

– Bah! – Ele protestou. – O que me incomoda é haver privilegiados que podem fazer o mesmo em duas horas e meia.

Quarenta e um cronos, Pagu converteu com ajuda do visor enquanto ele apontava para o supersônico comissarial esguio da União das Nações, o *Aero Uno*, a se aproximar como uma garça gigantesca para um pouso elegante em Palmares.

–Por que *eles* podem voar mais rápido? Não dizem que somos todos iguais? Ou alguns são mais iguais que os outros?

– *Più che sciocchezza,* Orwell! – Tina protestou, enquanto subia no convertiplano. – Eles viajam pelos quatro cantos do mundo todo dia, precisam de um avião mais rápido, mas ainda não dá para oferecer isso a todos, tem os limites da energia, do ambiente...

A discussão continuou até se sentarem. Guira continuava no papo com Anaíde e Pagu se sentou com Tina. O convertiplano acionou os rotores e decolou verticalmente. Ao atingir a altitude adequada, os rotores se deslocaram para um eixo horizontal e o veículo ganhou velocidade.

Assim que entrou em cruzeiro, a mulher que os guiara levantou-se e falou em koina:

– *Saluto! Me Mera nomines petin...*

– Oi, chamem-me de Mera. – Ela dizia em tradução livre. – Mais fácil de lembrar que Almerinda Farias Gama, não é? Sou professora de física de plasmas do IPEN e integrante do conselho da Cooperativa Eletroatômica de Neogeia. Temos alguns cronos até chegar lá e nenhum serviço de bordo, então podemos passar o tempo conversando sobre o Intirana. É um composto de "Inti", "sol" em quéchua e "rana", "semelhante", em tupi, pois foi construído em cooperação com o instituto de pesquisas nucleares do Tauantinsuio. É parecido com o sol por gerar energia por meio de fusão nuclear, apesar de o processo ser um pouco diferente. Em vez de fundir núcleos de hidrogênio, ou prótons, em núcleos de hélio, aqui o hélio surge da fusão de núcleos de deutério e trítio, estes obtidos a partir do bombardeio de átomos de lítio...

– E isso fará o mundo depender mais do lítio do Tauantinsuio. – Orwell questionou. – Não é muito cômodo para Cosmópolis, Cuzco e o partido no poder em ambos?

Pergunta interessante, Pagu pensou. O sujeito era excêntrico, mas inteligente. Valia a pena aprofundar essa linha e verificar dados relacionados à questão, anotou.

– Veja, amigo Orwell, – Mera respondeu, – é uma questão de física, antes de ser de política. Este método é o mais viável, o único capaz de gerar energia útil com a tecnologia hoje disponível. Há unidades experimentais que não usam lítio, mas consomem mais energia do que produzem, ou a reação não se sustenta por mais do que um nicto. E o lítio não é tão raro. Neste reator de três mil e quatrocentos megaborbas, usamos mil e quatrocentas toneladas de lítio. Se fosse o caso de substituir por reatores iguais a geração mundial de dezessete teraborbas, precisaríamos de cinco mil reatores e sete milhões de toneladas, o dobro do que usamos hoje em baterias e células de combustível. As reservas terrestres conhecidas são de mais de cem milhões de toneladas e sim, mais de oitenta por cento estão nas *kachikachi*, as salinas do Tauantinsuio, mas também há 240 milhões de toneladas nos oceanos. E esse não é um cenário provável. Em dez ou vinte anos, antes de gerarmos dez por cento da energia mundial com fusão, reatores mais avançados dispensarão o lítio.

– Mera, –Pagu chamou, – quero fazer outra pergunta política. Mesmo supondo que o lítio não seja problema e que o Tauantinsuio não o use para pressionar a União, como já fez...

– Acho que isso são águas passadas... – A física descartou. – E estamos prestes a dispensar o lítio nas células de combustível. O IPEN está desenvolvendo vários tipos de células de energia de bobinas supercondutoras que só precisam de nanotubos de carbono dopado com níquel e cobalto... e olhe, temos tauantinsuianos nessa linha de pesquisa, não só brasileiros e mexicas.

– Que seja. Mas mesmo assim, não é um retrocesso na política de descentralização, de tornar os governos locais mais autônomos e autossuficientes? Imagino que um investimento tão grande como esse tem de ser administrado e planejado por confederações.

Orwell contemplou Pagu com um olhar aprovador e acrescentou:

– No meu país, a ilha de Wight, com pouco mais de cem milhas quadradas e cem mil habitantes, temos uma comunidade autossuficiente em energia com seus geradores eólicos e solares. Ela poderia fazer o mesmo com um reator de fusão nuclear?

Mera parou para buscar dados com o visor e pensar na resposta.

– Hum, não. – Ela respondeu. – Hoje não é prático construir unidades muito menores do que o Intirana, porque é difícil controlar uma reação com temperatura de oitenta milhões de termograus. O investimento de sessenta milhões de cômputos estaria ao alcance de um estado ou um pequeno país, mas tem que ser planejado como parte de uma rede continental.

– Então as comunidades ficarão mais dependentes das confederações! – Orwell concluiu.

– Por enquanto sim. Mas imagine uma usina igual a esta perto da ilha. A energia sai a vinte milis por gigajuma, o mesmo custo da eólica, ou metade da solar. Se a ilha desmantelar seus geradores e comprar eletricidade do reator, vai economizar na média e liberar espaço para reflorestamento, turismo, o que quiser. O Intirana equivale a quatro mil quartas de painéis solares ou trinta mil de parques eólicos. Se eu morasse lá, essa seria a minha escolha, como foi a do povo desta região.

– Por que "por enquanto"? –Pagu interveio.

– Porque quando pudermos usar fusão catalisada por múons, lidaremos com temperaturas e escalas bem menores. Mas precisamos saber mais. Ah, vejam, daqui já dá para ver o Intirana...

Tina e Pagu olharam pela janela. Via-se um complexo em forma de ferradura: um grande prédio circular no centro, que lembrava um enorme gasômetro ou caixa d'água, cercado de um lado por uma lagoa semicircular e de outro por algo que parecia um complexo industrial retangular. Um pouco além, via-se o lago da hidrelétrica de Xingó.

– O prédio cilíndrico é a unidade de fusão, depois vão ver como funciona. Os dois prédios pequenos junto ao reator são a engenharia e o apoio. Mais para cá, estão torres de resfriamento, depois a fábrica de pelotas de deutério-trítio, mais além as turbinas a vapor e a subestações de energia elétrica. Vamos parar na Coaracytaba, esticar as pernas, esperar o resto do pessoal e tomar um café antes de visitar a usina.

– Gostei do seu estilo. – Pagu cumprimentou Orwell, ao descer do aparelho.

–Liberdade é o direito de dizer às pessoas o que elas não querem ouvir. – Ele sorriu. – E jornalismo é publicar o que alguém não queria ver publicado. O resto é propaganda.

As bandeiras da União, da Neogeia, do Brasil e do estado de Palmares decoravam a entrada. Foram conduzidos ao saguão da hospedaria junto ao heliporto, onde um desjejum variado os esperava. Para fazer companhia a Tina e Orwell à mesa, Pagu pegou um suco de graviola e pediu uma tapioca ao robô, enquanto espiava Guira e Anaíde com o rabo do olho.

– Quer me dizer que não tem uma caneca de pinta nesta birosca? – Orwell resmungou ao olhar as canecas para se servir de chope na máquina.

– E que *cazzo* é uma pinta? –Tina perguntou na fila, impaciente para pegar a sua. O salão era bem ventilado, mas não refrigerado e estavam com calor.

– Olha só! Nasceu na Europa e não sabe o que é uma pinta! Uma pinta é a metade de um quarto de galão. Daqui a pouco tenho que lhe ensinar o ABC!

– Nunca ouvi falar. –Pagu disse, enquanto consultava a Porandutepé com o visor.

– Litro e meio litro, é o que tem. –Tina insistiu. – Aí estão as canecas na sua frente.

– Gosto de pinta. Bem que podia ter uma pinta. Não tinha essas besteiras de litro quando eu era garoto.

– Do jeito que fala, parece que você foi moço na época em que nós trepávamos em árvores. –Tina reclamou, apesar de ter, provavelmente, alguns anos a mais que ele.

Pagu riu e Orwell corou. Mas se serviu de uma caneca e foi sentar com elas.

– Bem que podia ter uma pinta. – Meio litro não chega, não satisfaz. E um litro é muito, me faz a bexiga trabalhar.

– Conferi com o visor. –Pagu disse. – A velha pinta inglesa valia 568 mililitros, 13,6 por cento a mais. Faz tanta diferença assim pra você?

– Claro que não! – Tina interveio. – É coisa de anarquista inglês *rompicoglioni.* Quase todo o mundo aderiu ao sistema internacional desde o fim da Guerra Mundial, mas o Estado da Inglaterra se apegou às suas velharias e só há oito anos que o governo do Secretário Ilich impôs a padronização decimal e a mão pela direita a toda a Confederação Euroasiática e Nortecolombiana. Na Inglaterra, relógios e medidas antigas são a marca registrada de *radical chics* como esse *stronzo*!

– Não é ideologia. –Orwell contestou. – As medidas antigas são naturais, adaptadas às necessidades humanas pela história. Por exemplo, se eu digo que minha altura é de seis pés e três polegadas, você percebe intuitivamente o que quero dizer.

Pagu o olhou perplexa e Tina riu.

– Não, não percebo. – Ela confessou. – Tive de consultar a Porandutepé para converter isso em 19 módulos e ter uma noção.

– É que vocês aqui usam o sistema decimal há duzentos anos! – Ele protestou. – Vocês se adaptaram ao sistema, em vez de usarem um sistema adaptado às pessoas.

Chegou então a segunda leva de jornalistas. Uma figura de sobrancelha de taturana inconfundível veio cumprimentar Pagu, acompanhado de um louro alto, de olhos azuis.

– Viva, seu Juca! Tina Modotti e George Orwell, jornalistas da Eurásia... – Pagu os apresentou. – Monteiro Lobato, deputado brasileiro no Conselho da União e membro da Comissão de Ciência... o Raul também veio, Juca?

– Prazer, prazer, me chamem de Juca, por favor. Sim, veio no convertiplano da primeira-comissária, mas, como faltava lugar, vim com os jornalistas fazer companhia a este sábio alemão com quem andamos matutando ideias. Doutor Werner Heisenberg, do CERN, que é o IPEN lá da Eurásia.

– O TGCH do CERN, em Genebra, é o segundo maior acelerador de partículas do mundo, depois do Pevatron de Palmares – Tina afirmou, orgulhosa.

Pagu conferiu os dados: o *Très Grand Collisionneur de Hadrons* acelerava partículas a trezentos trilhões de elétrons-veigas, o Pevatron a um quatrilhão. Depois pediria a Guira para lhe explicar o que isso significava, exatamente. Se ele ainda quisesse trabalhar com ela.

– Pouco importa. –Heisenberg disse. – O bom de ser um físico teórico é trabalhar com dados de todo o mundo sem perguntar pela pátria das partículas. Vim aqui justamente discutir uma ampliação do acelerador de múons do IPEN para testar um ponto crucial da minha teoria.

– A que custo? –Orwell perguntou, acabando de enxugar a caneca de chope.

– Uns quarenta milhões de cômputos, divididos entre a Neogeia e a União das Nações...

– Alguns milis sairiam do meu bolso, então. Suponho ter o direito de perguntar para que serve.

– Bem, para ampliar o conhecimento do funcionamento das branas e do universo...

– E se eu achar que já sei o suficiente e perguntar por algum uso prático?

– Não posso prever com antecedência todos os desdobramentos de uma descoberta em física teórica, mas dei um exemplo à Comissão. Se eu estiver certo, poderemos criar campos de força com muitas propriedades interessantes. Poderíamos controlar reações de fusão mais potentes que a do deutério-trítio, como o ciclo CNO, que gera quase o dobro da energia por átomo de hélio e na natureza ocorre nas estrelas mais quentes...

– Depois do Intirana teríamos uma Sírius-mirim! – Juca tentou explicar.

– ... e além disso poderíamos criar campos magnéticos com um diâmetro maior que o da Lua para atrair hidrogênio do espaço e usá-lo como material fusionável numa nave tripulada.

Aquilo deixou Pagu confusa. Ah, se Guira estivesse com ela em vez de cair na conversa daquela sirigaita! Entenderia o que aquilo queria dizer e faria as perguntas certas.

– Claro, depois de Marte a União precisa de outro projeto de cinco bilhões para justificar ainda mais centralização! – Orwell protestou. – Para quê? Plantar a bandeira vermelha num asteroide?

Juca deu uma risada gostosa.

– Qual asteroide, nem pera asteroide, *mister* Orwell! Suba!

– Saturno? –Tina perguntou.

– Suba, suba!

– Urano, Netuno? –Pagu arriscou.

– Vá subindo, menina!

Os três jornalistas olharam uns para os outros, pasmos. Subir além de Netuno? Juca chegou-se para Orwell e disse, com uma expressão dramática:

– Estou falando de Alfa Centauri, mister Orwell! De chegar às estrelas até o fim do século com o estatojato de Heisenberg! E não ficará por mais de um trilhão...

– Um trilhão? De cômputos? –Orwell protestou. – Está doido! Haverá uma revolução!

– Haverá nada! O Intirana vai derrubar os limites do ambiente e da produção de energia que nos travam! Fusão e nanotubos serão amanhã o que o petróleo e o ferro foram há um século, seria um escândalo não usá-los para acordar o gênio humano adormecido! Em vinte anos a economia mais que dobrará, em trinta anos, triplicará ou quadruplicará e construir a nave custará menos de um por cento do produto mundial por dez anos...

Nesse momento, Mera pediu atenção, que ia explicar o Intirana em detalhes. Projetou então, no meio do saguão, um holo da câmara esférica que era o coração da usina, a *lonq'owasi*, como a chamavam os engenheiros tauantinsuianos que a construíram, depois a cortou no meio, para mostrar o interior.

– A câmara fica dentro de uma câmara de vácuo, mas dentro tem xenônio para absorver íons e radiação produzidos pela fusão. As paredes são duplas, afastadas um metro uma da outra e nesse espaço temos lítio fundido, mantido a 900 termograus. Um dia terá de ser desmontada e isolada, mas sua radioatividade será inofensiva em apenas cem anos, enquanto os resíduos de uma usina de fissão continuam perigosos por mais de cem mil. Além de absorver o calor que vai ser usado na geração termelétrica, o lítio captura nêutrons que transformam alguns de seus átomos em hélio e trítio, que é processado na fábrica de pelotas junto com o deutério da água pesada produzida na usina de Piranhas. O deutério de um litro de água do mar contém energia equivalente à queima de quinhentos litros de álcool ou mil de hidrogênio líquido...

Mostrou a fábrica e explicou como ela produzia mais de um milhão de pelotas de deutério-trítio congelado por dia. Seguiu a fila de pelotas para a *lonq'owasi,* onde eram disparadas, uma por vez, para o centro da câmara e ali bombardeadas de todos os lados por centenas de açaratãs, feixes infravermelhos coerentes que serviam de espoleta para a reação de fusão – descendentes diretos, ela explicou, do *doodsstraal* que vitimara o Marechal Xavier há quase cem anos. A pelota explodia como uma supernova mirim, se apagava e era seguida de outra. Havia 384 açaratãs em torno da câmara, cada um deles com uma potência de cem quilojumas e a fusão de cada pelota produzia dois gigajumas, o equivalente a duzentas bananas de dinamite.

A animação em câmara lenta acelerou até o ritmo real. As estrelinhas que acendiam e apagavam se tornaram um sol tremeluzente e ficou impossível enxergar as pelotas, disparadas com a velocidade de uma bala de revólver a três disparos por nicto, a cadência de uma metralhadora da Guerra Mundial.

Então as pessoas em volta começaram a gritar, o holo se apagou e Pagu percebeu que balas de verdade voavam pelo saguão. Jogou-se debaixo da mesa, sem entender, ouvindo explosões e sentindo o cheiro acre de um gás que a atordoava e lhe ardia nos olhos e pulmões. Os atacantes não se incomodavam com isso, deviam usar algum filtro ou antídoto.

– Presos em nome do futuro! – Um careca de uniforme preto e bigode grisalho, que parecia saído do nada, gritou num megafone, em português com sotaque italiano. – Aqui morre a velha ordem!

– Não acredito! *L'imbecille* Marinetti! – Tina rosnou entre dentes, enquanto as lágrimas lhe escorriam pelo nariz.

– Quem? – Pagu sussurrou.

– Um escritor italiano que glorifica a guerra nos seus livros de merda e criou um *cazzo* de um Partido Futurista. Fez palestras em Nova Amsterdã, ano passado. Outro *pazzo* anarquista!

– *Hell no!* – Orwell protestou, em surdina. – Esse *fucking bastard* não é dos nossos!

– *Achtung*! De pé, mãos atrás da nuca! – Um alemão de bigodinho e olhar de louco gritou, empunhando uma submetralhadora obsoleta, mas nem por isso inofensiva.

Pagu obedeceu e olhou em volta. Vários homens de uniforme preto, armados e nervosos.

– Ave Marinetti, aqui tem duas famosas! – O alemão gritou. – Tina e Pagu!

– Bravo, Cabo Hitler! Ponha as algemas, desta vez essas porta-vozes do sistema terão de ouvir a verdade ao lado de seus chefes! Capitão Mussolini! – Voltou-se para um careca de queixo empinado que parecia ser o segundo no comando. – Traga-as cá, vão me ouvir melhor!

Sem alternativa, Pagu se deixou prender e conduzir e, estarrecida, viu outro grupo de homens de preto, liderado por um baixinho mirrado, trazer a Primeira-Comissária Luxemburg, o Presidente Cândido e alguns membros de sua comitiva, também algemados.

– Bravo, Tenente Franco! Trouxe-nos o grande prêmio!

O tal Marinetti desatou a discursar, tanto a seus homens quanto aos prisioneiros, esbanjando gestos, caras e poses, mas nem por isso tornando seu delírio mais compreensível:

– Finalmente a mitologia e o ideal místico estão superados! Nós estamos prestes a assistir ao nascimento do Centauro e logo veremos voar os primeiros Anjos! Será preciso sacudir as portas da vida para experimentar seus gozos e ferrolhos! Eis, sobre a terra, a primeiríssima aurora! Não há que iguale o resplendor da espada vermelha do sol que esgrima pela primeira vez nas nossas trevas milenares! Saiamos da sabedoria como de uma casca horrível, e atiremo-nos, como frutos apimentados de orgulho, dentro da boca imensa e retorcida do vento! Entreguemo-nos como pasto ao Desconhecido, não por desespero, mas somente para encher os profundos do Absurdo! Queremos cantar o amor ao perigo, o hábito da energia e da temeridade, queremos exaltar o movimento agressivo, a insônia febril, o passo de corrida, o salto mortal, o bofetão e o soco. Não há mais beleza, a não ser na luta. Nenhuma obra que não seja um assalto violento pode ser uma obra-prima. Nós estamos no promontório extremo dos séculos! Por que olhar para trás, se queremos arrombar as misteriosas portas do Impossível? O Tempo e o Espaço morreram ontem! Nós já vivemos no absoluto, pois já criamos a eterna velocidade onipresente! Nós queremos glorificar a guerra, única higiene do mundo, o militarismo, o patriotismo, o gesto destruidor dos libertários, as belas ideias pelas quais se morre e o desprezo pela mulher! Nós queremos destruir os museus, as bibliotecas, as academias, e combater o moralismo, o feminismo e toda vileza oportunista e utilitária!

Parou para ouvir os aplausos e brados de *ave!* dos seus homens, mas um sentinela magro e bigodudo aproveitou a pausa para um aviso, braço direito em riste:

– Ave, Marinetti! – Esse não tinha sotaque estrangeiro. – Vi uma coisinha esquisita voar pela janela, pode ser um robô-espião da União!

– *Grazie*, Sargento Salgado! Que registre nosso manifesto para a posteridade! Mas temos de nos apressar, para tomar o Intirana de assalto antes que nos preparem alguma, camaradas! Com esses reféns, não ousarão atirar! Já dei o recado, têm de evacuar a área num raio de vinte quadras e temos de encontrar as portas abertas, senão todos morrem! Mussolini, vamos levar Tina, Pagu, a Luxemburg e o Cândido. Escolha dois mais descartáveis caso precisemos matar alguém para fazê-los negociar. Pound e Heidegger, tranquem o resto no depósito da hospedaria. Mais do que seis reféns só vai nos atrapalhar.

Pagu, Tina, Luxemburg, João Cândido, Orwell e Guira foram empurrados para dentro de um dos ônibus destinados aos visitantes, acompanhados por vários homens de preto. Mais outros deles entraram no outro ônibus. O cabo de bigodinho chegou ao painel, ligou o motor elétrico e escolheu o destino com alguns toques na tela.

– Não pode ir mais rápido, Cabo? –Marinetti perguntou.

– Não, *mein Führer*, vai seguir o programa normal.

– Não conseguiram? A União pode travar o diabo do motor? – Perguntou, furioso.

– Rosenberg e Salazar conseguiram cortar a comunicação, as câmeras e as travas, mas não descobriram como assumir o controle direto sem ferrar tudo.

– Robô *maledetto*! – Resmungou. – Na nova ordem, veículos terão volante, freio e acelerador. Uma máquina é uma mulher, não tem cabimento que recuse o comando de um homem!

– Ah! – A primeira-comissária explodiu. – Carrascos estúpidos e loucos! Não repararam que sua ordem se ergue sobre a areia?

– Cale-se, *sfacciata*! Seus sonhos lânguidos de paz perpétua são a doença, nós somos a cura! A guerra é bela, porque graças às máscaras de gás, aos megafones assustadores, aos lança-chamas e aos tanques, funda a supremacia do homem sobre a máquina subjugada! A guerra é bela, porque enriquece um prado florido com as orquídeas de fogo das metralhadoras. A guerra é bela, porque conjuga numa sinfonia os tiros de fuzil, os canhoneios, as pausas entre duas batalhas, os perfumes e os odores de decomposição. A guerra chegou, vocês perderam!

– Falhou a direção. – Admitiu. – Mas é o de menos, as massas...

Marinetti interrompeu-a com uma bofetada.

– Tagarela hipócrita! As massas são argila e nós a moldaremos! A destruição do reator mostrará como esta civilização é vulnerável. – Marinetti pontificou, altissonante. – As células de lítio estão quase obsoletas. Quando mostrarmos como essa máquina é frágil, os complexos industriais do Uyuni e do Atacama desmoronarão, vingaremos os centros industriais do carvão europeu no século passado e começaremos a crise que levará à Segunda Guerra Mundial. O reator é para convencer o mundo de que precisa seguir cordato, unido e amável para desfrutar em paz do lítio do Tauantinsuio, dos alimentos do Brasil, blablablá. Nada disso! Nossa única necessidade real é a luta, ela é saúde, vida e evolução! Os fortes nos seguirão!

– Louco. –Tina sussurrou atrás de Pagu. – Completamente *pazzo*!

Também não fazia muito sentido para Pagu. De que servia sequestrar a primeira-comissária? Ela era apenas um símbolo, um dos integrantes do Conselho dos Comissários, um de cada uma das sete confederações, cada um dos quais exercia rotativamente a presidência por um ano. Se destruíssem o reator, e daí? Construiriam outro, com segurança reforçada. Seria apenas um gesto brutal e vazio de arte performática, ainda que acabasse com a morte de terroristas e reféns. Mas e se a União fosse mais frágil do que ela pensava?

Mussolini chamou Marinetti ao fundo do ônibus para confabular e ele esqueceu os reféns. Hitler continuava à frente, mas atento ao lado de fora.

Então, uma mensagem apareceu no seu visor.

Guira @Pagu Mãos entre espaldares, vou cortar a algema. Sem som, finja que não é nada.

Surpresa, obedeceu. Sentiu um calor nos pulsos e o elo estava cortado.

Pagu @Guira Como?

Guira @Pagu Gambiarra com o holoprojetor, reprogramei como um açaratã-mirim pelo visor. Soltei Tina, vou soltar Orwell. Cuida dos da frente?

Pagu @Guira Rosa e Cândido? Como avisar? Estão sem visor.

RLux @Pagu Temos visor, sim, nas lentes de contato.

Guira @Pagu A senha do projetor é e^(i*pi)+1=0, conecte no seu visor.

Pagu recebeu nas mãos o projetor, parecido com uma lanterninha. Cortou os elos das algemas de Rosa e Cândido como se fossem papel. Os raptores continuavam discutindo atrás.

RLux @Pagu @Guira Preciso falar com a UN, mas aqui tem bloqueador. Só funciona o sem-fio.

Guira @RLux O visor da @Pagu tem bandas especiais para ativar equipamentos à distância no trabalho ao ar livre. Se eu codificar, consegue mediar.

RLux @Pagu @Guira Tenta? Ligação ComCon.un/Uno senha Spartakus\o/Bund.

Pagu @Guira A senha do visor é Oswald<3Pagu<3Tarsila.

Guira fez algum ajuste no visor da Pagu e disse para tentar. Ela seguiu as instruções.

UN001 @Pagu @RLux @Guira Bom que puderam ligar. Condições?

RLux @UN001 Nós 3, mais @JCndd, @TMdtt, @GOrwll reféns e uns 10 elementos. No outro ônibus, só terroristas. Uns 20 deles no total.

UN001 @RLux Prontos para agir. Alguma sugestão?

RLux @UN001 O Marinetti disse que só queria nós 6. Pode conferir se não há reféns no outro ônibus?

UN001 @RLux Reconhecimento da ciberlibélula confere. Total

19 elementos inimigos. Ônibus 2 leva armas e bombas de nitrato, nenhum refém.

RLux @UN001 Plano: detona ônibus 2. Choque faz parar ônibus 1, atordoa elementos, abre portas. Nós fugimos, vocês cobrem. Aprova?

UN001 @RLux Risco de alguns de vocês serem metralhados.

RLux @UN001 Assumo a responsabilidade. Melhor manobra: virada inesperada & audaciosa.

Pagu acompanhava a troca de mensagens e compreendeu o que ia acontecer. Tina suspirou. Trocaram rapidamente mensagens sobre como fugir.

UN001 @RLux Cobertura quase pronta, operação autorizada. Contagem regressiva de 10 decanictos, a 1 tapem ouvidos e se encolham.

Já chegavam aos portões do Intirana. Mussolini e Marinetti, com lança-foguetes às costas, resolveram voltar à frente quando eram 5... 4... 3...

Ao mesmo tempo, os seis reféns se abaixaram e taparam os ouvidos. Perplexo, Mussolini notou que estavam livres das algemas, gritou e levou a mão ao coldre, mas nesse momento uma tremenda explosão sacudiu o ônibus, estilhaçou as janelas de trás e jogou ao chão quem vinha de pé. O ônibus freou e abriu todas as portas e janelas automaticamente. Adolf, cenho sangrando do choque inesperado no para-brisa, custou a reagir. Pagu viu Rosa e Raul driblarem os chefes caídos e saltar fora. Pulou em seguida, junto com Tina, na direção oposta até encontrar um canto atrás do prédio principal para se abrigar. Uma coluna de fumaça se erguia dos escombros do segundo ônibus, no final da ponte sobre a lagoa semicircular. O visor de Pagu registrou mais uma mensagem codificada:

RLux @UN001 Eu e @JCndd em lugar seguro, os outros?

UN001 @RLux Avistados @Pagu e @GOrwll fora da linha de tiro, outros não confirmados. Aerotropas no ar.

Ouviu o som agudo de turbinas. Soldados da UN se erguiam de trás do Intirana voando com jatos dorsais, açaratãs prontos para atirar. Marinetti e Mussolini agarravam Guira e Tina, usando-os como escudos enquanto caminhavam para a entrada aberta da usina.

RLux @UN001 Não atirem. Tentem negociar a rendição deles.

Marinetti e Mussolini caminharam com os reféns na direção do reator, olhando para cima. Alguns de seus homens os seguiam de armas engatilhadas, ressabiados, alguns visivelmente feridos. Um megafone os intimou a depor as armas, mas o grupo seguiu para a usina.

– Temos que fazer algo! –Orwell sussurrou. – Não sei mais viver sem essa mulher!

Pagu se espantou ao perceber que ele falava de Tina. Como não percebera que eram amantes? Pouco importava, ela tinha seus próprios motivos para se afligir. Guira era um grande amigo e, se estivesse em seu lugar, tentaria salvá-la de novo. Mas como ele faria?

Os chefes já iam dentro da usina quando ela se lembrou do projetor. Disse a Orwell o que ela pretendia fazer e ele aprovou. Então gritou e o último retardatário, que mancava de arma na mão, olhou em sua direção. O visor ampliou e focalizou o rosto assustado e orientou o tiro com precisão nos olhos azuis do alemão de bigodinho.

– *Ach! Ich bin blind!* – Gritou, largando a arma. Correram para cima dele.

– Você sempre foi cego! –Orwell rosnou, derrubando-o com um soco e lhe tomando a submetralhadora.

Quando o alemão caiu, Pagu tentou tomar-lhe a pistola, mas ele a afastou com um safanão. Antes que reagisse, tomou a pistola de suas mãos, meteu-a na própria boca e disparou. Fragmentos de osso e massa cinzenta respingaram em Pagu, que virou a cara, trêmula.

– Vamos, coragem! –Orwell animou-a. – Não podemos perder tempo!

Os outros não voltaram para ver o que tinha acontecido, seguiram para o coração do reator. Orwell e Pagu encontraram uma escada para uma passarela alta e correram. Balas ricochetearam nas estruturas metálicas, mas tiveram sorte. Apareceram então os fuzileiros e os terroristas se esqueceram da dupla para se concentrarem em impedir a entrada deles com uma barragem de metralha.

Pagu e Orwell alcançaram a área central. Marinetti e Mussolini armavam o lança-foguetes contra a câmara de vácuo do reator. Os reféns estavam de costas contra uma parede, mãos à nuca, vigiados por um dos comandados de arma na mão, o resto atirava contra os militares.

– E agora? –Pagu perguntou.

– Você tem mais precisão, aponte na nuca do tipo da pistola. Eu metralho os chefes. No três. – Ele voltou vários passos atrás para buscar um ângulo melhor e fez sinal com a mão: três, dois...

Orwell disparou, Pagu também. O sujeito que vigiava os reféns deu um grito agudo ao ser queimado pelo açaratã. Era o tal Pound. Tina e Guira aproveitaram e desembestaram por um corredor próximo. Varridos pela rajada do inglês, Marinetti e Mussolini caíram de costas e o lança-foguetes disparou. Mas em vez de atingir a parede de aço da câmara do reator à frente, subiu ao teto e atingiu um tubo blindado. Uma ducha de lítio fundido, radioativo e corrosivo, choveu sobre os terroristas como cerejas de lava ao rubro explodindo em chamas roxas. O bafo ardente do espetáculo pirotécnico atingiu Pagu e tudo se apagou.

Ainda estou viva, pensou ao se descobrir num leito de hospital. Lembrava-se vagamente da sensação de sufocação antes que lhe colocarem uma máscara de oxigênio. Então a embarcaram num convertiplano militar. Recobrou a consciência entre dores atrozes, ao pousar no heliporto de um hospital e de ser sedada logo em seguida. Sentia-se menos mal, agora, mas então se lembrou dos horrores de Paramonga. Seria melhor ter morrido?

Um robô apitou a seu lado e uma médica apareceu em instantes. Doutora Deré Lubidi, Radiotoxicologia, dizia o crachá.

– Como se sente?

– Muito enjoo, dificuldade de respirar, dor de cabeça, a garganta queima... – Falou com voz rouca.

– É de se esperar, não se aflija. Você está fora de perigo, está tudo sob controle. – Passou a mão em seu rosto. – Você foi muito corajosa.

– E os outros? Guira está bem?

– O Apapocuva? Sim, Tina também. Orwell passou mal ao enfrentar os vapores tóxicos para resgatá-la, mas também não corre risco, está aqui, olhe. – Com algum comando invisível, fez correr a divisória do quarto para mostrá-lo e ele acenou, constrangido, do outro leito. – Já os terroristas estão quase todos mortos e não sei se conseguiremos salvar os dois sobreviventes. Inacreditável: um deles é um poeta nortecolombiano e o outro, um filósofo alemão.

– E a radiação?

– Não foi tão grave. É diferente de uma usina de fissão, a radiação fora da reação propriamente dita é menor. Vocês todos absorveram algum trítio radioativo do vazamento de lítio, nada fatal, e receberam nanoterapia e geneterapia para minimizar os danos. O mal-estar vai durar mais um ou dois dias e por quatro ou cinco semanas você vai sentir queimaduras como de insolação e talvez o cabelo caia por algum tempo, mas esperamos uma recuperação completa. Há um aumento no risco de câncer e de filhos com anormalidades congênitas, mas se você seguir o programa de exames anuais e os tratamentos a que terá direito pelo sistema de saúde, sua expectativa de vida e seus filhos não serão prejudicados.

– Está bem, acho... quando vou poder ir para casa?

– Quando quiser, não é preciso reter você aqui. O tratamento pode continuar em casa e essa pulseira vai monitorar sua saúde à distância. Mas antes de sair, gostaria que falasse alguém que esperou para vê-la assim que pudesse receber visitas. – E falou pelo visor. – Pode deixar entrar, a Galvão está em condições.

– Boa noite! – A primeira-comissária a saudou. – Venho agradecer por mim, pela União das Nações e pela humanidade e adiantar os agradecimentos do Presidente Cândido. Ele está numa reunião de emergência, mas os verá pessoalmente à primeira oportunidade. – Apertou a mão de Pagu.

– Obrigada pela gentileza. – Pagu não conseguiu pensar em coisa melhor para falar.

– Para ser sincero, – Orwell respondeu na sua vez, – pensei em Tina e Pagu, não na humanidade.

– Não tem importância. Foi a parte da humanidade que lhe coube proteger. E quero aproveitar para convidar vocês dois à reinauguração do Intirana. Deve ser daqui a dois ou três meses, quando os danos estiverem reparados e vocês estiverem em plena forma.

– Desculpe, – Orwell cortou, – mas já tive o suficiente de reatores nucleares para uma vida.

– Ouçam, isto ganhou um significado muito maior, trata-se de reafirmar a paz e a solidariedade entre os povos, não só de lançar uma nova fonte de energia. E o eixo da cerimônia não será mais o reator e sim vocês. Quero ter a honra de lhes entregar as Estrelas de Ouro de heróis da União das Nações. Guira e Tina já aceitaram. E vocês?

– Aceito! –Pagu respondeu, com entusiasmo juvenil.

Orwell demorou a responder.

– Eu aceito, com uma condição: quero a oportunidade de falar em nome do anarquismo e explicar que nossas críticas à União nada têm a ver com os cretinos de Marinetti.

– Terá o tempo que desejar para falar como quiser, companheiro Orwell. Liberdade é, sempre, fundamentalmente a liberdade de quem discorda de nós. Está bem assim?

– De acordo... *my dear Ms.* Luxemburg. – Sorriu. – Talvez nossos pontos de vista não sejam tão inconciliáveis assim. Conte-me nas fileiras da leal oposição ao socialismo.

– O Estado um dia será dispensável, mas neste momento a escolha é socialismo ou barbárie, como o incidente de hoje nos mostrou. Mas respeito sua posição. E você, Pagu, que acha?

– Concordo um pouco com cada um de vocês, mas estou sem disposição de debater política.

– Tem toda a razão, minha filha, me desculpe. Posso ajudá-la a se vestir?

A primeira-comissária e a médica auxiliaram Pagu e Orwell. Quando Pagu recolocou o visor, tinha mais de três bilhões de mensagens na sua caixa postal acumuladas nos últimos cem cronos e continuavam a chegar. E o localizador apontou várias pessoas queridas no saguão do hospital.

Tentou pôr-se de pé sozinha, mas se sentiu mal e teve que se agarrar à cama para não cair. A médica mandou vir um robociclo, uma combinação de cadeira de rodas, triciclo e robô.

– Funciona como um robotáxi. – Ela explicou. – Só que não cobra. Escolhe o destino na tela e ele leva. Quando não precisar mais, é só devolver em qualquer centro de saúde.

Seu amigo recusou um aparelho igual, conseguiu arranjar-se com uma bengala. Mas quando se preparava para sair, a primeira-comissária lhe fez uma proposta:

– Orwell, a Tina quer acompanhá-lo para cuidar de você e me contou que você odeia viagens longas de avião, então eu pensei...

Preciso ir à Eurásia discutir com o Secretário Gramsci o inquérito sobre o Partido Futurista e posso fazer escala em Londres. Aceita uma carona no Aero Uno? Ele reduz o tempo de viagem a menos de um terço.

– Hum... aceito, deve ser interessante.

Depois de se despedirem de Pagu, Orwell, Tina e Rosa foram de carro oficial para o aeroporto. Guira abraçou e beijou Pagu, agradeceu efusivamente por tudo e prometeu que fariam o melhor programa de todos os tempos. E ela ficou tão contente ao ver seus pais reconciliados com seus companheiros que esqueceu o mal-estar e prometeu uma exclusiva à Anaíde. Faziam drama desde que ela completara dezoito anos e deixara a casa paterna para morar com o casal, mas agora os abraçavam e lhe pediam para cuidar bem da filha. Curiosos e jornalistas abriram caminho e Pagu saiu de robociclo, escoltada por Oswald e Tarsila, ansiosa por dormir na Pousada Dandara antes de embarcar para Piratininga.

– O que é isso no seu pulso, meu amor? – Tarsila perguntou quando chegaram à pousada.

– Ah, é o relógio do Orwell. Fiquei tão curiosa que ele me deu de lembrança.

– Interessante! – Oswald olhou mais de perto. – Dá as oito e meia. E olhe, a data no calendário antigo, 24 de outubro de 1929. Que dia! Se você não estivesse lá, era uma vez um mundo![1]

---

1 UNIDADES DE MEDIDA DA UNIÃO DAS NAÇÕES
crono = 3,6 minutos ou 216 segundos. Divide-se em 1.000 nictos de 0,216 segundo. Um dia tem 400 cronos.
cômputo: moeda virtual da União das Nações. Divide-se em 1.000 milicômputos ou milis. A renda per capita é de 900 cômputos e o salário mínimo mensal de 30 cômputos.
quadra = 100 metros. Divide-se em 1.000 módulos (1 módulo = 10 centímetros)
quarta = 1 quadra quadrada = 10 mil metros quadrados ou 1 hectare
borba = 0,99229 watt (unidade de potência)
juma = 0,21433 joule (unidade de energia). 1 gigajuma = 59,5 quilowatts-hora
veiga = 0,67779 volt (unidade de tensão elétrica)
termograu = 1 kelvin (unidade de temperatura)
litro e tonelada: iguais aos de nossa realidade

Fuga

Gabriel Cantareira

São Paulo. Quinta-feira, 20 de fevereiro de 2031 – 16h00.

Você já acreditou em algo de verdade? A ponto de aceitar colocar tudo em jogo, incluindo sua própria vida?

A imensidão de concreto branco e vidro dos arranha-céus invadia o azul celeste do horizonte, como se quisesse alcançar as nuvens. No verão, às quatro horas da tarde, os painéis solares que revestiam os edifícios e giravam para acompanhar o movimento do sol ao longo do dia se alinhavam de modo que a luz que conseguia escapar das matrizes de células fotoelétricas era refletida na direção do edifício Cairo. Dali a impressão era que a nova Avenida Paulista se transformava numa via celeste, cercada por torres de luz.

Mariana sempre gostara daquela vista, mas naquele dia não havia tempo para apreciá-la. Ela se virou rapidamente e chamou o elevador, impaciente. Algum tempo depois, as portas se abriram e ela entrou. Teve de esperar enquanto outras pessoas entravam vagarosamente, conversando. Praguejou baixinho quando alguém gritou para que segurassem a porta e, surpreendentemente, o pedido foi atendido. É curioso como a calma e a paciência de outras pessoas pode soar como um insulto pessoal quando não se tem tempo a perder.

Ela apertou contra o peito a mão esquerda fechada em torno do pequeno cartão de memória, nervosa. Tirar aquilo do prédio não deveria ser tão difícil, mas garantir que chegasse ao seu destino seria uma história totalmente diferente. Não ajudava o fato de sentir como se todos os ocupantes do elevador a vigiassem, que seria pega a qualquer instante.

Alguns anos antes, a tarefa teria sido fácil. Bastava colocar a informação em seu PDA ou celular e a internet faria o resto do trabalho, garantindo que qualquer pessoa que ela desejasse, em qualquer lugar do mundo, recebesse toda a informação contida no cartão em questão de minutos. Tomadas certas medidas de precaução, seria quase impossível detectar aqueles dados específicos no universo de informações que eram enviadas através da rede todos os dias. No entanto, a internet não era mais o que costumava ser. Fluxo livre de informações é uma coisa perigosa demais para governos e corporações.

Levando em conta que praticamente toda informação não sensível existente era transmitida por meio da internet e que era possível estar conectado a qualquer hora e em qualquer lugar, o simples fato de estar transportando um cartão de memória parecia suspeito. O cartão ainda dispunha de uma medida de segurança que se certificava de que os dados se apagassem na fonte original após uma eventual transferência, para manter a unicidade das informações. Ou seja, ela também não podia criar cópias do conteúdo para aumentar suas chances. Não sem o equipamento adequado.

O elevador parou em mais três andares antes de chegar ao térreo. Finalmente, Mariana chegou ao saguão principal do prédio, onde pessoas atarefadas andavam para todos os lados. Tentou se misturar à multidão e avançar em direção à saída. Seria difícil não ser reconhecida ali, mas a jovem esperava que quando se dessem conta de que deveriam estar atrás dela, já estaria longe. Como esperado, algumas pessoas a cumprimentaram, ao que ela apenas sorriu e acenou, nervosa. Aparentemente, ainda estava tudo sob controle.

Lar, doce lar.

Ao sair do prédio, Mariana foi recebida pela movimentação maciça costumeira do centro renovado de São Paulo. A paisagem que vira do alto há cinco minutos agora se assomava à sua volta, em detalhes: no nível térreo dos prédios imponentes cobertos de painéis que decoravam a Avenida, era possível ver os logotipos das várias corporações e empresas que faziam dali sua morada: Soluções Tecnológicas Solaris, Corporação Advent, Indústrias HSA. Entre as pessoas que andavam pelos calçamentos, dezenas de seguranças armados e com equipamento tático faziam sua patrulha casualmente.

Placas de vidro luminosas e telas OLED exibiam propagandas da cidade, das grandes empresas e de seus produtos. Em uma delas, uma jovem de cabelos negros aparecia sorridente enquanto um logotipo da HSA (que aparentava ser a razão de tanta felicidade) decorava a imagem. Mariana tentou ignorar os arredores e se dirigiu apressadamente para a estação de integração Trianon-MASP.

Bonito, limpo e elegante, o novo centro de São Paulo compreendia uma região grande, anexando antigas áreas como Bela Vista, Jardim Paulista e Liberdade. Planejado para ser seguro e quase autossuficiente em termos de energia, o lugar era descrito como o coração palpitante que injetava vida nova numa cidade que viu sua glória se esvaecer alguns anos antes.

A terceira década dos anos 2000 viu o mundo entrar numa nova grande guerra. As tensões geradas pelo desejo das nações de controlar reservas de combustível fóssil para garantir seu desenvolvimento futuro levaram a conflitos cada vez maiores que por fim atingiram escala global. No entanto, a guerra foi menos espetacular do que o previsto pelos grandes filósofos e os roteiristas de Hollywood: em dois anos, a maior parte dos conflitos havia cessado e quase nenhuma arma de destruição em massa fora usada. A globalização pode se mostrar um problema para o militarismo, visto que a população civil de uma nação terá dificuldade em aceitar matar inimigos que assistem aos mesmos programas de TV que ela.

Bem, a guerra de fato muda.

Um resultado não tão previsível da guerra fora que os próprios depósitos de combustível que estavam sendo disputados entraram em colapso. O planeta perdeu mais de 70% das suas reservas conhecidas de combustível graças ao desenvolvimento da tecnologia Johnson-Cury, que permitia a sabotagem de reservas de petróleo e gás de forma *permanente*. Graças a isso, as nações tiveram de focar sua atenção em meios alternativos de geração de energia. Os acidentes em usinas nucleares ocorridos durante a guerra fizeram com que a maior parte das nações buscasse alternativas mais limpas. A reestruturação energética consumiu grande parte dos esforços de desenvolvimento pelos anos seguintes, de modo que o avanço da tecnologia foi um pouco mais lento em comparação ao que se vira anteriormente.

Embora o Brasil tenha saído da guerra em situação favorável, não passou sem sua quota de destruição. Com sua infraestrutura danificada durante o conflito, São Paulo passou a ser abandonada por sua população e sua economia quando o governo não demonstrou interesse em reerguê-la. Aos poucos, os prédios que restavam foram abandonados e as indústrias, fechadas. No entanto, a situação mudou nos anos seguintes. Graças à iniciativa privada, as obras de renovação começaram. Várias corporações demonstraram interesse em reviver a metrópole do pré-guerra, porém com a estrutura e o planejamento necessários para que o lugar fosse de fato um centro cultural, econômico e social e não o nó congestionado e deficiente que estava se tornando, mesmo antes da guerra.

Claro que houve um porém. O contrato firmado garantia que as corporações envolvidas exerceriam controle total sobre a área renovada, possuindo autonomia para colocar em prática quaisquer medidas que julgassem necessárias. Associado à natureza corrupta do governo, esse controle significou carta branca para que a área fosse gerenciada como bem se entendesse. Essencialmente, o centro renovado se tornaria um grande condomínio privado para quem possuísse os recursos suficientes. Aos poucos, as corporações foram se tornando mais obcecadas com controle e as regras estabelecidas se transformaram em opressão e censura a qualquer coisa que os diretores julgassem fora dos padrões desejados.

E agora *isso*. Mariana ainda não queria acreditar que eles realmente seriam capazes de fazer algo assim. Foi por este motivo que ela resolveu agir. Ela não podia deixá-los fazer o que bem entendessem, não quando havia vidas humanas envolvidas. Embora soubesse que não seria capaz de fazer muita coisa, descobriu que não estava sozinha. Assim foi possível elaborar um plano para tentar impedir o que parecia inevitável.

Tudo ou nada.

A estação não estava tão cheia naquele momento, visto que ainda faltavam algumas horas até o horário de saída do trabalho dos cidadãos que encheriam as plataformas. Movidos pelo magnetismo gerado por supercondutores, os trens entravam e saíam da estação num ritmo constante, dirigindo-se a outros pontos da cidade por meio de uma rede de trilhos expandida sobre as antigas linhas do metrô e da malha ferroviária da cidade. Embora o prédio do MASP já não existisse mais, a estação mantivera o nome por tradição. Suas paredes revestidas de vidro e azulejos brancos exibiam outras dezenas de painéis coloridos e logotipos ao longo dos corredores que levavam às plataformas subterrâneas. Mariana percorreu um dos corredores que levava a uma plataforma no andar inferior e entrou num dos banheiros da estação antes de prosseguir.

Ela lavou o rosto e olhava o seu reflexo no espelho. Uma jovem de cabelos curtos e escuros, olhos verdes e ar cansado fitava-a com olhar nervoso do outro lado. Pensou se seria uma boa ideia tentar se disfarçar antes de seguir em frente. Provavelmente não. Suspirou e tentou se preparar para o que ainda precisaria fazer. Juntando suas forças, saiu rumo à plataforma.

18h00.

O trem chegava à estação Paraíso. As pessoas dentro do vagão pareciam apáticas como bons cidadãos deveriam ser, cada uma ocupada demais com os seus próprios assuntos para reparar nos outros indivíduos ao seu redor. Pela primeira vez na vida, Mariana considerou esse egocentrismo um alívio. Várias telas dispostas pelo interior do veículo exibiam jornais, avisos ou mais propagandas. As imagens de um noticiário prenderam a atenção da jovem por um instante, fazendo-a levar a mão à têmpora para sincronizar o dispositivo celular acoplado ao seu ouvido com a transmissão de som da notícia.

"...Nesta madrugada, voltaram para casa os tripulantes da nave Ascensão, encarregados de realizar manutenção no sistema espacial de energia solar Ícaro, responsável por 32% do abastecimento de energia do país. Apesar dos indicativos de que a viagem de regresso poderia oferecer dificuldades, felizmente, não houve problemas."

Construída quatro anos antes, a Estação Ícaro fora considerada uma das esperanças para a geração de energia para as próximas décadas, em conjunto com outras grandes obras como o reator de fusão de Berlim. A estação era composta por uma grande rede de satélites estacionários que captavam energia solar e a transmitiam para a superfície terrestre usando micro-ondas.

Aquela notícia tinha ligação direta com o motivo de ser tão importante que o cartão de memória chegasse ao seu destino. Uma sociedade obscura composta pelos donos das maiores corporações do país havia decidido que o modelo desenvolvido em São Paulo era bom, mas precisava ser expandido. O controle da cidade não era suficiente quando podiam ter controle do país e de sua população.

Esta era a outra finalidade menos divulgada para a qual o sistema Ícaro fora concebido. Uma estação espacial de proporções gigantescas destinada à captação e transmissão de energia solar que demonstrava todo o progresso e desenvolvimento humano... até o eventual momento em que seria sabotada e colidiria com a Terra, arrasando uma grande área urbana no processo. A sabotagem seria declarada um ataque terrorista e o governo, tendo nas mãos um país em pânico, com um terço da sua população e indústrias no escuro, ficaria grato em relegar o controle das multidões e a segurança do território nas mãos das companhias que gentilmente ofereceriam sua ajuda em tempos tão difíceis. Para manter a segurança e o progresso, obras precisariam ser feitas. Pessoas precisariam ser vigiadas. Certas liberdades precisariam ser postas de lado para manter a ordem.

Tudo em prol do bem maior.

O cartão de memória era tão importante porque armazenava detalhes desse plano: quais seções da estação seriam sabotadas; qual era o local programado para a queda na superfície terrestre; quais as pessoas envolvidas em cada etapa do projeto. Consegui-lo não fora nada fácil. Era a única esperança de impedir que a catástrofe acontecesse.

As luzes da estação a fizeram desligar o som e voltar sua atenção para o mundo ao seu redor. Antes que o trem parasse, Mariana notou uma movimentação estranha na estação e resolveu descer assim que as portas se abriram, com medo de ficar encurralada caso algo acontecesse ao vagão. Suas suspeitas foram confirmadas, pois assim que saiu as portas do trem se fecharam novamente. Pessoas que ainda tentavam abandonar a composição olhavam confusas de um lado para o outro, enquanto as que planejavam entrar começavam a causar tumulto na plataforma. Os anúncios exibidos nos painéis da estação se cobriram subitamente de laranja, ostentando uma inscrição em que se lia *"AVISO: trens e saídas temporariamente desativados. Agradecemos sua compreensão"*.

Aquilo fez o coração de Mariana disparar. Ela não achava que o cerco se fecharia em torno dela tão rápido. Agora era para valer.

Seguranças uniformizados e equipados apareceram em corredores e escadas nas extremidades da estação. Ela já havia visto mais seguranças que o normal na plataforma da Trianon-MASP; não sabia se era de fato por sua causa, mas havia conseguido entrar no trem antes que fosse forçada a descobrir. Os seguranças da estação Paraíso pareciam procurar alguém, desta vez de uma forma bem menos delicada, abrindo caminho entre as pessoas presas no local. O modo como vinham diretamente em direção ao trem eliminou qualquer dúvida. Ela abaixou a cabeça e andou pela plataforma. Ambas as estações também possuíam dezenas de câmeras e sensores, e ela provavelmente estava passando à vista de todos eles.

Portas fechadas, como sair daqui? Vamos, pense.

Mariana encontrou o que poderia ser uma rota de fuga enquanto ouvia os seguranças questionarem os passageiros por informações sobre uma terrorista procurada que tinha uma descrição desconfortavelmente parecida com a sua. A estação estava sendo expandida e havia várias seções em obras, entre elas uma nova plataforma que se conectava à que ela se encontrava agora. Aparentemente, o sistema de segurança do corredor em construção ainda não havia sido conectado à central da estação, já que os portais ainda estavam abertos. Assim que ouviu uma comoção atrás de si e notou pessoas apontando em sua direção, a jovem passou pelas faixas de isolamento das obras sem pensar duas vezes e correu.

Correu o mais rápido que seu corpo lhe permitia. Percorreu o caminho até a plataforma em construção e continuou desviando de entulhos e equipamentos deixados pelos corredores fracamente iluminados por luzes brancas de LED mal colocadas ou holofotes de obras. O caminho parecia estranhamente longo. Ela ouvia passos apressados ao seu redor, mas não conseguia discernir de onde vinham: era como se estivessem por toda parte. Aquilo causava uma sensação claustrofóbica: as paredes de azulejo branco em construção pareciam subitamente opressivas e a tensão aumentava a cada curva daquele labirinto de corredores, que poderia se revelar como o fim da linha, num encontro súbito com os donos de todos aqueles passos. Mariana sentiu um suor frio escorrendo por seu rosto, devido à corrida e ao nervosismo.

Quando finalmente chegou ao saguão com as escadas que levavam à superfície, deu-se o encontro temido. Vários guardas em patrulha vigiavam as entradas do local. A quantidade de equipamentos e armas que carregavam a deixou apreensiva. A noção de que eles provavelmente acreditavam que ela era uma terrorista a assustou ainda mais. Suas apreensões foram interrompidas pelos gritos dos guardas indicando que fora avistada. A jovem novamente se pôs a correr, desta vez de volta à plataforma em construção. Quase entrou em pânico quando ouviu sons de tiros ecoando ensurdecedores no corredor enquanto buracos apareciam nas paredes ao seu redor.

De volta à plataforma, escondeu-se o mais rápido possível atrás de uma grande caixa com azulejos. Os guardas não tardaram a chegar no local e começaram a procurá-la. Um deles emitia ordens e incitava os outros a empreenderem uma busca pelo local e a se moverem de modo a fechar um cerco. Permaneceu em silêncio e prendeu a respiração, sentindo a pulsação latejar enquanto os guardas andavam à sua volta.

Sabia que seria encontrada se continuasse ali por muito tempo. Por isto, assim que um dos guardas passou por ela e abriu certa distância, aproveitou a abertura e correu, passando por todos eles o mais rápido que pôde. Cruzou os corredores em disparada enquanto ouvia uma nova comoção atrás de si e atravessou o saguão, agora vazio, rumo às escadas que levavam à superfície. Lembrava-se de ter deixado uma motocicleta elétrica em algum lugar por perto para o caso de uma emergência e provavelmente aquela era a hora de pegá-la.

20h00.

Mariana ainda corria. Seu peito doía com o esforço e seu corpo oferecia cada vez mais resistência aos seus comandos. Sabia que não podia parar. Sabia que continuavam atrás dela. Estava cansada e com medo, mas não podia desistir enquanto havia tanto dependendo de si.

Fora obrigada a abandonar a motocicleta e agora se encontrava num velho depósito numa área mais afastada da cidade. Sob o pôr do sol, o lugar tinha aspecto um tanto desolador. O prédio era cercado por um ferro-velho enorme, repletos de carcaças de carros velhos, incapazes de funcionar sem combustível fóssil. Havia chegado bem longe desde que deixara a estação. Porém, embora estivesse se dirigindo a lugares de acesso cada vez mais difícil, seus perseguidores continuavam implacáveis em seu encalço. Ela os mantivera ocupados por algum tempo num jogo de gato e rato dentre aquelas relíquias de uma era passada, mas agora sentia que não conseguiria mais despistá-los. Sua única opção era continuar correndo enquanto lhes restassem forças.

O depósito estava na penumbra, iluminado apenas pela luz do sol poente que entrava pelas janelas. Talvez por isso não tenha visto nada. Talvez tenha sido o cansaço.

Ela sentiu seu corpo perder subitamente as forças ao mesmo tempo em que ouviu um estampido abafado no fundo do galpão. Desabou no chão poeirento quando sua perna direita se recusou a responder aos seus comandos.

Não. Por favor, não.

Ferimentos à bala geralmente não causam dor num primeiro momento. Embora já imaginasse o que havia acontecido, a gravidade da situação só a atingiu quando reparou que havia sangue em suas roupas e numa pequena poça sob seu corpo. Deixando um rastro de sangue no chão, arrastou-se até uma parede, onde se encostou e ficou fitando o galpão escuro, tentando encontrar seu agressor.

– Sabe, eu juro que não queria fazer isso, mas você não me deixou opção.

A forma de um homem apareceu no fundo do depósito, avançando em sua direção. Usava roupas formais negras com detalhes amarelos, óculos com lentes de combate tático e carregava uma pistola equipada com um silenciador na mão direita. Decerto alguém mais importante do que os guardas que Mariana havia despistado até então. Ele parou para falar num comunicador, com os dedos ao ouvido.

– Sim, tenho tudo sob controle agora. Não quero mais ninguém aqui dentro.

Os sons que ela ouvia do lado de fora começaram a se aquietar. Aparentemente, os guardas estavam obedecendo a ordem. O homem voltou novamente sua atenção para ela.

– Você nos deu um belo trabalho, sabia? Foi uma proeza considerável resistir até agora, ainda mais levando em consideração que você não tem treinamento algum. – Ele se abaixou para verificar o ferimento no corpo da jovem. O buraco escuro em sua coxa direita sangrava profusamente.

– Vamos fazer um acordo. Eu posso ajudá-la, mas preciso dos dados que você pegou. Onde eles estão?

– Você nunca vai consegui-los de volta – Ela gemeu. – Sinto muito.

Agora ela já sentia dor. Mais do que poderia ter imaginado. A simples tentativa de mexer sua perna fazia com que seu corpo travasse e ela ficasse sem ar.

– Você entende o que está acontecendo, certo? Você foi atingida por uma bala de calibre 9 mm que provavelmente passou rente à artéria femoral. Se não receber ajuda, vai entrar em choque em questão de minutos e morrer pouco depois. Vamos, me dê a porcaria do cartão com os dados! – Ele se irritou e começou a tatear as roupas dela à procura do cartão. – Se estiver com você, sabe que vamos encontrá-lo de qualquer forma, mesmo que seja na autópsia. – Ele franziu a testa. – A menos que...

Ela riu e seu corpo tremeu no processo.

– Exato. Ele *nunca* esteve comigo.

Uma isca. Seu trabalho era simplesmente mantê-los ocupados o máximo de tempo possível para maximizar as chances de o cartão chegar às mãos certas. De fato, fora ela que o havia tirado do edifício Cairo, mas Mariana o passara adiante pouco antes de entrar no banheiro da Trianon-MASP, num dos poucos pontos cegos das câmeras da estação. O plano original era que ela entregasse o cartão e sumisse, mas assim que a entrega foi feita a jovem viu que isso não seria o suficiente. Para garantir a escapada do verdadeiro portador, ela deveria encenar uma fuga. Foi por esta razão que fez questão de continuar aparecendo nas câmeras da estação, de só correr quando já houvesse sido notada. Uma vez que percebeu que não lograria mais despistar os perseguidores, tentou atraí-los para lugares de acesso cada vez mais difícil, mesmo que fosse óbvio que não ofereceriam saída. Observando como o agente misterioso parecia transtornado, o plano havia funcionado perfeitamente.

– Não acredito que vocês caíram num truque tão velho. – Murmurou com voz fraca.

Ele levou novamente os dedos ao ouvido.

– Não está aqui! Repito, o pacote não está aqui! Espalhem-se e procurem em volta, ela deve ter escondido em algum lugar.

– ... e, para acabar de vez com as suas chances, você atirou na única pessoa que poderia interrogar para saber o paradeiro do cartão. Levará pelo menos meia hora até que a ajuda médica chegue aqui, mesmo que você chame um helicóptero. A não ser que um dos seus homens seja muito bom em primeiros socorros, já vou estar morta.

Ela não fazia ideia se o que estava falando era realmente preciso. Era formada em design, não medicina. Mas o importante naquela hora era que o agente acreditasse no que ela dizia. Estava se esforçando ao máximo para se manter lúcida, mas era cada vez mais difícil. Ele acabou convocando paramédicos pelo comunicador mesmo assim, então voltou sua atenção para a perna da jovem. Tirou o paletó e o pressionou com as mãos contra o ferimento por onde o sangue quente continuava fluindo.

– Você está realmente disposta a morrer por isso? – Indagou com expressão incrédula. Continuou mantendo pressão no ferimento enquanto olhava para o rosto dela, que parecia cada vez mais pálido.

– Não há muito mais que eu possa fazer, há? – Ela suspirou. – De qualquer forma, se isso significar salvar milhares de vidas, é um preço que estou disposta a pagar.

– Não entendo... Você está no lado bom da balança. Mariana Souza, filha do presidente da SSE... a companhia que se fundiu com a HSA há dois meses e você se tornou a garota-propaganda deles, virou o rosto da empresa... Você é bonita, podia até se tornar uma artista de holovisão se quisesse. Pessoas como você são as mais privilegiadas pelas ações desse projeto.

As formas começavam a se desfazer. Ainda enxergava o que acontecia ao seu redor, mas sua percepção começava a falhar. Era assustador.

– A população merece mais do que isso. Eu não seria capaz de deixar vocês causarem um desastre dessas proporções sabendo que eu podia ter feito algo a respeito. Não seria capaz de deixá-los manipular as pessoas desse jeito.

– A população *precisa* ser manipulada. É mais seguro assim. Para garantir o progresso da sociedade. As pessoas não fazem questão de que seja diferente. Já reparou em nossa política? Chega a ser cômico como o público pode assistir a um mesmo espetáculo repetidamente e ainda assim rir de todas as cenas em cada uma das reprises. É assim que funciona... Serem guiados enquanto julgam que estão no controle, caso contrário haverá caos. Às vezes, é preciso que alguns caiam para que o resto prossiga na direção certa. Você sabe que é o melhor para todos.

– Para todos ou para a Sociedade Dourada?

Ele a fitou com olhar surpreso. *O quanto essa garota sabe sobre isto tudo?*

– A Sociedade faz o que pode para colocar a população no caminho adequado.

– Tudo o que consigo ver é um grupo de filhos da puta ricos que acham que podem dominar o mundo com suas corporações. As pessoas deveriam poder escolher seu próprio destino, ter todas as cartas abertas na mesa e poder fazer suas próprias escolhas, de acordo com o que acreditam. Desculpe se eu pareço idealista demais.

O processo de impedir o sangramento não estava surtindo efeito. Havia sangue por todo o chão e as mãos do agente já estavam encharcadas. A respiração da jovem estava fraca e ela parecia prestes a perder a consciência. Depois de tudo aquilo, percebeu que não queria que ela morresse. Não só por causa da missão. Ela era inteligente, única e pensava por si própria, algo raro nesta época. E estava disposta a se sacrificar para cumprir seu objetivo. De certa forma, ele a admirava.

– Mariana... Desculpe. – Ele olhou nos olhos dela. Então, limpou a garganta. – Provavelmente isso tudo vai ser encoberto, portanto seu pai não irá ver no noticiário que você era uma terrorista ou algo parecido. Gostaria de dizer algo a ele?

Ela acenou negativamente com a cabeça, devagar.

– Sabe, de alguma forma foi bom ter falado com você. Você pode mudar, sabia?

A dor começava a desaparecer. Mariana sentiu seu corpo ficar dormente e sabia o que estava por vir. Ela estava com mais medo do que nunca, mas alguma coisa em seu interior lhe dizia que havia feito a coisa certa e, portanto, podia ficar em paz.

Quando os paramédicos do serviço de emergência finalmente chegaram ao local, encontraram o agente sentado com a cabeça baixa ao lado da jovem, que não respirava mais.

Dia seguinte.

Os noticiários anunciavam como a filha do presidente de uma das maiores corporações do país fora sequestrada e encontrada morta num depósito afastado da cidade. Noutro lugar da cidade, em sigilo absoluto, outro grupo de pessoas lamentava o ocorrido e, com as informações obtidas num pequeno cartão de memória, discutia como poderiam impedir que uma gigantesca estação espacial de captação de energia solar despencasse do céu.

GARY JOHNSON
Daniel I. Dutra

ANTES DE COMEÇAR É PRECISO ESCLARECER que não possuo prova concreta alguma dos eventos relatados neste documento. Esta é apenas uma tentativa de organizar em um texto as informações obtidas e creio que serão de grande valia aos estudiosos a quem entregarei este relato devidamente acompanhado do que eu julgo serem evidências circunstanciais que corroboram minha história. A melhor forma de começar é falando um pouco sobre mim, como eu tive meu primeiro contato com o diário de meu bisavô Giuseppe Gagliardi e como isto me levou a tomar conhecimento do padre Roberto Landell de Moura e suas descobertas científicas. Descobertas que, devo acrescentar, desafiam tudo o que sabemos sobre o mundo e que eu próprio custo a crer, em parte devido à ausência de evidências que sustentem os relatos de meu bisavô – talvez a melhor evidência a favor seja o famoso incêndio da Igreja São José ocorrido no dia 15 de agosto de 1909, fato devidamente noticiado e cuja ocorrência ainda desafia tentativas de explicação racional.

No entanto, sou obrigado a afirmar que a principal razão da minha relutância em acreditar nos relatos encontrados nos diários de meu bisavô é porque, no fundo, recuso-me a crer que algo tão impossível seja verdade. Por que, se for verdade, a humanidade terá que repensar toda sua concepção de vida, alma, existência e Deus. E a maioria das pessoas não está preparada para empreender tal guinada.

Meu nome é Leonardo Gagliardi, tenho 25 anos de idade. Nasci na cidade de Porto Alegre. Sou formado em Letras pela Universidade Federal do Rio Grande do Sul. Sou descendente de italianos por parte de mãe. Meu bisavô, o supracitado Giuseppe Gagliardi, nasceu na região do Piemonte, no noroeste da Itália, no ano de 1878, e emigrou para o Brasil aos cinco anos de idade. Sua família se instalou na colônia de Dona Isabel, hoje conhecida como a cidade de Bento Gonçalves, no Rio Grande do Sul. Giuseppe Gagliardi saiu de casa aos 22 anos, mudando-se para Porto Alegre em busca de oportunidades na capital. Ele trabalhou em diversas profissões, de faxineiro de banheiro público a vendedor de amendoim até que, no ano de 1907, conseguiu um emprego de zelador na Igreja São José, cujo padre encarregado da paróquia se chamava Roberto Landell de Moura.

Devo confessar que nunca tinha ouvido falar no padre Roberto Landell de Moura antes. Uma rápida pesquisa em fontes tão distintas quanto o Google e a biblioteca pública de Porto Alegre me revelaram que Roberto Landell de Moura foi um pioneiro nas telecomunicações no Brasil. Um ano antes de Guglielmo Marconi na Itália, Padre Moura havia realizado de forma bem-sucedida as primeiras transmissões de telegrafia e telefonia sem fio. Infelizmente, o padre-cientista não obteve o reconhecimento merecido, mas não é meu intento falar sobre as descobertas do Padre Moura na área de telecomunicações. Desejo falar sobre outra descoberta do padre-cientista. Uma descoberta que costuma ser lembrada como secundária pelos historiadores que se dedicam a resgatar da obscuridade o nome do inventor da radiotransmissão: essa descoberta é a bioeletrografia.

Em primeiro lugar, preciso falar um pouco mais sobre mim para que se possa entender como me envolvi nessa situação. Fazia dois anos que cursava o doutorado em Literatura Italiana da Universidade Federal do Rio de Janeiro. Tive minha inscrição aceita num programa de intercâmbio cultural que oferecia a oportunidade de passar um ano na Universidade de Bolonha. Tratei de conseguir toda a documentação necessária para tirar o passaporte. Foi quando descobri que, sendo descendente de italianos, podia solicitar dupla cidadania. O funcionário da embaixada italiana que me atendeu informou que, para pleitear a dupla cidadania, eu precisava, antes de mais nada, apresentar a certidão de nascimento de meu bisavô.

Ter cidadania italiana sem dúvida abriria muitas oportunidades profissionais. Portanto, iniciei a busca do documento. Falei com minha avó, ela disse que não sabia onde estava a certidão e nem sequer se ela ainda existia, mas que talvez eu pudesse achá-la, ou uma pista que me levasse a ela, nos diários de meu bisavô. Guardados num velho baú de madeira artesanal caindo aos pedaços, os diários consistiam num total de 58 cadernos – cada um relatava um ano de sua vida. Meu bisavô iniciara o hábito aos catorze anos de idade e não parou mais, continuando a escrever até a sua morte. Foi nesses textos que descobri como as vidas de meu bisavô e do padre Moura se cruzaram.

Falarei agora sobre os diários de meu bisavô. Eles relatam todos os pormenores de sua vida, desde momentos corriqueiros e banais, como a vitória do time do Grêmio no Campeonato Citadino de Porto Alegre em 1919 até acontecimentos históricos, como a Revolução de 1923, passando por momentos pessoais que marcaram a vida dele, como o nascimento de sua filha, minha avó, em 1928. Uma peculiaridade dos diários e que tornou a compreensão dos textos um verdadeiro desafio, foi o fato de estarem escritos em italiano. De acordo com minha avó, meu bisavô escrevia em italiano porque, apesar de saber falar português, nunca havia aprendido a escrever neste idioma. Afirmo que ler os diários constituiu um desafio, porque meu bisavô escrevia num dialeto típico do noroeste da Itália e, como se não bastasse, tratava-se de um dialeto obsoleto de mais de um século atrás. Encaminhei cópias dos diários ao Departamento de Línguas Neo-Latinas da Universidade Federal do Rio de Janeiro e espero que os especialistas consigam decifrar as passagens que estavam além da minha capacidade linguística. Portanto, mesmo sendo proficiente em língua italiana encontrei grande dificuldade em compreender os escritos e o que relato neste documento é apenas o que meus conhecimentos em italiano me permitiram decifrar do seu conteúdo.

O trabalho de meu bisavô na Paróquia São José consistia em serviços tão diversos quanto varrer o chão da nave, cortar a grama, regar as plantas e consertar os bancos da igreja. Enfim, ele era um autêntico "pau para toda obra". Do Padre Roberto Landell de Moura não havia nada a dizer senão boas palavras. Padre Moura é descrito como um homem dócil, gentil e querido por todos na comunidade. No entanto, se meu bisavô fazia coro aos que apreciavam o Padre

Landell de Moura como pessoa, o mesmo não podia ser dito do *cientista* Roberto Landell de Moura. Os diários, principalmente os escritos entre 1907 e 1909, estão repletos de anotações sobre as experiências que o padre realizava em seu laboratório no porão da igreja.

Foi nesse período que o Padre Moura recebeu a visita de James Paulsen. Uma visita que se estendeu por um período de dois anos. Pelo que pude deduzir, Moura acolheu Paulsen em sua residência.

James Paulsen era um engenheiro e físico norte-americano. Padre Moura o conheceu enquanto esteve nos Estados Unidos, entre 1903 e 1905, para onde partiu em busca de novas oportunidades, visto que no Brasil suas invenções na área de telecomunicações foram tratadas com descaso pelo governo. Padre Moura conheceu James Paulsen numa palestra do professor Willem de Sitter, promovida pelo Departamento de Física da Universidade de Nova York.

Os dois trabalhavam num laboratório montado no porão da igreja São José. Há inúmeras anotações no diário sobre como Moura e Paulsen entravam no porão ao entardecer, saindo apenas de madrugada, ou mesmo na manhã seguinte. Meu bisavô nunca teve acesso ao laboratório, tendo-o visto apenas de relance. Quando era necessário ter uma palavra com o padre, foi instruído a bater na porta e esperar que ele saísse para atendê-lo. Tudo que meu bisavô podia ver do laboratório é que o que ele descreveu como uma máquina oval com um cilindro transparente no topo, além de diversas fotografias penduradas num quadro negro que, no entanto, não pareciam ser fotografias no sentido tradicional, mas fotos de figuras escuras cujos semblantes lembravam corpos humanos, envoltas em labaredas de vários matizes, alguns de um branco intenso, outros cinzas ou em tons mais escuros – os tons mudavam de foto para foto. Pelo menos foi isso que deduzi da minha tradução do texto. No entanto, pode ser que a falta de maiores informações se deva ao fato de que meu bisavô olhava apenas de relance para o laboratório, uma vez que Moura sempre fechava a porta atrás de si ao atendê-lo ou a qualquer um que o importunasse no laboratório. As tentativas de questionar o padre sobre a natureza de seu trabalho no porão resultaram em respostas lacônicas e infrutíferas e meu bisavô não insistiu mais.

Há vários trechos dos diários, identificando não apenas o dia, mas também o horário em que foram escritos, em que são descritos barulhos estranhos de máquinas e luzes vindos do porão. Uma das entradas no diário fala de uma intensa labareda, que mudava de cor constantemente e seria muito semelhante a que havia nas fotos, só que multicolorida, emanando pelas frestas das janelas fechadas do porão e iluminando o chão.

Porém, o que realmente intrigou meu bisavô foi o que ele presenciou na noite de primeiro de agosto de 1909. Um casebre modesto localizado no pátio do fundo da igreja São José lhe servia de moradia. Era uma noite chuvosa. O vento forte havia derrubado um galho de árvore que, por sua vez, quebrou uma janela da igreja. Meu bisavô teve que sair no meio da madrugada para resolver o problema. Após remover o galho e cobrir a janela pregando tabuas de madeira, ele presenciou uma luz multicolorida brilhando entre as frestas das pequenas janelas retangulares no porão, iluminando o chão pavimentado que havia em volta da igreja. Como estava chovendo, meu bisavô observou um fenômeno que o surpreendeu: ao cair e entrar em contato com a luz, as gotas de chuva evaporavam. Ele descreveu o que presenciou como milhares de "fumaças de cigarro" que brotavam do chão iluminado em meio à escuridão.

No dia 6 de agosto desse mesmo ano, Padre Moura deu dinheiro para que meu bisavô comprasse um cão, mais especificamente, um filhote de pastor alemão. Ele estava ocupado preparando a igreja para a missa de domingo e, por esta razão, pediu a Dorival – um rapaz negro que morava perto da igreja e podia ser facilmente encontrado jogando bola na rua – ir ao mercado público em seu lugar e trazer um filhote. A chegada de Dorival com o filhote coincidiu com a de James Paulsen, que era aguardado pelo Padre Moura em seu escritório. Meu bisavô pegou o cachorro, que estava numa pequena jaula para cães, deu uma gorjeta ao rapaz e, junto a James Paulsen, foi de encontro ao Padre Moura.

O português de James Paulsen era sofrível, muito pior que o do meu bisavô, que vivera grande parte de sua vida na colônia e dominava pessimamente nosso idioma. No entanto, o norte-americano possuía a fluência necessária para tecer comentários preconceituosos a respeito do jovem Dorival. Comentários que aborreceram muito o Padre Moura, que até então desconhecia o lado racista de seu amigo e colega cientista. Entre seus comentários desagradáveis, Paulsen disse que os negros não deviam frequentar a mesma igreja que os brancos e que sequer deviam ser considerados cristãos, uma vez que não possuíam alma. Também fez um comentário direcionado ao meu bisavô, homem alto e de cabelos e olhos claros, de que os italianos eram um povo privilegiado por não haver negros em seu país contaminando a pureza da raça europeia. Convencido da superioridade da raça branca, Paulsen não compreendeu porque o Padre Moura não deu seguimento ao assunto.

No dia 8 de agosto o padre chamou meu bisavô ao seu escritório e pediu que ele procurasse o doutor André Macedo, um veterinário. Na noite anterior as luzes multicoloridas haviam aparecido novamente e os eventos aparentemente não relacionados ganharam um novo significado na missa de domingo. Após a missa, meu bisavô não pôde deixar de ouvir a conversa de duas senhoras sentadas num banco em frente à igreja, enquanto limpava os degraus da porta principal. As duas senhoras são identificadas nos diários como "Dona Lorena" e "Dona Vera", esta última esposa de André Macedo. Dona Vera contava a amiga sobre o chamado que seu marido recebera à igreja do Padre Moura. Macedo viu algo que o incomodou muito. Segundo o relato de seu marido, o padre tinha em sua posse o que aparentava ser um filhote de pastor alemão, à exceção de que esse filhote, apesar de possuir o tamanho e estrutura óssea correspondente a uma cão de sua idade, tinha todas as doenças características de um cão idoso, como artrite e cataratas. Padre Moura pediu segredo ao doutor, mas esse, pelo visto, não resistiu à tentação de confidenciar à esposa. Analisando a situação em retrospectiva, meu bisavô escreveu que se lembrara de ter ouvido um choro ou urro de um cão na madrugada, mas que deu pouca importância, por acreditar que era apenas a reação do filhote em sua primeira noite no novo lar.

Na madrugada do dia 15 de agosto de 1909 ocorreu o famoso incêndio da Igreja São José. "Incêndio" era apenas uma forma de descrever o evento, pois testemunhas afirmam não ter visto chama nenhuma – pelo menos não no sentido usual da palavra. A igreja apareceu envolta no que testemunhas descrevem como uma labareda multicolorida impossível se de encarar diretamente, produzindo cegueira temporária, semelhante à gerada quando tentamos fixar o Sol com o olhar. Meu primeiro conhecimento desse evento se deu através de documentários na TV a Cabo. O incêndio da Igreja São José costuma ser assunto popular em programas televisivos de investigação paranormal e fóruns da internet. Os místicos afirmam que a labareda multicolorida foi a aparição de um anjo. Os céticos por sua vez afirmam que a labareda encobria a igreja foi produzida por gases subterrâneos que haviam escapado à superfície. No entanto, o que tanto céticos quanto místicos foram incapazes de explicar foi o estado dos escombros da igreja. Os especialistas estavam de acordo que um incêndio comum, por mais elevada que fosse a temperatura, jamais produziria calor suficiente para transformar os tijolos da parede da igreja na massa amorfa ao qual havia sido reduzida.

Os depoimentos das testemunhas levantaram mais questionamentos. Embora as palavras e os termos empregados variassem, a essência da descrição permanecia a mesma. Encontrei na internet o testemunho de um homem há muito falecido que presenciou o evento. Ele descreve que a labareda multicolorida derretia as paredes da igreja como uma chama derretendo a cera de uma vela. O evento também causou estranheza nas testemunhas pelo seu silêncio absoluto. Não se ouviu um ruído sequer. Ao contrário, no lugar do estalar da madeira queimando e do desabar das paredes, a chama que envolvia a igreja consumia tudo em silêncio. Há também a questão da divergência dos testemunhos quanto às cores das labaredas. Ao que tudo indica, ela produzia cores desconhecidas à experiência humana. Tal conclusão é sustentada pelos depoimentos confusos e pela falta de vocabulário das testemunhas para descrever o que viram. É quase como se novas palavras tivessem que ser inventadas para descrever aquelas cores anômalas.

Da porta dos fundos da igreja, que dava para o porão, meu bisavô ouviu o que ele descreve como "o grito mais angustiante que uma pessoa podia emitir". Ao tentar abrir a porta localizada no chão, cuja escadaria dava acesso ao porão, meu bisavô afirma que seu corpo atravessou a porta como se ela fosse "feita de ar". As cores fortes e brilhantes cobriam as paredes e dificultavam sua visão, forçando-o a cobrir os olhos para não ficar cego, de forma análoga como alguém cobriria o nariz para não sufocar em meio a fumaça. Tudo que ele pôde ver foi um borrão azulado imenso à sua frente, cercado de formas indefinidas. No meio daquele cenário que ele não conseguiu encontrar palavras para descrever, limitando-se a afirmar que era como estar mergulhado num pesadelo, logrou reconhecer a máquina oval. O que diferenciava a máquina das demais ocasiões em que ele a havia visto de relance era que o cilindro transparente no topo exibia uma rachadura minúscula. A origem do inferno de cores parecia vir daquele ponto específico.

Havia um homem deitado no chão. O lado direito de seu corpo estava deformado. Olhando para as paredes que se contorciam, dando origem a formas bizarras, meu bisavô percebeu uma estranha semelhança entre o aspecto das paredes e a deformação do homem em sua frente. O homem era James Paulsen.

Os lábios de Paulsen esboçaram esgares de dor, sem emitir som algum. Tentava falar, mas som algum emergia de sua boca. Um fenômeno qualquer parecia ter suprimido todo o som naquele local. Em sua escrita confusa, trêmula e caótica, meu bisavô confessou que seu primeiro impulso, ao se deparar com o corpo de Paulsen devastado daquela forma hedionda e incompreensível, foi o de fugir. Sendo um homem religioso, também confessou que a única explicação que lhe veio à mente naquele momento era que estava no purgatório. Porém, conseguiu controlar suas emoções e, num ato de coragem, ergueu Paulsen em seus braços e o retirou da igreja. No lado de fora, a uma distância segura da igreja e com Paulsen deitado no jardim, meu bisavô observou a igreja ser consumida pelas labaredas silenciosas. A luz se tornava gradativamente mais forte, ao mesmo tempo em que seu tamanho diminuía, enquanto a igreja ia desaparecendo. Após o fenômeno que muitos compararam com o de uma vela de cera derretendo, tudo o que sobrou da igreja foi uma massa pastosa, gelatinosa – ou assim pareceu aos expectadores – que brilhava, embora, passados alguns minutos, o brilho tenha arrefecido até desaparecer por completo, restando apenas o conjunto disforme do que outrora fora tijolos e madeira.

A partir desse ponto, a letra de meu bisavô foi se tornando cada vez mais trêmula e difícil de ler. Pela caligrafia, era evidente que a experiência o havia abalado bastante, deixando um trauma que se refletia em sua escrita rabiscada, expressando seu estado de espírito caótico, com um quadro disforme expressa os sentimentos de um pintor perturbado. No entanto, o auge do horror vivenciado por meu bisavô não foi ver Paulsen deformado, ou presenciar a igreja ser engolida por uma força desconhecida. O que deixou a escrita de meu bisavô trêmula foi o outro corpo que encontrou no laboratório. Amarrado a uma cadeira em frente à máquina oval havia um homem. De seu corpo saíam fios e tubos que se ligavam à máquina. O homem estava aparentemente morto, a se julgar por seu aspecto inerte. Meu bisavô lamentou não ter tido chance de salvar o homem, pois a luz havia se tornado tão intensa e emitia um calor forte que aumentava cada vez mais, ferindo aqueles que se aproximassem – o que inviabilizou o resgate do segundo homem. Esse homem era um negro muito velho e foi nesse ponto que a escrita de meu bisavô ficou tão trêmula que senti grande dificuldade em decifrar seu significado. Quando afinal logrei compreender a última passagem que encerrava a narrativa daquele incidente fatídico, descobri o que meu bisavô presenciou que o deixou com os nervos em frangalhos. O negro velhíssimo era o jovem Dorival. Apesar das rugas, meu bisavô foi enfático ao escrever que reconheceria aquele rosto em qualquer lugar.

Pelo que minha avó me conta, meu bisavô sempre foi um homem de boa índole, do tipo que raramente perdia a paciência, preferindo sempre a conciliação ao confronto. Contudo, ela também me alertou que, quando provocado, o pai poderia se tornar um sujeito intimidador. Creio que Padre Moura teve a infelicidade de conhecer esse lado desagradável do meu bisavô. Faço essa afirmação por duas razões. A primeira é porque o que eu irei relatar a seguir no diário está escrito numa caligrafia diferente. Era a letra de meu bisavô, sem dúvida, mas não era mais aquela grafia trêmula. Agora sua escrita estava clara e lúcida – como se o vigor da coragem lhe houvesse invadido o espírito. A segunda razão de minha afirmação é a forma como Padre Moura, quando questionado por meu bisavô, não ofereceu resistência em coloca-lo a par do que estava acontecendo.

Estou convencido de que meu bisavô não compreendeu muito bem a história que o padre lhe contou. A razão desta crença é que, a partir desse ponto do diário, o relato se torna extremamente confuso. Para mim, pelo menos, é evidente que meu bisavô, ao tentar reproduzir o que Moura lhe contou, não conseguiu se lembrar dos termos empregados pelo padre, ou sequer logrou entender a explicação que lhe foi oferecida. Temos que ter em mente que Roberto Landell de Moura era um físico formado pela Universidade de Roma, enquanto meu bisavô não passava de um trabalhador rural semi-analfabeto. Portanto, creio ser um tanto redundante afirmar que o abismo intelectual entre os dois homens tornou a comunicação difícil.

Por esta razão, o que o leitor verá nas linhas abaixo não são as palavras de meu bisavô. Considerem isto a minha interpretação dos eventos baseada no pouco que meu bisavô conseguiu explicar em seu diário e a carta do Padre Moura (que reproduzirei na íntegra no final).

James Paulsen defendia a tese de que havia outras dimensões além das conhecidas pela ciência, mas que nosso aparato cognitivo não nos permitia enxergar – assim como um morcego ou uma minhoca não enxergam e interpretam o mundo pelo som e pelo tato respectivamente, os seres humanos também estariam limitados por seus cinco sentidos. De acordo com sua teoria, a alma humana era tão material quanto o corpo físico e existia numa outra dimensão, que ele batizou "transdimensão". Por se tratar de matéria condensada num nível energético diferente do qual a consciência humana está habituada, nós não podíamos ver ou tocar a alma humana. O físico afirmava que a alma humana seria uma parte do corpo humano, tão real quanto o coração ou o cérebro, e de onde emanaria nossa consciência. Na transdimensão, a alma humana, assim como os pensamentos e sentimentos que fazem parte dela, são tão materiais quanto uma perna ou um braço do corpo humano. James Paulsen escreveu diversos artigos sobre o tema e todos foram sumariamente rejeitados pelas as revistas acadêmicas. Considerado um excêntrico por colegas da comunidade científica, Paulsen granjeou de imediato a simpatia e a amizade do Padre Moura, não tanto pelo fato do religioso compartilhar das suas idéias, as quais, do ponto de vista da doutrina da Igreja Católica, constituíam heresia, mas por entender o que era ser desacreditado por todos. Afinal, quando afirmou que suas descobertas na área de telecomunicações permitiriam comunicações com outros planetas, Landell de Moura foi chamado de louco pelo Presidente Rodrigues Alves.

Entretanto, o padre-cientista foi obrigado a rever sua opinião sobre a teoria do amigo ao descobrir a bioeletrografia. Ao fotografar um objeto com uma chapa fotográfica, submetida a campos elétricos de alta voltagem, alta frequência, e baixa intensidade de corrente, o resultado era o aparecimento de um halo luminoso em torno do objeto fotografado. Tudo indica que as fotos estranhas que meu bisavô afirma ter visto de relance no laboratório do Padre Moura se tratavam de bioeletrografias. Inicialmente, Moura acreditou ter estabelecido a comprovação científica da alma humana. No entanto, dúvidas surgiram ao realizar o mesmo experimento com objetos inanimados e obter os mesmo resultados.

Moura enviou os resultados de suas pesquisas a James Paulsen que, por sua vez, deu início a seus próprios trabalhos, baseados nas descobertas do amigo. Os dois trocaram correspondência, descrevendo os resultados de seus respectivos experimentos durante os anos seguintes. Ao perceberem que sua pesquisa conjunta havia avançado a um ponto que se tornara impossível prosseguir enquanto ambos permanecessem separados pela distância, Paulsen veio para o Brasil. Uma vez juntos na residência do brasileiro, Moura e Paulsen começaram a trabalhar num meio de comprovar as teorias do último. A primeira tentativa da dupla foi criar uma máquina que ampliasse os sentidos humanos e permitisse enxergar a transdimensão. Porém, à medida que as pesquisas se desenvolviam, Moura e Paulsen começaram a descobrir outras possibilidades. Como a construção de uma máquina com tal propósito se revelava cada vez mais inviável e, ademais, uma máquina assim não provaria nada, pois sempre haveria aqueles que os acusariam de fraude, os dois cientistas decidiram trilhar o caminho inverso. Ao invés de criar uma máquina que permitisse enxergar a dimensão onde a alma humana existia, os dois construíram uma máquina que traria a alma humana para a nossa dimensão.

Uma vez construída a máquina, o primeiro experimento com o aparelho foi um sucesso. Moura e Paulsen conseguiram extrair o *perianto* (nome científico com o qual padre batizara a alma humana, dada a semelhança do halo nas fotografias com pétalas de flores) de um vaso de cobre. O perianto do vaso fora armazenado no cilindro transparente. Foi quando Moura e Paulsen fizeram outra descoberta inesperada: quando trazido para nossa dimensão, o perianto se transformava numa poderosa fonte de energia.

Diante dessa virada inesperada nos acontecimentos, Landell de Moura decidiu dar fim ao experimento (por razões que serão explicadas pelo próprio ao fim desta narrativa). Todavia, James Paulsen foi persuasivo o suficiente para convencer o amigo a realizar um último experimento: extrair o perianto de um ser vivo. Apesar de seus conflitos morais, o padre finalmente aceitou realizar o experimento num filhote de pastor alemão, que resultou na descoberta mais aterrorizante de todas. Extrair o perianto de ser vivo causava efeitos colaterais brutais no organismo, envelhecendo-o até um estado de quase morte. O filhote sobreviveu à experiência, embora uma nota posterior em outro diário meu bisavô afirme que o animal morreu de velhice cerca de dois meses mais tarde.

Quanto ao que ocorreu na madrugada do dia 15 de agosto de 1909, eis o que o Roberto Landell de Moura contou a meu bisavô: segundo o padre, Paulsen estava ansioso para tentar extrair o perianto de um ser humano. Na realização dos experimentos anteriores, Moura e Paulsen descobriram que havia uma graduação no nível energético dos objetos. Em outras palavras, uma mesa não possuía tanta energia quanto um cachorro. Por essa linha de raciocínio, não era difícil deduzir que o perianto de um ser humano possuía mais energia do que uma mesa ou um cachorro. Paulsen especulava sobre as possibilidades que a descoberta oferecia, como o perianto poderia revolucionar a indústria dos transportes e substituir as fontes de energia conhecidas como petróleo e carvão. Por tratar de um método fácil e barato de extração de energia – afinal a máquina fora construída por dois homens no porão de uma igreja – Paulsen acreditava que ambos ficariam milionários com sua invenção.

A objeção moral do Padre Moura era mais do que compreensível: como Paulsen podia sequer cogitar reduzir o ser humano a uma mera fonte de energia? Eles sabiam dos efeitos colaterais que a extração do perianto provocava. Quem decidiria quem viverá e quem morrerá? A resposta de Paulsen trouxe grande desgosto ao religioso: ele defendeu que negros eram perfeitos para esse propósito. Havia muitos deles por aí. Negros só causavam confusão, roubavam, estupravam mulheres brancas e que, portanto, essa seria a melhor forma de lhes dar uma utilidade. Tais palavras fizeram Moura trancar a porta do porão na igreja e comprar uma passagem de volta para Paulsen na próxima embarcação zarpando para os Estados Unidos.

No entanto, seu colega racista não se deu por vencido. Sequestrou o jovem Dorival, invadiu o laboratório da igreja no meio da madrugada e realizou a experiência por conta própria. A tragédia se deu porque o receptáculo projetado para armazenar o perianto não era grande e forte o suficiente para armazenar a energia o de um ser humano. O fenômeno das cores que havia consumido a Igreja São José e deformado James Paulsen fora desencadeado pelo perianto do jovem Dorival.

Devo apresentar agora um breve relato dos acontecimentos posteriores, uma vez que sete anos se passaram entre o período do incêndio da Igreja São José ao momento em que meu bisavô recebeu a carta do Padre Moura. Após receber alta do hospital, Paulsen retornou aos Estados Unidos. Aparentemente tudo voltara ao normal, visto que, nos dez anos que se seguiram, não li nos diários relatos de novos eventos bizarros. Pelo que é possível inferir dos escritos, Landell de Moura havia perdido interesse pela ciência, resignando-se a exercer apenas o sacerdócio. Graças à indicação do Padre Moura, meu bisavô conseguiu um emprego na nova igreja para a qual o religioso fora designado.

O evento que desejo relatar é uma entrada no diário datada de 13 de agosto de 1919. Meu bisavô estava pintando o muro da igreja, quando ouviu um grito vindo da janela do escritório do Padre Moura. Ao bater na porta e pedir licença para entrar, encontrou o padre visivelmente abatido. "O homem estava tão branco quanto as velas na frente dele", escreveu meu bisavô, referindo-se ao fato de Moura estar ajoelhado perante um conjunto de velas acesas, ajoelhado e rezando com uma Bíblia aberta sobre um banquinho. Ele relatou que chamou o padre três vezes até que esse reagisse, visto o estado de concentração em que se encontrava. O religioso se levantou, dirigiu-se à sua mesa e disse para meu bisavô se sentar. A razão do abatimento se devia a um sonho que tivera na noite anterior. Inicialmente, o padre ignorou-o, como sendo apenas fruto do inconsciente, pois, sendo um homem versado nas ciências, estava a par das teorias de interpretação dos sonhos de Sigmund Freud. No entanto, naquele dia havia chegado pelo correio uma carta de James Paulsen. Os dois homens não se falavam desde o incidente na Igreja São José e o conteúdo tanto da carta quanto do sonho haviam convencido o Padre Moura de que o que tivera na noite anterior fora mais que um mero sonho. Meu bisavô não soube com o que o padre sonhou e também não lhe foi revelado o conteúdo de carta de Paulsen. Tudo que Landell de Moura lhe disse foi que teria que viajar para os Estados Unidos por um tempo e que meu bisavô cuidasse bem da paróquia.

Agora finalmente chegamos à carta que meu bisavô recebeu do Padre Roberto Landell de Moura – que sem dúvida alguma é a prova mais contundente a favor da história relatada neste texto. Fora enviada dos Estados Unidos e chegou às mãos de meu bisavô no dia 20 de novembro de 1919. Não sou um especialista em caligrafia, mas, ao comparar a letra na carta com a de documentos escritos pelo Padre Moura, expostos no Museu da radiologia de Porto Alegre, afirmo que não me parece tratar-se de um embuste. Além do que, a aparência amarelada da carta, com marcas de traças nas bordas e um forte cheiro de mofo, que pode ser sentido por todo papel, tornam essa hipótese ainda mais improvável. Transcrevo abaixo o conteúdo da carta de Roberto Landell de Moura. Aviso que optei transcrever a carta adaptando-a para o português contemporâneo, eliminando a "ortographia" da década de 1910.

Meu prezado amigo Giuseppe,

Escrevo-lhe esta carta porque você é o único com quem posso contar neste momento de aflição. Estou redigindo estas palavras no porto de Nova York. No momento estou sentado em uma lanchonete próxima à agência onde acabei de comprar uma passagem no Jennifer III, *navio no qual embarcarei para a Europa dentro em alguns meses. Meu destino é a Itália. Tenho um encontro com autoridades do Vaticano. Infelizmente, minhas descobertas tiveram consequências imprevisíveis e nefastas e é de suma importância que ações sejam tomadas imediatamente para evitar maiores tragédias. É para impedir que o pior aconteça que venho pedir sua ajuda por meio desta carta. Peço que, quando terminar de ler, não comente com ninguém, nem mesmo com sua esposa Marisa, o que eu lhe confidencio aqui e queime este documento.*

Você deve se lembrar daquela tarde de 13 de agosto, quando o chamei a meu escritório e avisei que iria viajar para os Estados Unidos. A razão da minha partida, como você deve ter notado, foi a carta que eu recebi. Creio que você percebeu claramente o quanto fiquei abalado naquele dia, quase à beira de um colapso. Devo agradecer a Deus, pois minha fé e muitas orações me deram forças para não sucumbir ao mal e me reerguer. Não preciso contar a você o que aconteceu aqui nos Estados Unidos. Podia apenas rogar que realizasse o que eu pedirei que faça ao final desta leitura sem maiores explicações. Porém, decidi que o melhor é deixar você a par da situação. Acredito que servirá de incentivo para que você cumpra a tarefa que lhe incumbirei. Entenda, meu caro, que o considero um homem de bom coração, e, portanto, acredito ser justo que você conheça todos os fatos. Que Deus nos ajude.

Como sabe, comentei que tinha tido um sonho ruim na noite anterior ao dia em que decidi viajar para cá. É hora de revelar o teor do pesadelo. É difícil colocar em palavras as visões que meus sonhos me trouxeram, visões que, por mais que me horrorizassem, a princípio acreditei serem apenas fruto da minha imaginação, mas que a carta de Paulsen provou o contrário. Como homem de ciência, pensei em todas as explicações alternativas possíveis e, devo confessar, nenhuma delas é satisfatória, o que me deixa apenas uma conclusão possível: eu tive uma premonição.

Admitir isto é muito difícil. O Vaticano é bastante rigoroso nesses casos e padres são treinados para encarar alegações de premonição com ceticismo, sejam elas vivenciadas por terceiros ou pelo próprio padre. Ao contrário do que muitos acreditam, quando se trata de fenômenos sobrenaturais, a Igreja Católica age com extremo rigor científico. Mas não adianta negar os fatos e, no meu caso, estou convicto de que o sonho foi um aviso de Deus.

Quando iniciei meus estudos científicos, meu único desejo era provar ao mundo que a fé não era inimiga da ciência. Acreditava que iria revolucionar o mundo com minhas invenções e mudar a visão que a comunidade científica possuía da Igreja Católica. De todas as minhas descobertas, a bioeletrografia – de que hoje me arrependo – foi a princípio a que mais me entusiasmou. Se eu pudesse provar que aquele halo luminoso que aparecia nas fotos era realmente a alma humana, essa descoberta renovaria a fé das pessoas em Deus. Provar a existência da alma humana era um passo para se provar a existência de Deus.

Infelizmente, minhas descobertas revelaram tristes verdades sob a condição humana. Condições que acabaram com minha fé em Deus e reduziram minha prática do sacerdócio a um mero emprego burocrático. Imagino que você tenha percebido a forma pouco inspirada com a qual eu conduzia as missas depois do incidente da Igreja São José.

Explicarei o motivo de minha apatia espiritual: Paulsen, e principalmente eu, acreditávamos que estávamos prestes a descobrir a essência da vida. Aquilo que torna o ser humano único e diferente de todos os animais. Contudo, para nossa decepção, as pesquisas revelaram o oposto do que esperávamos descobrir. Como você já sabe, o halo luminoso é apenas uma parte do corpo humano que existe em outra dimensão. Porém, percebo que você, por ser um homem de origem humilde, não compreendeu todas as implicações da nossa descoberta. Por favor, não se sinta ofendido, meu caro amigo. Se faço tal afirmação, é apenas porque desejo esclarecer seus pensamentos.

Quando descobrimos que tanto seres vivos quanto objetos inanimados possuíam o halo luminoso que eu batizei de perianto, as implicações sociais, culturais e filosóficas me deixaram perplexo. Entenda, meu caro, a alma humana da qual tantos poetas, teólogos e filósofos escreveram a respeito, não passa de um mito criado para conceder ao ser humano mais importância do que a realmente possui. Essa propriedade, da qual nossa espécie tanto se orgulha, é apenas uma forma de energia que pode ser encontrada em qualquer cachorro, ou até mesmo em uma pedra. Se Charles Darwin abalou os pilares do Cristianismo com seu Origem das Espécies, *minha descoberta iria derrubar o Mundo Cristão de uma vez por todas.*

Escrevi várias linhas e não relatei meu sonho. Não é mais possível postergar a tarefa. A melhor forma de você entender como o sonho se desenvolveu durante meu sono é não pensar nele como um sonho, mas como uma história que se passa perante seus olhos. Lembra daquela vez que nos encontramos por acaso na inauguração do cinema Odeon na Rua das Andradas em 1910 e assistimos ao filme A Vingança de um Taverneiro*? Minha experiência onírica foi como assistir a um filme projetado numa tela de cinema.*

As imagens que eu vi em meus sonhos eram de uma metrópole de uma grandeza inigualável, havia arranha-céus de se perder a vista, passarelas ligavam os prédios entre si e vias suspensas para veículos gigantescos que atravessavam as entranhas das edificações. Eu me sentia como se estivesse dentro de um dos desenhos do arquiteto Antonio Sant'Elia. Nesse mundo estranho, que de alguma forma eu sabia se tratar uma era futura, presenciei a história de Gary Johnson. Era o nome em seu uniforme, que era facilmente identificado como sendo o de um prisioneiro. Ele estava perante o juiz em um local que julguei ser um tribunal pela forma como todos estavam vestidos e, principalmente, pelos trajes opulentos do juiz. Johnson era um homem relativamente jovem, diria possuir uns 42 ou 44 anos. Após o juiz proferir a sentença – como um filme, não havia som algum e, portanto, não soube que palavras saíram de sua boca – os guardas levaram o prisioneiro para dentro de um veículo que subiu por uma passarela ascendente e adentrou um túnel que cruzava diversos edifícios a uma velocidade imensa, cuja visão me deixou nauseado. Seu destino era um prédio cinza quadricular sem janelas, ladeado por duas colunas laterais. Gary Johnson foi retirado do veículo pelos policiais e conduzido a um elevador. A próxima cena do prisioneiro se desenrolou em um corredor acompanhado por dois carcereiros. Ao longo das paredes dos corredores havia várias portas onde entravam muitos jovens, em sua maioria negros, vestidos com uniformes iguais ao de Johnson e de outras onde se via idosos saírem. Finalmente Johnson foi conduzido à esquerda, entrando em uma das portas do corredor. Dentro havia uma cadeira e uma outra porta lateral interna. Os policiais amarraram Johnson à cadeira. Acreditei que se tratava de uma execução. Como não sabia que estava sonhando, rezei a Deus que tivesse misericórdia da alma de Johnson. Fechei meus olhos para não presenciar o horror da execução. Tudo o que ouvi foram os gritos de dor do prisioneiro. Perguntei-me como eu não havia conseguido ouvir a sentença do juiz, mas não importava, porque, quando abri meus olhos, vi o que você viu naquela noite de 15 de agosto de 1909. Gary Johnson não era mais um jovem, mas um idoso que mal conseguia caminhar. Antes que eu pudesse me recuperar do choque de ver o prisioneiro naquela condição, a porta interna se abriu e de lá saiu um homem carregando um objeto que eu reconheceria em qualquer lugar: era o cilindro que Paulsen e eu projetamos para conter o perianto.

A cena mudou mais uma vez. Agora eu via a cidade das nuvens, da mesma forma como Deus a enxerga, e descobri qual era a fonte de energia que movimentava os veículos, elevadores, os objetos indescritíveis que voavam pelos céus e, acima de tudo, toda aquela cidade tortuosa. Como se estivesse assistindo um documentário, foi-me mostrado o interior daquelas máquinas que infestavam as ruas e como o perianto as alimentava. Aquele mundo era um pesadelo. A humanidade havia sido reduzida a combustível que movimentava os órgãos metálicos daquela cidade.

Acordei de sobressalto. Sentei na beira da cama e refleti sobre o que havia sonhado. Concluí que meu sonho fora apenas uma forma do meu inconsciente lidar com o que aconteceu com o jovem Dorival uma década antes. Porém, quando abri a carta de Paulsen naquela mesma manhã todas minhas certezas foram abaladas de uma forma que me transformou para sempre. Não vou contar o que havia na carta, vou contar o que aconteceu quando me encontrei com ele nos Estados Unidos, já que o que vi era exatamente o que havia no documento.

Para não tomar mais do seu tempo e levá-lo a agir prontamente, vou resumir o que aconteceu. Paulsen seguiu por conta própria suas pesquisas com o perianto nos Estados Unidos. Nossa máquina tinha um problema grave: não conseguia conter grandes quantidades de energia, o que causou o incidente na Igreja São José. Vou me utilizar de uma analogia para que você possa me entender. Imagine o cilindro que contém o perianto como sendo uma represa e o perianto a água de um rio. O aconteceu na noite de 15 de agosto foi um rompimento da represa, mas não de toda a represa, e sim de um buraco insignificante, do qual escapou um pequeno esguicho de água. Em outras palavras, o que destruiu a Igreja São José naquela noite não passa de uma fração minúscula do perianto de um ser humano. Mal consigo mensurar o poder destrutivo do perianto em sua totalidade.

Pois bem, Paulsen resolveu o problema da contenção do perianto. O governo americano estava bancando sua pesquisa e havia, inclusive, um submarino experimental funcionando à base de perianto. Ele começou a dissertar sobre as possibilidades do perianto, como havia feito em outras ocasiões, e como íamos revolucionar o mundo com uma fonte de energia que faria a própria energia solar parecer uma fogueira de acampamento. Interrompi Paulsen e este é o momento apropriado para dizer onde essa conversa ocorreu: o endereço era um presídio no estado do Arizona. Ao chegar ao local, fui conduzido pelos guardas a um laboratório montado numa ala desativada da prisão. Foi quando encontrei um Paulsen desfigurado e soube que ele estava utilizando condenados em suas experiências. Não sei o que me revoltou mais, se a amoralidade de Paulsen, ou a do governo americano – que eu sempre admirei por defender ideais de liberdade e igualdade – por patrocinar tamanha atrocidade ou a preferência indisfarçável de Paulsen em usar condenados negros como cobaias. Ele apelava insistentemente para meu espírito científico. Dizia que a ciência estava acima das questões morais e quando objetei ao uso de seres humanos como cobaias ele retrucou com as teorias racistas de Herbert Spencer e Francis Galton, que pregam, entre outras barbaridades, que o progresso da humanidade cabia à raça branca e que raças primitivas, como os negros, estão destinadas a desaparecer. Era a lei da sobrevivência do mais forte que, na mente preconceituosa de Paulsen, justificava suas ações.

Paulsen me chamou por motivos puramente científicos. Ele havia resolvido a falha do cilindro que armazena o perianto, que batizou de "coletor de energia transdimensional". O infeliz chegou a dar um nome à nossa blasfêmia. O perianto podia ser usado com segurança e era uma fonte de energia mais eficiente e limpa do que as atualmente conhecidas. Porém, havia um problema. O perianto não podia ser utilizado em toda sua potencialidade. Pelos os cálculos de Paulsen era possível aproveitar apenas 10% da energia do perianto. Ele acreditava que a causa do problema residia no fato de que o perianto não pertencer a nossa dimensão. Segundo ele, trazê-lo para nosso mundo causava a dissipação da maior parte da energia. Não lhe concedi chance de continuar, não estava interessado nas questões científicas do perianto. Não acreditei na audácia dele em pedir minha ajuda.

Eu matei Paulsen. Com as mesmas mãos que ora elaboram esta carta, peguei um microscópio que havia numa mesa perto de mim e esmaguei seu crânio quando ele se virou de costas num momento de distração. Aproveitei a existência de produtos inflamáveis no laboratório para incendiar o local e sair antes que os guardas aparecessem. O fogo consumiu as anotações de Paulsen e o protótipo da máquina coletora de energia transdimensional, que era semelhante àquele que você viu de relance diversas ocasiões na Igreja São José.

Enviei uma carta ao Vaticano relatando o ocorrido. Eles querem ouvir minha história em primeira mão e realizar uma conferência a portas fechadas para decidir os próximos passos. Estarei reunido daqui a algumas semanas com as maiores autoridades da Igreja Católica. Eles pediram que eu levasse comigo minhas anotações e diagramas do projeto. É justamente nesta parte que preciso de sua ajuda, meu caro amigo. Toda a documentação, o que inclui todas as informações de como construir a máquina que traz o perianto para a nossa dimensão, estão num cofre de aço no meu escritório. Você já deve tê-lo visto diversas vezes, é aquele cofre cinza ao lado do pedestal onde eu guardo a Bíblia Sagrada. A senha é 14-87-23-89. Quero que você retire os documentos do cofre e os envie para o endereço: Hotel Marchant, 457 Street, New York. USA. Entregarei os documentos ao Vaticano. Espero que eles os guardem num lugar onde ser humano algum os encontre, para o bem tanto da humanidade quanto da Fé Cristã, assim como também espero que não venha a nascer cientista tão brilhante como James Paulsen, que desvende os segredos do perianto como ele o fez. Apesar de Paulsen ser um homem desprezível, sou obrigado a admitir, a contragosto, que foi um verdadeiro Leonardo da Vinci em meio aos homens das cavernas de nossa época.

Aguardo ansiosamente que você envie os documentos que lhe peço.

Eternamente agradecido,

Roberto Landell de Moura

PS: como eu disse antes, minha crença é que meu sonho tenha sido um presságio do futuro que aguardava a humanidade, caso James Paulsen prosseguisse com suas experiências. Também creio que Deus me incumbiu de detê-lo, razão pela qual não sinto remorso pelo assassínio que cometi. Esta manhã tive uma experiência que reforçou ainda mais minha fé já restaurada. Após comprar minha passagem para a Itália, parei numa banca e comprei um jornal. Meus sapatos precisavam ser lustrados. Vi num jovem negro, de uns oito ou dez anos, na esquina trabalhando de engraxate. Dei uma moeda ao menino, sentei no banco e ele começou seu serviço. Olhei para seu rosto. Ele parecia muito familiar, mas não sabia de onde o conhecia. Então perguntei ao menino como ele se chamava. Seu nome era Gary Johnson.

Xibalba Sonha com o Oeste

André S. Silva

PENSANDO BEM, COMEÇOU em uma manhã como aquela.

Maiara caminhava lentamente, de uma ponta a outra do semicírculo de crianças. Sentados em almofadas no chão, com os tomos do dia sobre os colos, os pequenos observavam a professora com avidez nos olhos de quem anseia por descobrir o mundo e confia nela como seu guia.

O tópico da manhã era o mesmo que já vinham discutindo havia semanas. E não poderia mesmo ser diferente em se tratando de Estudos da Sociedade. Nenhum acontecimento na história recente tinha tanta importância. Afinal, Maiara e as crianças estavam na iminência de um evento histórico que mudaria o mundo para sempre.

– Quem poderia me responder qual a cidade escolhida como Marco Zero? – Um sorriso se insinuou nos lábios da professora, quando dezenas de mãozinhas se levantaram, antes mesmo que terminasse a pergunta.

– Pode responder, Anirê.

– Xao-Kuna, professora!

– Muito bem! – A professora congratulou. – Seu pai já visitou a Cidade de Prata, não é verdade, Luc?

Maiara sabia que a resposta seria afirmativa. Já fizera a pergunta inúmeras vezes. No entanto, as crianças não se importavam e ela tampouco. Repetição fazia parte do aprendizado e Maiara gostava de compartilhar com seus alunos esse interesse pelo novo, pelo ainda não-descoberto.

– Sim, professora!

– E ele gostou da visita?

– Ele adorou! – O garoto respondeu, empolgado. – Disse que tudo parece ser feito de diamantes e que as pontes abrem e fecham todo o tempo pros navios passarem embaixo, e que toda a cidade se move de um lado para o outro, como se estivesse viva!

– De onde tiram a energia? – Uma outra menina perguntou.

– Sua burra, eles tem torres, iguais as nossas! – Um colega pouco gentil interveio.

– Burro é você, cara de besouro...

– Meninos! – Maiara exclamou, granjeando silêncio imediato. – Na verdade, a pergunta da Iracema é muito boa.

Dizendo isso, Maiara alcançou um pequeno anel de cobre que pendia do teto de treliças e o trouxe para baixo, desenrolando assim um velho mapa do mundo. Recolheu do chão um prumo improvisado, composto por uma pedra e um arame retorcido, e o pendurou no anel de cobre para manter o mapa no lugar. A presença de uma estrela enorme com rosto humano chamava atenção no extremo leste, além do Oceano Nascente.

A carta estava bastante desgastada e corroída, como, aliás – Maiara não passava um dia sem se enraivecer com isto – todo o sistema de ensino de seu país. Educar os próprios filhos não parecia ser, nem de longe, uma prioridade para o Alto Sacerdócio.

Muito embora, agora que ela colocava os fatos em perspectiva, aquilo fizesse perfeito sentido.

– Venha até aqui, Luc. Iremos fazer uma pequena revisão de geografia.

O menino levantou prontamente e se dirigiu até o mapa.

– Aponte para nós, no mapa, onde fica nossa cidade.

O garoto percorreu a ampla massa continental delineada sobre a infinitude azul com o olhar. Não perdeu tempo com a parte de cima do mapa. Concentrou-se nas terras ao sul e ao leste e, com um dedinho incerto, apontou para a região litorânea onde se situava a Guanabara.

Ou perto o bastante, pelo menos.

Maiara segurou a mão do menino e deslocou seu dedo alguns milímetros para a direita pelo papel empoeirado, antes de continuar. – Isto, muito bem. Aqui estamos nós, bem na pontinha de Sul-Tenoque. Agora, vamos encontrar Xao-Kuna.

Sob os olhares atentos do restante da turma, o menino voltou a percorrer a carta com a ponta do indicador, a cada centímetro transpondo centenas de quilômetros, rumo ao norte. Cruzou toda a massa continental correspondente a Sul-Tenoque, passou pelo Istmo do México, chegando então à vastidão tropical de Nahuá, a maior nação e o coração de toda Tenoque. Dali, continuou seguindo, contornando pelo oeste o Grande Planalto Navajo e, finalmente, alcançando Xueiuã, as terras nevadas na extremidade norte de Tenoque.

Neste instante, o menino estacou. Sua mão tremia e a dúvida lhe estampava uma careta involuntária no rosto. Os olhinhos iam ligeiros do mapa para Maiara, e para o mapa outra vez.

– Pode continuar, Luc. – A jovem professora tranquilizou o aluno. – Está indo bem.

De fato, faltavam poucos quilômetros, que o dedo do garoto transpôs em questão de segundos. Para o oeste de Xueiuã, o mapa trazia um desenho peculiar: duas serpentes, uma delas alada, entrelaçadas. A figura se sobrepunha à faixa territorial ali identificada como Estreito de Dong-Dang, popularmente conhecida como Abraço do Mundo, o local onde, muitos *baktuns* atrás, Oeste e Leste se reencontraram.

– Perfeito. Pode se sentar, Luc.

O garoto praticamente correu de volta para seu lugar.

– Como podemos ver, Xao-Kuna é o grande elo de ligação entre Tenoque e nossos irmãos no oeste, o grande Império de Zonguá. Não é exatamente uma cidade, mas várias pequenas cidades, espalhadas ao longo de todo o Estreito que separa nossos dois continentes.

A professora apontou para o desenho das duas serpentes. Ao oeste da figura, o território identificado como Zonguá tinha sua geografia consideravelmente menos detalhada que o restante do mapa. De fato, era pouco mais que o rascunho de uma orla, com meia dúzia de cidades identificadas ali e acolá, que então desaparecia numa imensidão vazia e incógnita conforme se avançava continente adentro.

– Respondendo à sua pergunta, Iracema, a energia que alimenta as turbinas e permite o funcionamento do complexo de Xao-Kuna se origina do lado zonguanês do Estreito. Pelo que sabemos, eles conseguem sua energia da mesma forma que nós. Afinal, foram os engenheiros deles que trouxeram à Tenoque a tecnologia de que precisávamos para construir nossas torres. Mas, a grande verdade é que... não temos certeza.

– Viu, viu, viu? – A menina voltou-se, satisfeita, para o colega debochado de antes. A sala de aula foi tomada por alvoroço.

– Mas você continua burra!

– Já chega! – A professora precisou elevar seu tom outra vez.

A briga cessou, mas Iracema continuou a exibir um sorriso convencido, empinando o narizinho para o outro. Maiara teve vontade de rir também, mas se conteve. Quase podia sentir, na menina, aquela sensação gostosa da descoberta, da certeza advinda do mistério resolvido, que ela própria conhecia tão bem. A experiência que Maiara havia sido doutrinada a nunca deixar de procurar.

– Bem, agora que nos situamos, podemos continuar. Como sabem, estamos muito perto do Dia da Transição. Nosso calendário e o calendário zonguanês vão se fundir quando os sinos do décimo quarto *baktun* soarem. O coração do Dragão e da Serpente baterão como um só, e tudo vai começar lá, em Xao-Kuna. Vamos nos tornar mais unidos. O *Popol Vuh* dos maias anuncia este momento como o início de uma nova era.

– Professora, professora! – Uma menina levantava a mão, eufórica. – Minha tia disse que vai ser o fim do mundo! É verdade?

– Meu avô disse a mesma coisa! – Outro aluno afirmou.

– Isto mesmo, vai ser a vingança dos maias pela Queda! – Um terceiro agourou.

Assim, mais uma confusão de vozes começou. Todos pareciam ter alguma contribuição diferente a fazer ao mosaico de lendas, profecias e temores que compunham as expectativas em torno da chegada do novo *baktun*, o ciclo das eras do antigo calendário maia.

Maiara precisou de quase todo o restante da aula para tranquilizar as crianças, assegurando que tais rumores não passavam de interpretações equivocadas dos escritos antigos, e que elas eram, na verdade, abençoadas por terem a oportunidade de vivenciar um momento tão importante da história. Em breve, as contagens de tempo de tenoqueses e zonguaneses, para os quais aquele era o Ano do Dragão, se tornariam uma só, e um novo calendário teria início.

– Tenham fé no futuro, minhas crianças. – Maiara suspirou num tom maternal. – Sempre há esperança e sabem por que?

A resposta da turma veio em uníssono:

– Porque Quetzal-Tupã vela por nós!

– Exatamente. – A professora assentiu, satisfeita. – Quetzal-Tupã nos dá tudo e é responsável por tudo à nossa volta. Ele nos traz as chuvas e com elas a energia, e sussurra boas ideias para os homens enquanto dormem, permitindo que construam algo tão maravilhoso quanto Xao-Kuna, e suas pontes sobre os mares de gelo. Não há nada além de bondade em nosso criador. Ele sempre irá nos proteger, e essa é...

– A verdade única! – Todos responderam numa só voz.

Maiara sorriu, compartilhando da mesma convicção inabalável. Da mesma inocência.

Crianças corriam de um lado para o outro da avenida, despedindo-se dos colegas de turma e indo ao encontro dos pais. Na calçada estreita diante do Instituto de Ensino, uma fila de pequenos se formava, a espera do último *xudá*, o veículo elétrico de transporte coletivo, que sairia naquela tarde.

Abraçada a seus tomos e com sua bolsa de linho a tiracolo, Maiara seguia em direção à plataforma elevada no final da avenida, de onde partiria em poucos minutos o bonde elétrico que a levaria para casa, do outro lado da Baía.

Ao passar por dois estudantes, a professora não pôde deixar de ouvir o que um dizia ao outro:

– Fiquei sabendo que os maias é que estão matando os oficiais zonguaneses...

As vozes se perderam no burburinho da avenida. Embora os atentados misteriosos fossem o assunto do momento, inclusive, entre seus colegas professores, Maiara se recusava a lhes dedicar atenção. Na sua opinião desinteressada, tratavam-se apenas de intrigas políticas. Portanto, nada inédito em se tratando da cidade-Estado da Guanabara.

Muito mais importante, a seu ver, era o tema que vinha tratando em suas aulas. O Dia da Transição, a fusão dos cômputos, o início da nova era. Tanto ouvira falar daquele dia por seu pai... Mal conseguia acreditar que estava tão próximo.

Quem dera seu pai estivesse vivo para ver aquilo.

Quem dera, ele não tivesse estragado tudo.

– Mamãe, mamãe! – A voz de Luc surgiu do meio da multidão, enquanto ele passava ligeiro ao lado de Maiara. Mais a frente um rosto familiar se aproximava dos dois.

Luc jogou seu material escolar para trás do corpo e agarrou a mulher pela cintura, quase a derrubando no chão.

– Meu querido. – Ela lhe beijou a testa suada por entre os cabelos negros e finos. – Não aprontou nenhuma hoje, certo, professora?

– Não. – Maiara saudou a amiga com um sorriso cordial. – Um aluno exemplar, Tayanna, como sempre.

– Ouviu, mãe? – Os olhinhos de Luc brilharam de expectativa, enquanto puxava a barra do vestido da mãe de um lado para o outro. – Eu me comportei bem! Vou ganhar minha recompensa? Por favor, por favor, por favor!

Percebendo a expressão curiosa de Maiara, Tayanna revelou:

– Vou levá-lo para assistir ao sacrifício hoje.

As palavras causaram uma explosão contagiante de felicidade em Luc. O menino começou a rir e saltitar, vibrando como se fosse a maior vitória que já conquistara na vida. Abraçou sua mãe, sua professora, e até uma completa estranha que calhava passar perto deles.

– Hoje? – Maiara indagou, quando os berros entusiasmados do menino permitiram. – Já?

– Os ciclos estão ficando cada vez mais curtos. – Tayanna argumentou. – É realmente preocupante, mas pelo visto, necessário. Tantos crimes... E agora, essa onda de atentados.

– Vem conosco, Maiarinha? Por favor? – Luc insistiu, não mais vendo ali sua professora, mas a madrinha que conhecia desde bebê.

Tayanna dirigiu um olhar solidário a Maiara, consciente do desconforto que o convite do filho lhe causava. Procurou livrar a amiga do incômodo, insinuando uma desculpa:

– Maiara deve coisas importantes a fazer, Luc. Deixe-a, vamos.

– Não, tudo bem. – A professora replicou de pronto. – Vou acompanhá-los.

– Tem certeza? – Tayanna indagou, preocupada.

– Sim. – Maiara confirmou da forma mais veemente que podia. – Vou comer alguma coisa e os encontro na enseada.

Disfarçando a incerteza que lhe pesava no peito com um sorriso afetado, Maiara, mais do que um compromisso com o garoto, assumia um consigo mesma. Aquilo terminaria hoje. A professora enfrentaria e subjugaria seus demônios pessoais. Já era uma mulher, afinal. Era tempo de deixar os temores de menina para trás. Sentia-se pronta, só não queria ter de fazê-lo sozinha.

Por quantas vezes Maiara não imaginou os passos que agora dava na ampla calçada asfaltada. O céu sobre a Guanabara resplandecia num azul vívido e imaculado. O sol da tarde atravessava as copas das árvores ao longo da avenida, perfurando suas sombras com setas de luz perfeitas.

Fazia um lindo dia de verão, mas logo a Chuva viria.

A península fervilhava com milhares de expectadores, como ocorria em todo sacrifício. De fato, um clima de excitação e urgência parecia tomar conta não só daquela região, à sombra do chamado Morro do Pão, mas de toda a Guanabara. A atividade portuária ao longo da Baía fora temporariamente suspensa e suas águas se viram livres do tráfego marítimo intenso.

Maiara não teve dificuldades em localizar Luc e Tayanna. Era uma determinação do Sumo Sacerdote que crianças tivessem direito a espaços preferenciais durante a cerimônia que, para todos aqueles fiéis do Trono da Serpente, era a manifestação suprema de justiça. Assim, avistando o pequeno e sua amiga em meio à multidão que se aglomerava em frente do porto, Maiara se dirigiu pra lá. Ao passar pelo cordão de isolamento, apresentou a um dos ocelotes, os homens da Guarda, sua identificação de professora, outra condição que assegurava participação privilegiada em cerimônias oficiais do governo. Um privilégio que Maiara jamais havia cogitado invocar.

– Está se sentindo bem? – Tayanna indagou, assim que pôs os olhos na amiga.

O semblante exasperado e o suor que escorria copioso da testa de Maiara, denunciavam seu nervosismo.

– O bastante. – Respondeu, pretendendo acreditar nisso. Apertava os tomos escolares contra o peito, procurando, ao mesmo tempo, ocupar as mãos trêmulas e abafar o martelar do coração acelerado.

O compartimento de embarque estava aberto. De sua escuridão úmida, uma ponte enferrujada se projetava até o cais como a língua apodrecida de uma fera, aguardando para receber em suas entranhas a coorte de condenados que, atados uns aos outros pelos pulsos e tornozelos, seguiam a passos lentos pelo cais de madeira, de encontro à própria perdição. Gravado a fogo em seus braços, ia a marca do sacrifício, uma serpente ondulada, ladeada por dois círculos, representando os deuses gêmeos da morte.

Alguns passos à frente do grupo vinha o Arauto de Xibalba, como era chamado o sacerdote responsável pelas cerimônias de sacrifício. Vestindo um traje cerimonial adornado de representações de penas e presas, em puro ouro e prata, ninguém conseguia ver seu rosto, pois era coberto por uma máscara estilizada de serpente.

O Arauto subiu no púlpito colocado diante da platéia e começou:

– Por ordem do Sumo Sacerdote da Guanabara e sob as bênçãos do grande Quetzal-Tupã, dou início à trigésima primeira cerimônia de Expurgo deste ano sagrado do Dragão, décimo terceiro *baktun*.

Enquanto o sacerdote lia as acusações dos condenados, Maiara observou cada um deles. Sentia as mãos dormentes, as presas geladas do monstro chamado terror pareciam devorá-la por dentro. Eles estavam sozinhos. Não havia ninguém ali de quem pudessem se despedir, ou que pudesse lamentar sua partida, pois as famílias dos condenados eram proibidas de comparecer ao Expurgo, decisão tomada para evitar comoções capazes de comprometer o bom andamento da cerimônia.

Talvez, no silêncio de um sobrado, muito longe dali, a filha de um daqueles homens olhasse seu lar pela última vez.

Talvez, ela se sentisse tão perdida quanto Maiara se sentiu.

– Por seus crimes, estes oito transgressores foram condenados ao Expurgo. – O Arauto prosseguiu. – Seus corpos partirão pelas águas até o Leste Proibido, onde serão devorados pelos servos de Xibalba. Sentirão o peso de seus pecados em suas carnes. Banharão suas almas com seu próprio sangue e, assim, seu suplício há de satisfazer a vontade do glorioso Quetzal-Tupã.

Entre os condenados havia três jovens que se destacavam. Não só pelos buracos enormes em seus narizes e orelhas, mas pela absoluta altivez de seus semblantes. Maiara não via neles qualquer vestígio de medo, tristeza, ou vergonha. Os três se mantinham impassíveis, seus olhos negros fixos nalgum ponto da multidão em frente, mas sem se dirigir a ninguém em particular.

Aqueles eram Filhos de Palenque, como eram chamados os descendentes do antigo Império Maia que se recusavam a aceitar o fim da soberania de seu povo sobre Sul-Tenoque e optavam por uma vida à margem da sociedade.

Maiara sabia que esses eram costumeiramente presos em ações criminosas de protesto e condenados ao sacrifício no Expurgo. No entanto, jamais havia testemunhado a resignação notória e desconcertante atribuída aos herdeiros do império caído. Por um breve instante, aquela demonstração singular tomou de assalto os sentidos de Maiara que tentava, sem sucesso, decifrá-la.

– Que os Senhores de Xibalba tenham misericórdia de sua almas. – A voz do Arauto trouxe a jovem professora de volta de sua contemplação.

A cerimônia, enfim, se encerrava. Com um aceno do sacerdote e sob vibração estrondosa do público, os ocelotes se dirigiram até a fileira de condenados e, apontando seus rifles, sinalizaram para que entrassem na barcaça. Após o último subir, a prancha de embarque foi suspensa, selando-os na escuridão da popa. A partir dali, não havia mais forma de abrir a barcaça, fadada a seguir pelo Oceano Nascente, operada por seu sistema automático, até o horizonte longínquo, onde brilhavam as luzes de Xibalba. Lá, os demônios do submundo se ergueriam da terra negra e devorariam metal e carne, aplacando a fome divina.

Aquele era o preço cobrado pelos senhores da Morte. Muitos *baktuns* atrás, eles caíram quando Quetzal-Tupã, furioso com seus antigos servos maias, ergueu Xibalba em seus braços, atirando-a ao fim do oceano, trazendo o grande trovão das eras, e com ele, e as tempestades.

Agora a Terra dos Mortos restava solitária lá no leste, seus deuses vigilantes aguardando para exercer a punição eterna sobre aqueles cujos crimes – sejam estes assassinatos, roubos, ou simples heresia – maculassem os domínios de Quetzal-Tupã.

Homens como Ubirajara de Akangatu. Seu pai.

Os deuses foram generosos naquele dia. A hora da Chuva se aproximava e, pela aparência das nuvens que convergiam para dentro da Baía, seria forte como há muitos dias não se via. O bonde elétrico se encontrava bem no meio da ponte Mei-Long, onde esta se elevava antes de prosseguir serpenteando seu caminho, até desaparecer entre os telhados envidraçados da terra natal de Maiara, Arariboia, a cidade irmã da Guanabara.

Um aviso sonoro no sistema de radiofone interno do bonde anunciou mais um boletim de notícias:

– *As forças de segurança da Guanabara continuam sem pistas do paradeiro do criminoso responsável pela morte do Conselheiro Tseng, na semana passada.* – A voz metálica informava. – *Todavia, evidências indicam que o assassino possa ser o mesmo por trás de atentados contra a vida de outros três dignatários zonguaneses, ocorridos nos últimos quinze dias. Apelidado de Anhangá por fontes próximas...*

O comunicado provocou apreensão em alguns passageiros e um burburinho a respeito da onda misteriosa de ataques começou. No entanto, Maiara não podia importar-se menos, fosse com a notícia no radiofone, com os passageiros ao seu redor, ou o aspecto tempestuoso que o céu da Guanabara assumia. Com a cabeça encostada na janela, a professora estava encerrada em seus próprios pensamentos. Não conseguia tirar da cabeça o olhar resignado dos Filhos de Palenque.

Aquilo não fazia sentido.

Desde menina, Maiara não comparecia a um sacrifício. Desde que seu pai fora condenado a embarcar na nau maldita. Ainda assim, lembrava bem que o que se via entre os expurgados era a vergonha, o remorso, o desespero. Nunca a altivez. Afinal, ali estavam homens e mulheres fadados a deixar família, amores e sonhos para trás, rumando para uma eternidade de tormentos.

A tranquilidade dos jovens maias era algo pelo qual Maiara se estarrecia, em busca de uma resposta. Nada a perturbava mais do que perguntas sem resposta e ali residia um mistério que fugia a toda compreensão. Acostumara-se a desvendar o mundo, a entendê-lo por meio de seu raciocínio persistente e, deste modo, trazer o conhecimento à tona. Era sua obsessão e, como professora, e a razão pela qual escolhera tal vocação em primeiro lugar. Uma obsessão que trazia no sangue.

Os primeiros trovões se fizeram ouvir no horário habitual. O olhar de Maiara foi atraído em direção à enseada ao sul, bem na entrada da baía. Ali brotava, majestosa como uma árvore colossal de vidro e aço, a Torre da Guanabara, o coração de toda aquela região de Sul-Tenoque, onde, um dia, seu pai foi um pesquisador sábio e respeitado.

Qual teria sido a reação dele, a professora sempre se perguntava. Teria o pai sentido vergonha, remorso, temor? Ou teria se mantido silencioso e resignado, como aqueles rapazes? Teria pensado nela? Maiara jamais saberia. Esta era a maior das dúvidas. O maior de todos os seus tormentos.

Um clarão forte iluminou o céu. Atraída pelos reatores poderosos da Torre, a tempestade girava ao seu redor como se as nuvens constituíssem um mar revolto. Relâmpagos iluminavam o céu, saltitando pelas nuvens até se encontrarem no turbilhão, bombardeando o topo da torre com precisão e violência divinas. A partir daí, a estrutura monumental começava seu trabalho crucial, absorvendo a energia, que por tantas eras, fora desperdiçada antes da vinda de Xibalba transformar o mundo.

Felizmente, pela graça de Quetzal-Tupã, os irmãos de Zonguá conseguiram atravessar as ondas de gelo mortais no Estreito de Dong-Dang, trazendo não só a libertação dos povos Nahuá e Tupi do cruel domínio Maia em Tenoque, mas o conhecimento necessário para a construção das Torres de Energia. Graças a elas, a eletricidade que corria nos céus era trazida para a terra para servir de alimento para as cidades, da lâmpada mais ínfima aos motores de veículos, e até aos sistemas autômatos que gerenciavam prédios inteiros.

Benditos fossem os deuses por sua generosidade!

Esta era a verdade única.

A Chuva cessou tão abruptamente quanto começara e igualmente pontual, como em todos os dias. Maiara acabava de chegar em casa, um sobrado pequeno em uma das ruas mais velhas de Arariboia, que pertencia à sua família há gerações.

Despiu-se do par de brincos, das pulseiras e colares que carregava, atirando-os de qualquer jeito sobre a cômoda na sala, agora mergulhada na claridade alaranjada do sol poente. Persistia no ar um silêncio incômodo, não só no interior do sobrado, mas também na rua, o que era incomum para um fim de tarde.

A professora se sentiu inquieta. Sombras pareciam mover-se na penumbra percebida pelo canto dos olhos e a apreensão crescia em seu peito. Ficou completamente parada a meio caminho entre a sala e seu quarto. Por um breve instante, porém, uma das tábuas do piso madeira continuou a ranger.

Havia mais alguém ali.

Maiara não se voltou em direção ao ruído. Um impulso instintivo de sobrevivência lhe acometeu e, de onde estava, disparou em direção à porta. Contudo, era tarde demais.

A mão larga lhe tapou a boca, enquanto um braço musculoso a envolvia pela cintura, puxando-a para junto do invasor. Lágrimas se formaram em seus olhos arregalados quando sentiu o hálito quente em sua orelha.

– Não vou machucá-la. – A voz áspera prometeu. – Mas preciso que me escute com atenção.

O coração de Maiara batia descompassado, sentiu que poderia desmaiar a qualquer instante, não só pelo pavor, mas pelo odor nauseante que exalava a bandagem em torno da mão do bruto. No entanto, forçou-se a permanecer alerta por um instante mais. Tentava focalizar seu pânico no próprio instinto de sobrevivência, o mesmo que antes a mandara correr e que, por ora, dizia-lhe para simplesmente esperar – e ouvir.

– Tudo o que pensa saber sobre sua vida é uma mentira, Maiara.

Por um instante, fez-se silêncio. Maiara não sabia dizer o que era mais aterrador, se o peso e a estranha lucidez contidos nas palavras do intruso, ou o fato de saber o seu nome.

– Tenho muito pouco tempo. Precisará me encontrar depois.

Agora Maiara sentia-se verdadeiramente confusa. O pânico deu lugar à desorientação e ela parou de lutar para se desvencilhar do homem. Apenas se preparou para o pior, ignorando que nada poderia prepará-la para o que viria a seguir.

O invasor encostou seus lábios junto ao ouvido dela, e disse:

– É sobre seu pai.

Então, tudo aconteceu ao mesmo tempo.

– Hoje à noite, na Cidade Baixa. Será sua única chance.

A mente de Maiara mal pôde processar o que acabara de ouvir, quando a porta da sala abriu com um estrondo. Dois, três, ou sabe-se lá quantos ocelotes surgiram subitamente, de rifles em punho.

– Largue-a! – Um deles gritou. – Está cercado!

A reação do outro foi imediata. Empurrou Maiara para frente, meneando o corpo para o interior do sobrado. Foi quando ela teve o primeiro e breve vislumbre daquele que mudaria sua vida para sempre.

Um velho poncho surrado cobria o corpo do indivíduo, que trazia ainda, pendurado nas costas, um largo chapéu de bambu. Havia algo mais, algo que Maiara não soube definir, mas que produziu um lampejo prateado, no instante em que ele atravessou a luz oblíqua que incidia no sobrado.

Num único movimento fluido, o invasor saltou pela janela do quarto, trazendo o chapéu de bambu à cabeça enquanto caía. Aterrissou na calçada vizinha, diante de três ocelotes que cobriam a rota de fuga. Sem hesitar, investiu, desarmando um deles de seu rifle e o usando para golpear o seguinte, bem no estômago. Quando esse caiu de joelhos, sem fôlego, pulou sobre suas costas, usando-o como plataforma para voar sobre o terceiro, atingindo-o no rosto com um golpe certeiro da planta do pé calçado. Conservando o impulso, lançou-se para cima, aterrissando, incólume, no topo de um *xudá* que passava pela avenida.

Na mesma hora, os demais ocelotes que cercavam o quarteirão se mobilizaram. Algumas duplas correram para seus *quexás* negros de combate, enquanto outros montaram em seus *autociclos* individuais, ligando as sirenes e disparando em direção ao fugitivo. Aquele que havia sido atingido primeiro ainda prestava ajuda aos companheiros caídos, quando o rádio em sua cintura tocou.

Do outro lado, uma voz autoritária o questionava:

"– Equipe de solo, o que está acontecendo aí?"

– O criminoso está em fuga, senhor! – O ocelote respondeu. – Unidades convergindo, acho que está indo para a ponte!

– Acione o comando. – O chefe dos ocelotes, um homem baixo

e corpulento, de traços zonguaneses, ordenou da sala de Maiara. – Bloqueiem todos os acessos. Peguem-no!

"– Sim, senhor!"

Sentada em seu sofá, Maiara observava a cena, sem esboçar reação. Os demais ocelotes deixaram seu lar tão subitamente quanto o haviam invadido, momentos antes.

– Você está bem? – O zonguanês lhe perguntou.

Ainda que pudesse falar, Maiara não saberia responder.

– Peço perdão por nossa invasão abrupta, senhora. Sou o Oficial de Armas Hwang.

Agora que prestava atenção, Maiara observou que o uniforme dele se distinguia dos demais por conta de detalhes como a tonalidade mais escura de azul e as listras prateadas que adornavam as ombreiras. Tratava-se de um Oficial de Armas, também chamado de *lobo-guará*.

Era muito comum que posições de comando fossem ocupadas por zonguaneses, fossem de primeira, segunda, ou terceira geração, tanto em Arariboia quanto em Guanabara e em todo o resto do continente.

– Recebemos informações de que um criminoso procurado estaria escondido nesta região. Nosso serviço de vigilância viu quando ele invadiu sua casa. Teve sorte de estarmos por perto.

– Sim... – Maiara se sentia desorientada. – Sim, claro. Obrigada. Mas...

A professora não conseguia pensar em nada. A voz áspera continuava a ressoar de um lado para o outro de sua mente, como um eco incessante.

– Acreditamos que possa ter entrado aqui após perceber nossa presença. Talvez esperasse obter uma refém, ou algo assim.

Maiara nada disse. O lobo-guará perscrutou seu semblante silencioso, percebendo como ela evitava olhá-lo nos olhos.

– Senhora, o que ocorreu exatamente antes de chegarmos?

Talvez fosse a frieza no olhar inquisidor, talvez fosse o tom ligeiramente agressivo e profundamente distante de suas palavras, mas a presença de Hwang deixava Maiara desconfortável.

Receosa, perguntou:

– Quem era ele?

– Como disse, um criminoso procurado, senhora. Um assassino. – O lobo-guará replicou com frieza. – Agora, por favor, responda minha pergunta.

Outra vez, o instinto de professora de Maiara lhe dizia que havia algo fora do lugar. Havia muitos criminosos pelas ruas de Arariboia, mas uma emboscada como aquela não se via todos os dias. De fato, Maiara *jamais* havia visto testemunhado tal coisa.

A menos que aquele não fosse um criminoso qualquer.

– É o *Anhangá*. – Afirmou, arrependendo-se logo em seguida. O rosto do oficial se fechou ainda mais, como ela não julgava possível. De todo modo, não podia voltar atrás. Nem queria. Por isto, insistiu: – É ele, não é?

– Não sabemos o nome dele, senhora. – Hwang respondeu, ríspido. – Para nós é apenas mais um criminoso, como tantos.

Maiara não sabia o que pensar. A simples noção de que um assassino procurado havia estado ali, em seu lar, já tumultuava completamente seus pensamentos. Que esse, ainda por cima, tivesse qualquer conexão com seu pai, fosse qual fosse...

– Ele me agarrou. – Relatou por fim. – Disse para eu ficar calada ou cortaria minha garganta. Na hora eu... congelei. Acho que foi quando vocês entraram. Desculpe, eu realmente não consigo...

Maiara optava pela mentira. Afinal, as consequências de revelar que havia alguma conexão entre Anhangá e seu pai, considerando seu passado infame, eram complexas demais para serem mensuradas de imediato.

É sobre seu pai. – O eco insistia em sua mente.

Na melhor das hipóteses, sua vida estaria arruinada, mais uma vez. Na pior das hipóteses, bem, este era o problema. Era impossível antecipar o que poderia acontecer uma vez que as palavras enigmáticas do assassino viessem à tona.

Por ora, precisava ficar quieta.

Precisava descobrir sozinha.

Mas primeiro, tinha que pôr aquele homem para fora de sua casa. Hwang não desviava sua atenção dela por um segundo sequer, como uma onça à espreita. Fitava seus olhos como se pudesse roubar de dentro deles as respostas que procurava.

– Está tudo bem. – O oficial disse por fim. – Caso se lembre de qualquer outra coisa, por favor, me avise. Manterei alguns homens neste bloco, por precaução.

Deixando estas palavras no ar, o Oficial de Armas abandonou o sobrado. Maiara sentiu o ar retornar a seus pulmões e, num gesto de alívio, enterrou o rosto entre as mãos, enxugando o suor que lhe escorria das têmporas.

A noite chegou, mas a professora sabia que tentar dormir seria inútil. Seu coração ainda não havia recobrado o ritmo normal e os olhares curiosos dos passantes na direção de sua janela só faziam aumentar sua angústia. A fome pela descoberta revirava seu âmago. Não tinha escolha.

Ela *precisava* saber.

Cidade Baixa.

Assim era chamada a parte sul da periferia de Arariboia. Pedaço da cidade não tão próspero quanto o setor portuário, tornara-se com o tempo uma concentração de comércios clandestinos e um antro de jogatinas, negociatas escusas e prostituição. A região sofria com o descaso das autoridades e a malha energética, que já se encontrava prejudicada pela diminuição da intensidade das chuvas nos últimos anos, não chegava nos lares de sua população mais carente. Muitos acabavam recorrendo ao comércio ilegal de baterias abastecidas na Guanabara.

Maiara não se lembrava de já ter estado ali algum dia. Por aquelas ruas vagavam homens e mulheres de aparência libertina, alguns cruzando o caminho da professora silenciosos como sombras solitárias, outros andando em bandos barulhentos, de um lado para o outro, até sumirem na escuridão de vielas que tresandavam lixo, bebida barata e perdição.

No entanto, a atmosfera suja não a assustava. Sua mente estava alheia ao ambiente pernicioso que a cercava. Só conseguia pensar nos eventos daquela tarde, no bandido misterioso chamado Anhangá e em seu pai.

Por muito tempo, aquela foi uma ferida aberta na vida de Maiara. O estigma de ser filha de um expurgado acompanhou-a durante toda a infância e adolescência. Maiara nunca conheceu a mãe, morta ao dar a luz. Seu pai sempre foi tudo o que ela teve. Outrora um homem respeitado por sua sabedoria e uma das mentes mais brilhantes a serviço do Centro de Estudos Climáticos. Certo dia, porém, Yunru Zope, seu grande parceiro de pesquisas, desapareceu, sem deixar vestígios. Oficiais de toda Sul-Tenoque foram destacados para investigar o ocorrido, mas não precisaram procurar muito.

Maiara lembrava como se fosse ontem. A multidão se aglomerando na porta de casa, seu pai de costas para ela, enquanto os ocelotes o cercavam. Enfim, a confissão. Os êxitos de Zope em seus trabalhos para o Centro teriam despertado a inveja de seu pai e os dois acabaram brigando. Então, certa noite, seu pai atraíra Zope para a praia, sob pretexto de esclarecerem as desavenças. Seus planos, contudo, eram outros. Naquela mesma noite Ubirajara matou Zope, atirando seu corpo na preamar, fazendo com que o próprio oceano se encarregasse de ocultar as evidências.

Com o tempo, a tristeza de Maiara se transformou em ódio para com aquele que deveria ter zelado por ela, mas que terminara, por seus próprios atos, condenado ao destino mais indigno de todos. Sentia-se traída e se lembrar dos bons momentos que haviam partilhado, os sorrisos, os passeios, as charadas, tudo isso apenas aumentava sua dor. Assim, condicionou-se a manter apenas aquela memória viva, o momento da traição. Tentava esquecer o rosto dele, mas era uma tarefa quase impossível. Mesmo ali, tão longe de casa, Maiara fitava a própria face morena no reflexo de uma vidraça suja e, na herança de seus olhos, era acometida por lembranças que preferia esquecer.

Já havia vagado por mais uma hora, procurando não sabia ao certo o que. Por um instante se perguntou, pelos deuses, o que estaria fazendo ali. Se por um lado, a professora questionava o quão insana devia estar para atender ao pedido de Anhangá, por outro, ansiava por um sinal, algo que lhe indicasse que tomara a decisão correta e que estava seguindo agora ao encontro de uma descoberta, sua grande força motriz.

Maiara não fazia idéia.

Subitamente, sentiu uma mão em seu quadril e observou, pelo canto dos olhos, um vulto diminuto se enfiar para dentro de uma viela. Um menino de rua havia surrupiado seu maço de notas e fugido.

– Ei! Pare aí seu ladrãozinho! – Gritou, correndo atrás dele, logo em seguida, repreendeu-se pela ingenuidade.

Afinal, quem iria ajudá-la ali? O bêbado caído na sarjeta? O velho que lhe exibia um sorriso malicioso e desdentado? A prostituta com as narinas queimadas pelo ópio? Até onde sabia, aquela poderia ser a família do garoto.

A perseguição a conduziu até um beco, onde alguém havia abandonado uma bateria enferrujada enorme. Não havia saída, exceto por um pequeno buraco na parede, que parecia ser os fundos de um galpão velho.

– Isso é realmente ótimo... – Resmungou, tentando ver algo além da escuridão fétida da passagem.

Um estalo atrás de si lhe despertou a atenção. Quando se virou para a entrada do beco, seu coração gelou. Meia dúzia de rapazes de aspecto descuidado a cercavam. Todos usavam brincos feitos de ossos nas orelhas e no nariz, e guardavam uma austeridade inquietante em seus olhos, como se transbordassem um rancor muito antigo.

Filhos de Palenque.

Era em lugares como a Cidade Baixa que boa parte dos herdeiros do Império Perdido se congregavam. Por um instante, Maiara agradeceu aos deuses por não possuir qualquer ascendência nahuá. Tratava-se de uma exemplar tupi-guarani legítima e contava que isso fosse aumentar suas possibilidades de deixar esse lugar com vida. Afinal, suas chances de fuga eram ínfimas. Só lhe restava barganhar ou morrer lutando. Acuada, surpreendeu-se com a naturalidade com que esta última noção lhe cruzou a mente.

Foi quando passos atrás da muralha de jovens maias musculosos anunciaram a aproximação de alguém. Nas mãos, o homem idoso trazia o maço roubado de Maiara, mas ela deu pouca atenção ao fato.

– Não pode ser... – Murmurou, assombrada. – Você está...

– Morto? Sim, minha cara. – Yunru Zope sorriu.

Os cabelos estavam grisalhos, assim como a barba espessa que lhe tomava o rosto. Ainda assim, Maiara o reconheceu facilmente. Quantas vezes não vira aquele rosto estampado em folhetins, bem ao lado do de seu pai, ilustrando a tragédia da morte de um homem pelas mãos do melhor amigo.

– Como é possível?

– Se está aqui, Maiara, talvez já saiba a resposta. Talvez, no fundo do seu coração, você sempre tenha sabido que seu pai não poderia ser o homem terrível que seus acusadores afirmavam ter sido.

Maiara sentiu as pernas fraquejarem. Ventos caóticos sopravam em seu espírito. Era impossível pensar com clareza. Inúmeras perguntas se perdiam na confusão de pensamentos, na revolução de uma incerteza infinita.

– Sei que está confusa, isto é bom. Significa que sua mente ainda não se fechou inteiramente. Do contrário, sentiria raiva e não dúvida, como fazem os intolerantes.

– Fique longe de mim! – Maiara ameaçou, ao notar a aproximação do velho.

– Está tudo bem.

– O que está acontecendo aqui? Quem são vocês?

– Do todo só posso contar-lhe uma parte. Ubirajara é inocente. Ao menos, é inocente da acusação de assassinato... do meu assassinato. Quanto ao resto, quanto ao que está prestes a acontecer... Bem, isso já não sei. Depende do seu conceito de inocência, eu acho.

O olhar do velho Zope parecia perder-se dentro de si mesmo. Havia um receio profundo em suas palavras, que fez Maiara questionar a lucidez do homem, bem como a realidade de tudo aquilo.

– Meu pai era inocente? – Indagou, tentando aplacar a tormenta interior. – Foi tudo uma mentira, uma armação?

– Sim, foi. Uma armação planejada por seu pai. Veja, Maiara, Ubirajara queria que as coisas acontecessem exatamente deste jeito. Ele queria ser sacrificado.

Aquilo era de um absurdo sem tamanho. Quem em sã consciência optaria por ser banido para Xibalba? A menos que seu pai estivesse louco, como aquele velho diante de si aparentava estar.

– Está mentindo! Diga a verdade!

– Já disse que do todo só posso lhe contar uma parte. O resto terá que ver por si mesma. É o único jeito.

– Jeito de que?

– De você acreditar. De entender por que seu pai fez o que fez. A importância daquilo que descobrimos juntos. Daquilo que mudará tudo.

Por um breve instante, a ventania cessou, e um céu límpido se abriu na alma de Maiara. Nele, enxergou o rosto do pai, mais nítido do que acreditava ser capaz de enxergar novamente algum dia. Ele sorriu para ela.

– E você? – Indagou quando as nuvens a cobriram outra vez. – Por que fez isto, desaparecer assim... Deixar que meu pai fosse condenado por um crime que não cometeu?

– Essa foi a minha parcela no sacrifício. – Zope anuiu, sereno. – Teria ido de bom grado no lugar dele... Mas Ubirajara insistiu. Por sua causa.

– Por... minha causa?

– Claro. Afinal, eu não tinha ninguém. Nunca tive filhos. Não teria ninguém em quem confiar para fazer aquilo que seu pai espera que você faça. Agora, precisa ir. Agimos como agimos para ter a certeza de que não estava sendo seguida. Ainda assim, os ocelotes a estão vigiando. Não demora a chegarem aqui.

– Não, não... Tenho tantas perguntas. Ninguém sabe que estou aqui.

– Eles sabem. Estão observando você há dias. Desde que *ele* começou.

Maiara estacou. Era óbvio. Um chapéu de bambu, um reflexo prateado. Anhangá. Não era ele que a guarda procurava naquela tarde, nem foi por acaso que chegaram tão depressa à sua casa. Eles já estavam lá, esperando por ele. O que só podia significar que eles sabiam que ele a procuraria. Mas, por quê?

– O que isso tudo tem a ver comigo?

– A pesquisa de seu pai, a descoberta que ele se sacrificou para proteger, continua exatamente onde ele a deixou. Esperando por você.

Dizendo isso, Zope apontou para o leste, onde um poderoso holofote de luz branca, brilhante como um farol, iluminava o pináculo da Torre da Guanabara.

– Eles não sabem o que seu pai descobriu. Ubirajara se certificou de que seu segredo partiria com ele para Xibalba. Ao menos, até que você estivesse pronta.

– Faz tanto tempo... – Maiara contemplou a Torre no outro lado da baía. – O que quer que meu pai tenha deixado já se perdeu.

– Ubirajara era um homem previdente, Maiara. Não cometa o mesmo erro daqueles que o condenaram. Não o subestime. Agora vá, antes que a encontrem aqui. Vá, por seu pai, por mim. Por todos nós.

Numa situação como aquela, muitos diriam sentir que o mundo girava ao seu redor. Para Maiara, era o contrário. Tudo à sua volta parecia estático, congelado num momento derradeiro de lucidez plena. Sentiu-se uma criança perdida e, como tal, ansiava pela mão de seu pai, para guiá-la no próximo passo.

No fundo, talvez fosse exatamente aquilo que estivesse fazendo.

– Atividade eólica. – Zope lhe soprou quando já deixava o beco. – É o que deve procurar lá em cima. Não esqueça.

Com o coração perdido na encruzilhada entre receio e gratidão, respondeu:

– Que os deuses nos protejam.

O velho apenas sorriu.

Todo o tempo entre a despedida fantasmagórica na Cidade Baixa, na noite anterior, e o término de mais aquele dia de aulas lhe pareceu pouco mais que um sonho lúcido. As palavras que disse aos pequenos de sua turma não pareciam suas. Maiara sentia-se distante, como se tivesse se tornado mera expectadora no teatro de sua vida.

Seus olhos alcançavam o topo da Torre e a memória de uma manhã distante e ensolarada lhe invadiu os pensamentos. Seu pai acabava de abrir a porta de acesso ao terraço enorme e ela, menina, vivia o melhor dia de sua vida. Lembrou-se do frio na barriga quando percorreu com cuidado os passadiços entre os para-raios e as células de atração, alcançando o parapeito do que, naquela época, julgou ser o topo do mundo.

Aquela era a primeira vez que revisitava aqueles momentos, desde... muito tempo. Um último dia perfeito ao lado do pai. A partir daí, tudo deu lugar à incerteza, ao medo, à vergonha. Agora, porém, tudo havia se transformado mais uma vez e Maiara sentia remorso por ter tentado esquecer o quanto haviam sido felizes um dia.

Zope estava vivo. Vivo. Anhangá estava certo, até aqui. Tudo em que ela havia acreditado era mentira. Mas, por quê? Por que Zope e seu pai tramariam tal coisa? O primeiro lhe dissera que ela precisava ver para crer. Maiara não sabia se era verdade, mas não havia outra escolha.

Com alguma sorte, estaria em casa antes da Chuva.

A segurança no interior do complexo era rígida. Meia dúzia de agentes armados vigiava o saguão de entrada, sem contar dezenas de outros espalhados ao longo dos trinta andares da Torre. Salvo casos excepcionais, aquela entrada era utilizada apenas por grupos de visitantes devidamente aguardados e registrados. Felizmente, para Maiara, ela era constituía um caso excepcional.

Uma vez considerada um símbolo do progresso e do triunfo da sabedoria divina, a Torre da Guanabara guardava em seu interior a maior biblioteca da cidade-Estado. Como professora, Maiara possuía o direito de estudar os tomos ali guardados. Naturalmente os itens de caráter mais delicado eram restritos àqueles ligados ao Alto Sacerdócio. Maiara só esperava que os trabalhos de seu pai, um *assassino* confesso, não estivessem incluídos em tal categoria.

O elevador panorâmico proporcionou a Maiara uma visão estonteante de toda Guanabara, seus edifícios e avenidas florescendo por entre o verde das matas, o cinza dos morros e o azul do mar. Uma vez na biblioteca, não foi difícil encontrar os arquivos que procurava. Logo a professora estava com o trabalho da vida de seu pai disposto na mesa diante de si. Vasculhou os tomos, localizando aquele mencionado por Zope.

Boletim de Atividade Eólica – dizia a capa. Maiara começou a lê-lo atentamente, mas logo se perdeu em meio ao jargão técnico dos ensaios, análises e previsões a respeito das condições climáticas em Sul-Tenoque. Suspirou, começando a duvidar do propósito de sua visita, quando se deu conta de algo peculiar a respeito do tomo: uma variação sutil no tom de preto da escrita, mais intenso em determinadas seções das páginas. Um olhar atento mostrou que tais padrões não eram aleatórios, pelo contrário, pois pareciam formar figuras geométricas perfeitas dentro de cada bloco de texto. Triângulos, quadrados, trapézios, quase como em um... sim!

Era isto.

O coração da professora batia acelerado. Procurou controlar as mãos trêmulas de excitação enquanto procurava um lápis e algumas folhas de papel em branco em sua bolsa. Rapidamente, pôs-se a transcrever cada uma das seções em negrito do tomo, que agora via, eram peças de um quebra-cabeças.

Vindo de seu pai, não poderia ser diferente.

Tratava-se de um *tangrama* zonguanês, um quebra-cabeças composto por formas geométricas distintas que, quando combinadas corretamente, resultavam num quadrado perfeito como a folha de um tomo. Após copiar os textos, Maiara começou a dobrar e recortar suas folhas, chegando às figuras que observara antes. Com a agilidade de uma mente treinada anos a fio na resolução de enigmas, organizou as peças, recombinando passagens à primeira vista incongruentes, mas que, uma vez alinhadas, transformavam-se, adquirindo seu verdadeiro significado.

Os olhos de Maiara lacrimejaram.

A mensagem secreta de seu pai se revelava.

"Se está lendo isto, significa que há muito tempo a deixei, e por isso, peço perdão. Não espero consegui-lo. Desejo apenas que minhas palavras possam trazer-lhe algum tipo de resolução.

As chuvas estão passando. Nossas medições são perfeitas. Nossa previsão ominosa de futuro próximo é sua realidade. A cada novo ciclo, a água é menos farta, os trovões menos estrondosos e os relâmpagos, sangue de nossa vida, menos brilhantes.

Antecipar este fato era nosso trabalho. Foi o que fizemos. Percorremos o caminho da tempestade, até seu berço. Seguimos a trilha do vento. Mas o vento não tem voz. Rezamos. E como rezamos, para estarmos errados.

Qual, afinal, é a unidade de medida da fé?

O que leva os deuses a destruírem um povo para a ascensão de outro? Talvez os maias saibam a resposta. Afinal, nunca deixaram de acreditar em seus deuses. Para eles, vivemos uma mentira. Mas se não acreditarmos, quer dizer que são eles os iludidos?

O paradoxo persiste. Os deuses precisam ser imperfeitos, ou não serem, em absoluto. A possibilidade é real. E se não formos o sonho dos deuses? E se formos nós os sonhadores? Só há uma forma de descobrir. Preciso tomar o caminho do vento.

Zope aguardará meu sinal. Se está lendo isto, então estávamos certos. Certamente não fomos os primeiros. Onde estarão os outros?

Amo você. Espero reencontrá-la."

O ar foi sugado da biblioteca. Mesmo sozinha, Maiara se sentiu cercada, sufocada. Suava frio. O que seu pai estava dizendo?

Pelos deuses, o que ele estava dizendo?

Aquilo não podia ser verdade. Precisava sair dali. Sair correndo, o mais depressa que pudesse, e então esquecer que os últimos dois dias aconteceram. Imploraria pela proteção da guarda para que Anhangá fosse mantido longe e tornaria a trancar as memórias de seu pai nalgum canto escuro e triste de sua mente.

Mas então, veio o alívio, quando seu coração se recusou a assumir a reação aterrorizada que sua mente desejava. Porque, contrariando toda razão, Maiara rejeitava o medo e abraçava o que só poderia ser comparado à sensação aconchegante do despertar.

Ainda era cedo demais para se deixar levar por devaneios. Só havia um lugar para o qual Maiara poderia ir, se quisesse chegar ao fundo daquilo. Uma sensação de urgência desabava sobre seu coração, como a Chuva que logo cairia. Mas agora, essa pouco lhe importava. Precisava reencontrar Zope.

A Cidade Baixa ficava mais deserta nas horas que antecediam à Chuva. Maiara anunciou sua presença, esperou, bisbilhotou através de janelas embaçadas e até mesmo pelo buraco fétido por onde o pivete havia escapado. Não havia sinal dos Filhos de Palenque ou de Yunru Zope.

– Esperando alguém, professora?

Caíra na armadilha outra vez.

Agora, porém, não era o rosto amistoso e familiar de Zope que tinha diante de si, mas o do Oficial de Armas Hwang. Junto dele, como cães de guarda, nada menos que oito de seus ocelotes.

– O que estão fazendo aqui? –Maiara indagou, com toda autoridade que conseguiu reunir.

– Poderia fazer-lhe a mesma pergunta. Está muito longe de casa.

– Vim visitar uma... amiga.

– Então não teremos problema. – O lobo-guará exibiu um sorriso mordaz. – É claro que, se estiver mentindo para mim, não apenas comete um crime, como torna difícil a tarefa de protegê-la. Sabe...

Hwang avançava lentamente em direção a Maiara, que recuou

instintivamente, recriminando-se outra vez por sua tolice. Zope a havia alertado sobre a vigilância da Guarda e ela fizera pouco caso dessa preocupação.

– ...esta é uma vizinhança perigosa. Se não for completamente honesta comigo, dizendo exatamente o que veio fazer aqui e, mais importante, o que descobriu em seu pequeno passeio à Torre, terei que ir embora com meus homens. Daí, quem irá lhe defender?

– Eu.

A voz áspera se fez ouvir do alto. Como se materializado do ar, Anhangá apareceu sobre o teto do galpão que encerrava o beco, logo atrás de Maiara.

– Eu estava certo, então. – Hwang afirmou, com ar superior. – Só precisava de um pedaço de queijo para tirar o rato da toca. Isso acaba aqui, assassino.

Os ocelotes engatilharam seus rifles e pistolas. Anhangá saltou, aterrissando diante de Maiara com uma cambalhota. Levou a mão para trás da cabeça, sacando, por uma fenda aberta no poncho, um *miao dao*, uma espada zonguanesa de lâmina larga.

O céu respondeu ao primeiro disparo com o clamor de um trovão. Os instintos de Maiara fizeram com que se jogasse para trás da bateria abandonada no instante em que as primeiras gotas de chuva e sangue se misturaram numa breve nuvem vermelha. O ocelote gritou, apertando a perna rasgada pelo *miao dao*, a boca escancarada recebendo a tempestade que parecia esbravejar contra ele.

Anhangá era uma mancha negra entrecortando os clarões dos relâmpagos. Os ocelotes tentavam alertar uns aos outros, mas suas vozes não eram páreo para os rugidos da tormenta. Então, era tarde demais. A sombra já se precipitava novamente, arrancando um grito de dor, retirando outro deles da batalha. As setas d'água caíam pesadas e criavam uma névoa fina pouco acima do asfalto. E lá vinha Anhangá correndo outra vez.

Castigados pelos clarões incessantes, os olhos de Maiara enxergavam um mundo fragmentado. Para sua percepção, a lâmina de Anhangá rodopiava lenta, cortando ar e água, abrindo, por um segundo, um retalho na cortina de chuva, um instante de ar seco, intocado, antes das gotas mutiladas voltarem a cair.

Em segundos, Hwang era tudo o que restava do esquadrão. Seus ocelotes restavam tombados, aos lamentos, sangue minando de braços e pernas. Sobreviveriam, mas já não eram capazes de empunhar uma arma, que dirá fazer oposição ao assassino de reflexos aparentemente sobre-humanos.

Aproveitando o momento, Anhangá foi até Maiara. Beirando o estado de choque, a professora se encolhia junto à bateria. Anhangá estava sobre ela, acocorado como uma ave de rapina, procurando por algum ferimento em seu corpo.

– Você está bem?

O nervosismo não permitiu que Maiara esboçasse mais do que um aceno, acompanhado de um murmúrio inaudível. Anhangá ergueu a cabeça ligeiramente por sobre a bateria, atento à aproximação do lobo-guará.

Foi quando Maiara viu.

Num primeiro instante, julgou ser uma peça pregada por seus olhos assustados. Fixou a figura, atenta aos detalhes no carmim terrível de pele queimada no braço do assassino. Para surpresa dele, Maiara o segurou pelo pulso, expondo ainda mais o sinal que, naquele breve instante em que ele se levantara, seu velho poncho não conseguiu ocultar.

– A marca do Expurgo...

Peças do quebra-cabeça caíam graciosamente em seus lugares. Maiara enfim compreendia e a sensação a apavorava. A pergunta que viria a seguir era impossível.

– Você esteve em Xibalba? – Sua voz doce coincidiu com mais um trovão explodindo no céu. – Você... conheceu meu pai?

– Sim.

– Ele está vivo? Papai... meu pai está vivo?

– Da última vez que o vi, sim.

Maiara sentiu uma onda de dormência percorrer seu corpo. Atordoada, soltou, sem perceber, o braço de Anhangá. A boca entreaberta recebia a chuva que escorria por sua face, até que conseguiu articular uma única palavra:

– Como?

Então, a voz raivosa de Hwang soou:

– Renda-se, assassino! Reforços estão a caminho, não conseguirá escapar!

– Seu pai é o responsável por eu estar aqui. Ele viu o que eu podia fazer e me escolheu para que trouxesse a mensagem até você. E até eles. – Anhangá apontou para Hwang.

– Qual mensagem? – O barulho da tormenta exigiu que Maiara gritasse.

– Uma revolução está a caminho. Já começou, silenciosa como uma brisa, lá, do outro lado do oceano. Em breve se transformará numa tempestade que varrerá de vez a cortina de mentiras dos nahuá. Mas, quando acontecer, é preciso que também estejam preparados aqui. O décimo quarto baktun se aproxima. A Transição. Seu pai acha que é quando eles vão agir. Precisamos agir antes.

– Mas o que existe lá? – A professora indagou, sem ter certeza de se queria de fato saber. – Em Xibalba?

– Um mundo novo.

Hwang se deslocava. Anhangá podia ouvir seus passos chapinhando nas poças d'água. Ajeitou o chapéu de bambu sobre a cabeça e flexionou o corpo, como uma onça preparando seu ataque.

– Os zonguaneses sabem que é tudo mentira. O que caiu no leste e trouxe a chuva foi outra coisa, não Xibalba. E está passando. Logo, vai faltar energia, a menos que consigam outra fonte. É isso que procuram. Existe uma terra arruinada além do horizonte e eles já estão lá, aliados com a elite nahuá, explorando a energia impregnada no solo, usando os expurgados como mão-de-obra escrava.

Subitamente Maiara lembrou-se dos olhares de resignação naqueles rostos perfurados por brincos de ossos.

– Os Filhos de Palenque, eles também sabem...

– Sempre souberam.

Anhangá colocou sua mão gentilmente sobre o ombro de Maiara e seus olhos se encontraram por entre os filetes de chuva que escorriam do chapéu de bambu. Apesar da indumentária, ele possuía traços tupi-guaranis, como os dela.

– E agora você também sabe.

Seu tempo havia acabado. De súbito, Anhangá saltou sobre a bateria que lhes abrigava. O rodopio de seu corpo fez o velho poncho se abrir, criando com isso uma cortina d'água que confundiu a mira de Hwang. Então, o *miao dao* voou pelo ar, atravessando a chuva num giro veloz, até atingir em cheio a mão do oficial, estraçalhando a pistola que segurava e lhe decepando três dedos. O lobo-guará gritou, até ser silenciado por um violento chute no rosto.

Quando deu por si, Hwang estava com metade do corpo submerso numa poça enlameada. A dor aguda irradiava da mão mutilada e ele sentia algo pequeno e sólido passeando pela massa de sangue em sua boca. Cuspiu pra fora um de seus dentes.

– Tenho um recado para seus superiores. – Anhangá rosnou em seu ouvido.

Os olhos do Oficial Hwang latejavam de ódio, mas não era tolo. Sabia que estava subjugado. De nada adiantaria reagir ou esbravejar, nem mesmo dizer alguma coisa, se sua boca ferida o permitisse.

– Diga-lhes que a vida deles agora é uma indulgência minha. Que agora, eu sou o único deus a quem devem temer. Já viram o que posso fazer. Já perceberam que não há ninguém que eu não consiga alcançar. Vocês deixarão a garota em paz, está me ouvindo? Ela é apenas efeito colateral. Se eu tão somente desconfiar que a importunam de qualquer maneira, não me importa quem seja o responsável, eu matarei você. Você, entendeu? Acene com a cabeça se fui claro o suficiente.

Após um instante de impotência remoendo todo aquele ódio, Hwang obedeceu ao comando de Anhangá.

O assassino aplicou um último safanão no guará antes de se voltar para Maiara.

– Vá embora. Nunca mais volte aqui. Vá agora... A chuva está passando.

Maiara acenou com a cabeça. Seus pés pisavam poças de água e sangue, precisou desviar dos ocelotes caídos para deixar o beco. Antes de partir do palco da batalha sangrenta, a professora deu uma última olhada no cenário diante de si. Oito ocelotes, além de seu Oficial, superados por um único homem. De tudo o que Maiara aprendera nos últimos dois dias, ainda restava a grande indagação: quem era Anhangá, afinal?

Sabia, contudo, que ainda não era o momento de descobrir.

Por ora, precisava confiar nele e, mais do que isso, precisava confiar em seu pai.

Os relatos dos dias seguintes serviram como atestado adicional das mentiras contadas por seus governantes. O informe oficial do Alto Sacerdócio dava conta de que Anhangá não agia sozinho e que, de fato, havia recebido auxílio de mais de uma dúzia de arruaceiros maias. Segundo o comunicado, não fosse a atuação heroica do Oficial de Armas Hwang na Cidade Baixa, a vida daqueles valorosos ocelotes teriam se perdido nas mãos do assassino e de seus novos comparsas.

Aquela era a desculpa perfeita para que, daquele momento em diante, fosse exercida uma opressão ainda maior sobre os Filhos de Palenque. Não poderia ser mais irônico, na verdade, e, nos dias que seguiram, Maiara imaginou se não teria sido aquela a intenção de Anhangá o tempo todo.

Veio à mente a imagem de jovens maias sendo apreendidos, dia após dia, por crimes que não cometeram, sendo condenados à danação no submundo de Xibalba. Em seus corações, no entanto, haveria a certeza de que rumavam não para o castigo imposto por um deus que os traíra, mas para a oportunidade de uma nova revolução.

Um Novo Mundo, onde seu pai os estaria esperando para que, juntos, desvendassem o que talvez fosse o maior dos mistérios, ou a maior das mentiras. Anhangá dissera que seu pai confiava nela para que fosse seus olhos, ouvidos e braços deste lado do oceano.

Mas, afinal, como começar a mudar o mundo?

Pensando bem, começou numa manhã como aquela.

Agora quietos, Luc e seus colegas observam sua professora com olhos ávidos, ansiosos por desvendar o mundo e confiando nela para ajudá-los. Mentes jovens, terreno virgem no qual as mentiras ainda não haviam sido semeadas como ervas daninhas. Solo vivo e fértil.

– Tudo bem, professora? – Um dos pequenos indagou ao perceber seu silêncio.

Maiara sorriu. Ainda se sentia vigiada, dia após dia, mas contava que a ameaça de Anhangá deixaria as forças sinistras da

Guanabara longe o suficiente para que ela pudesse fazer aquilo que sabia fazer melhor.

Ensinar.

Talvez não fosse capaz de mudar o mundo, mas não podia estar num lugar melhor para começar.

Pois as chuvas estão passando.

E o décimo quarto *baktun* se aproxima.

Sol no Coração
Roberta Spindler

ELE ACORDOU COM O APITO INSISTENTE do despertador digital antiquado, que vibrava sobre a mesa de cabeceira. Devagar, sentou na cama, esticou os braços e estalou as articulações. Através da janela ampla que se estendia por quase toda a parede, pôde ver o nascer do sol pintar o céu com vários tons de laranja. No entanto, nem esse belo panorama foi suficiente para aliviar sua inquietação. Suspirando, virou para o lado e fitou a mulher que ainda dormia sob as cobertas.

– Acorde. – Afastou os cabelos negros do rosto dela e sussurrou em seu ouvido. – Está quase na hora.

Ela franziu a testa e se remexeu, sonolenta, murmurando algumas palavras desconexas.

– Vamos. Se perder a luz da manhã, vai ficar fraca.

Com um único puxão, ele afastou o edredom e revelou o corpo esbelto da esposa. Sorriu diante daquela visão e deixou os olhos vagarem pela silhueta bronzeada. A pele tinha a cor de mel e os músculos eram torneados e bem definidos. Aproximou-se mais e a beijou nas costas, bem em cima da maior tatuagem solar que possuía. O gesto pareceu acordá-la, pois ela estremeceu e soltou uma risada abafada.

– Tudo bem, tudo bem. Você venceu. – Sentou na beirada da cama e também olhou para a janela, o céu estava cada vez mais claro. Respirou fundo, como se tomasse coragem para levantar. – Hoje é o grande dia. Está nervoso?

Ele a envolveu com os braços – ambos cobertos por uma espessa linha negra que começava nos pulsos e ia terminar na base do pescoço – e a beijou na nuca.

– Aterrorizado. E você?

Antes de responder, ela fechou os olhos e abaixou a cabeça, deixando-se distrair por aquele breve carinho.

– Não queria acordar. Será que isso responde a sua pergunta?

De mãos dadas, caminharam até a sacada espaçosa e deixaram que a luz do sol banhasse seus corpos nus. De maneira relaxada, ele fechou os olhos e sentiu uma leve descarga elétrica percorrer as várias tatuagens que o cobriam. No mesmo instante, estava bem mais disposto, renovado.

– Você acha que ele vai sentir falta de tomar café da manhã? – Perguntou de maneira tímida, ainda mantendo os olhos cerrados.

– Levando em conta que ele odeia aquele mingau aguado que nós o obrigamos a comer, acho que não. – A esposa respondeu de maneira bem-humorada.

Ele tentou sorrir, o nervosismo o impediu. Aumentou a pressão na mão dela e a observou pelo canto dos olhos.

– Estou com medo, Laura. E se a operação der errado e os implantes não funcionarem? Será que estamos mesmo fazendo a coisa certa?

Laura calou suas perguntas com um longo beijo. Era incrível como a simples presença dela conseguia fazê-lo ignorar os problemas.

– Tente se acalmar, Lúcio. – Ela disse quando se separaram, aparentando segurança. Era sempre tão forte... – Vai dar tudo certo e, em breve, ele vai estar aqui com a gente. O sol vai deixá-lo mais forte, você vai ver.

Depois da necessária uma hora de sol, o casal deixou a varanda. Enquanto Laura foi para o banheiro, Lúcio vestiu uma calça *jeans* e se dirigiu para o quarto do filho. Abriu a porta devagar, com receio de que as dobradiças fizessem barulho, mas acabou encontrando o garotinho já desperto, sentado na cama com as pernas cruzadas.

– Oi papai, bom dia. – O filho cumprimentou com sua voz fina característica. – Já está na hora de ir?

Diante do olhar do filho, Lúcio sentiu um aperto sufocante no peito. *Hoje, posso perdê-lo para sempre.* Obrigou-se a deixar os pensamentos angustiantes de lado e caminhou até a beirada da cama. O sorriso que tinha nos lábios era falso, mas o menino pareceu não notar.

– Ainda temos tempo, Élio. Não precisava ter levantado tão cedo. – Acariciou a cabeça lisa do garoto, completamente desprovida de cabelos, e o carregou com facilidade. Apesar de ter quase sete anos, era uma criança bastante leve e franzina. – Está mesmo tão ansioso para ganhar sua primeira tatuagem?

O menino meneou a cabeça em concordância.

– Quero um sol do coração igual ao seu. – Afirmou, empolgado, apontando para o peito do pai, onde se localizava o seu maior implante. Era um círculo negro, do tamanho de um punho fechado, com retas curtas no exterior. Desde que vira a marca pela primeira vez, Élio ficou fascinado com o seu formato. Não demorou muito para inventar aquele apelido carinhoso.

Lúcio beijou o rosto do filho com ternura.

– Desculpe, mas dessa vez será uma estrela, filho. – O implante estrelado era o mais seguro para crianças e ainda assim, no caso de Élio, já era um risco.

Élio fez uma careta de desaprovação e abraçou o pescoço do pai com mais força.

– Puxa pai, falei para os outros garotos que eu ia ter uma tatuagem muito especial. Estrela todos têm, até mesmo o idiota do Jorge.

Ser o único garoto de sua turma que ainda não havia recebido um implante estava tornando a vida de Élio um pequeno inferno. Lúcio sabia que as crianças podiam ser cruéis, mas tinha que conter a raiva e pedir ao filho para aceitar as provocações passivamente. Às vezes, era doloroso ser pai.

– Opa! O que é isso, Sr. Élio? Sua mãe vai ficar bastante chateada se ouvir você falando essas palavras feias.

O garoto fez um muxoxo inconformado e se desculpou de má vontade. Era doloroso ser um bom filho também.

Depois de darem a sorte de pegar o *Expresso Solaris* praticamente deserto – um dos trens brasileiros mais antigos movidos a energia solar –chegaram ao hospital com meia hora de antecedência. O médico responsável pela cirurgia não demorou a vir cumprimentá-los.

Apareceu com seu tablete sofisticado na mão, acompanhado por duas enfermeiras. Com simpatia, elas conseguiram vencer a desconfiança inicial de Élio e o levaram para o quarto. Ficaram encarregadas de prepará-lo para o procedimento.

Ao se ver sozinha com o cirurgião, Laura não perdeu tempo. Cumprimentou-o com um forte aperto de mão e logo o bombardeou com uma saraivada de perguntas. O homem abriu um sorriso divertido que acabou irritando Lúcio. *Não ria enquanto a vida do meu filho estiver em jogo, seu desgraçado.*

– Entendo a preocupação de vocês, o caso de Élio é bastante especial. O tratamento contra leucemia debilitou seu sistema imunológico, mas não podemos mais adiar o procedimento. Como está impossibilitado de pegar sol, temo que seu corpo não se recupere e fique cada vez mais frágil. – Ele voltou sua atenção para o tablete e passeou com o dedo na tela até encontrar a ficha médica de Élio. Mostrou-a aos pais, como se quisesse comprovar seus argumentos. – No entanto, quero deixar bem claro que minha equipe e eu estamos confiantes. Seu filho é um jovem com muita força de vontade, vamos fazer o possível para que possa voltar a brincar sem medo.

Mesmo entendendo as boas intenções do médico, Lúcio sabia que aquelas palavras eram vazias. Todas as recomendações e diplomas de especialista não tornavam o famoso Doutor Mateus Carvalho capaz de garantir o bem-estar do pequeno Élio. E aquela incerteza estava levando um pai preocupado à loucura. Sentindo um frio incômodo na barriga, decidiu deixar a esposa conversando e se afastou em silêncio.

Com as mãos escondidas nos bolsos, vagou sem rumo pelos corredores do hospital e ficou observando a correria matinal dos funcionários. Acabou parando numa bela sacada localizada no salão de espera do terceiro andar. Ali, vários anos antes, havia uma cafeteria, agora desnecessária para os novos padrões da humanidade.

Em alguns passos, aproximou-se e apoiou as mãos sobre a amurada de concreto. Ficou observando a silhueta da cidade de São Paulo, com seus prédios imensos de vidro espelhado que chegavam a cortar algumas nuvens. Naquele ambiente aberto, as tatuagens solares reagiram quase de imediato e enviaram energia para todas as células de seu corpo. Mesmo assim, não conseguiu se sentir melhor.

Um medo terrível dominou seus pensamentos. Será que não era melhor adiar a cirurgia? Élio já estava quase dois anos atrasado, os implantes seriam mesmo tão necessários? Fitou o sol com um olhar amargurado e o amaldiçoou num sussurro. Fazia quase noventa e sete anos que os implantes eram utilizados e já haviam adquirido o status de autêntica salvação da humanidade. Porém, na opinião de Lúcio, era irônico que os homens dependessem da luz do sol para sobreviver, já que os problemas começaram quando as explosões solares, já absurdamente intensas desde 2214, triplicaram sua força três anos depois.

Pouco a pouco, as lavouras foram morrendo, assim como as pessoas, em sua maioria, vítimas de um câncer de pele devastador. O caos se instalou por completo, todos tinham medo de deixar suas casas, até mesmo durante a noite e por muito pouco a vida no planeta não chegou ao fim. Entretanto, quando tudo parecia perdido, o cientista brasileiro Ricardo Paes Nobre apresentou ao mundo sua criação mais recente: nanomáquinas que podiam reverter os efeitos nocivos dos raios solares no corpo humano, impedindo que causassem queimaduras e tumores.

A revelação da descoberta causou um verdadeiro tumulto. Adquirir a nova tecnologia se tornou um caso de vida ou morte e milhares de pessoas estavam dispostas a gastar todas as suas economias para se tornarem cobaias nos primeiros experimentos. Nem chegaram a saber que a descoberta de Paes Nobre não se limitava a apenas proteger as pessoas dos raios solares. Na verdade, aquela era a sua característica menos impressionante.

Como as frutas e verduras haviam se tornado escassas e os animais também lutavam para sobreviver, o renomado cientista brasileiro buscou uma alternativa que resolvesse de uma vez por todas os problemas que a humanidade enfrentaria, a longo prazo, com a falta de alimentos. Estabeleceu o conceito de *fotonutrição*, algo semelhante ao processo de fotossíntese das plantas.

Aquela descoberta marcou o início de uma nova era e também o enriquecimento do país. O Brasil se tornou referência na fabricação dos implantes solares e, em pouco tempo, já tinha equilibrado sua balança comercial e figurava entre as nações mais importantes do planeta. Ricardo Paes Nobre foi considerado herói da humanidade e ganhou diversos prêmios, além de um cargo importante no governo. Lúcio nunca conseguiu entender muito bem como um sujeito que clamava que seus feitos eram praticados para o bem do planeta tinha conseguido enriquecer tão rápido.

Para algumas pessoas, toda aquela desgraça era apenas uma boa oportunidade de obter vantagens.

Com o passar dos anos, a tecnologia de Paes Nobre foi sofrendo aprimoramentos, graças à ajuda de grupos de pesquisas de outros países. As complexas placas solares – que alimentavam as nanomáquinas injetadas na corrente sanguínea – evoluíram, tornando-se tão pouco invasivas quanto uma tatuagem. Depois de um curto período de adaptação, foram detectadas melhorias na qualidade de vida da população implantada. Elas passaram a viver mais tempo e quase não ficavam doentes. Também já não tinham necessidade de se alimentar e, dependendo do tipo de implante utilizado, podiam ficar longos períodos sem beber água. A noção de que os implantes tornavam seus usuários mais fortes e saudáveis se estabeleceu como unanimidade incontestável.

Mas também é verdade que nós nos tornamos cada vez mais dependentes. Abandonamos hábitos seculares e nos transformamos... Lúcio fez uma careta de desaprovação. *Meu avô morreu com noventa e dois anos, mas agora, para alguém ser considerado idoso, precisa atingir o dobro desta idade. Será que ainda podemos nos considerar humanos ou nos tornamos algo completamente diferente?*

– Finalmente o encontrei. – A voz de Laura interrompeu as divagações do marido. Com passos rápidos, ela se aproximou e o envolveu num abraço apertado. – A cirurgia vai começar daqui a uma hora e meia. O que está fazendo aqui sozinho?

– Eu estava pensando, lembrando o passado. – Ele manteve os olhos fixos nos inúmeros prédios da metrópole paulista. – Quando era criança, antes de ganhar meu primeiro implante, eu tinha um verdadeiro fascínio por pêssegos. Naquela época, ainda conseguíamos encontrar algumas frutas no mercado e eu sempre implorava para que minha mãe comprasse alguns pêssegos, mesmo que fossem muito caros.

Lúcio fez uma pausa e sorriu de maneira triste. Aquelas lembranças sempre despertavam um turbilhão de sentimentos contraditórios.

– Lembro que chorei horrores na véspera da minha operação. Estava tão apavorado com o fato de que nunca mais iria saborear minha comida favorita, que cheguei até a pedir para meu pai desistir do procedimento. É claro que meus apelos foram ignorados por completo. Afinal, o que um garoto de cinco anos entende da vida?

Laura apoiou o queixo no ombro esquerdo do marido e o abraçou com mais força ao sentir algumas lágrimas caírem sobre seus braços.

– O engraçado é que hoje, mesmo que me esforce, não consigo lembrar o gosto do pêssego. Não entendo por que era algo tão importante para mim. – Virou-se para encarar a mulher, tinha o rosto carregado de apreensão. – Não sei, Laura, mas, às vezes, tenho a sensação de que perdi algo muito importante naquele dia. Creio que uma parte de mim se foi quando essa fototatuagem foi gravada em minha pele.

Os dois se encararam por um bom tempo, até que Lúcio teve coragem de revelar o que tanto o afligia.

– Será que, daqui a alguns anos, o Élio não vai se sentir da mesma maneira?

Nenhum dos dois foi capaz de responder aquela última pergunta. Por fim, depois de um silêncio incômodo, Laura virou o rosto e suspirou.

– Você se lembra de quando eu lhe contei sobre a morte do meu irmão mais novo?

– Ele se chamava Sérgio, não é? – Lúcio limpou as lágrimas do rosto, com ar intrigado. – Você nunca falou muito sobre o assunto.

– Ele tinha doze anos quando morreu, e eu quinze. – Ela deu um passo para longe do marido e decidiu também se encostar à amurada da varanda. – Você sabe que a morte dele foi algo que me marcou muito, talvez por esse motivo tenha respeitado o meu silêncio.

Ele abriu a boca para falar, mas ela não permitiu. Continuou seu relato com voz contida.

– Por favor, não diga nada. Quero contar como tudo aconteceu.

Diante da seriedade da esposa, Lúcio se limitou a concordar com um aceno de cabeça apreensivo. Falar sobre a família era um tabu para Laura, por isso achou melhor lhe conceder toda a liberdade que necessitava.

– Nunca contei isso para ninguém, mas o Sérgio morreu por

minha causa. – Ela cruzou os braços com desconforto. – Lembra que uns quinze anos atrás houve aquela explosão solar fortíssima que danificou vários implantes? Pois então, eu e meu irmão fomos afetados. Nunca vou esquecer da dor que senti e dos gritos de desespero de minha mãe...

Comovido, Lúcio tentou confortá-la, mas ela fugiu de seu toque.

– Tudo terminaria bem se meus pais tivessem dinheiro para bancar dois implantes, mas nossa família passava por dificuldades financeiras desde a primeira operação do Sérgio. Por isso, mesmo com a ajuda de amigos e parentes próximos, papai e mamãe só conseguiram o suficiente para um implante. Então, tudo passou a girar em torno de uma única questão. Quem deveria ser salvo, eu ou meu irmão?

Lúcio arregalou os olhos sem saber o que dizer. É claro que conhecia a política de implantes injusta do governo. Muitas pessoas foram abandonadas para morrer por não terem condições de bancar a cirurgia e aquilo sempre o deixou indignado. No entanto, ao ouvir Laura afirmar que passara por tal tragédia, sentiu-se ainda pior.

– Meu Deus, Laura. Por que nunca me contou?

– Porque você tem essas ideias estranhas na cabeça. – A mulher franziu o cenho. – Com certeza iria querer arrumar briga, ou algum tipo de reparação.

Aquelas últimas palavras fizeram Lúcio tremer de raiva. Ele só queria que o mundo fosse um lugar mais justo, que as pessoas pudessem escolher. Por acaso aquilo era ter ideias estranhas? Provando que o conhecia melhor que ninguém, Laura respondeu seus questionamentos sem nem tê-los ouvido.

– Não quero confusão, Lúcio. Por mais dolorosa que tenha sido, a morte de Sérgio ficou no passado. Só decidi me abrir com você agora para deixar uma coisa bem claro.

O olhar que ela lhe endereçou foi tão significativo que toda sua raiva evaporou. Amava a mulher e o filho acima de qualquer coisa e faria de tudo – até mesmo ignorar as próprias convicções – para mantê-los felizes e em segurança.

– Quando meus pais me escolheram no lugar de meu irmão, não tive coragem de perguntar o porquê. Achei que era crueldade demais. Mas enquanto Sérgio definhava e minha família desmoronava, acabei entendendo os motivos deles. – Ela limpou as lágrimas com tanta força que deixou manchas vermelhas no rosto, parecia irritada por demonstrar tamanha emoção. – Eu era a mais forte dos dois. A única capaz de sobreviver àquela tragédia. E foi exatamente isto que eu fiz, eu cumpri o que eles esperavam de mim. Eu...

Naquele momento, ela perdeu a compostura e desatou a chorar. Precisou de alguns instantes para se recompor, mas continuou recusando o conforto do marido.

– Sei qual é a sua opinião sobre essa operação e, de certo modo, até entendo seus receios. No entanto, depois de tudo o que vivi, não posso deixar de achá-lo infantil. – Apontou para o peito dele, bem em cima do seu sol do coração. – Você questiona a validade dos implantes porque nunca foi obrigado a viver sem eles. Sua família era rica, podia pagar por qualquer coisa que o governo oferecesse ou que o maldito Paes Nobre inventasse. Por isto, você não imagina o sofrimento, não tem ideia do desespero.

– Laura, isso é tão injusto! – Ele não conseguiu se controlar. – Convivo com nosso filho todos os dias, é claro que eu sei! Por isso mesmo me questiono se esse é o único jeito!

– Desculpe Lúcio, mas você não sabe. Não sabe mesmo! – Ela hesitou por um momento, talvez medindo as palavras. No entanto, depois de tudo o que já tinha dito, era tarde demais para se censurar. – Você tem uma visão fantasiosa do mundo, ainda acredita que podemos voltar ao que éramos antes. Acorde! Aquela época acabou! Não precisamos mais de comida, não precisamos de pêssegos! Os implantes não são algo do mal, não nos transformaram em monstros. Pelo contrário, eles são a nossa única salvação e já está mais do que na hora de você aceitar isso!

Desnorteado, Lúcio deu alguns passos para trás e se afastou da amurada. As palavras duras da esposa magoaram-no mais do que gostaria de admitir.

– Ao contrário dos meus pais, nós podemos pagar. Temos o poder de fazer nosso filho parar de sofrer. Então, não consigo aceitar essa sua resistência. As chances podem ser mínimas, mas quem você pensa que é para cogitar a possibilidade de negar essa bênção ao nosso filho? O Élio merece essa chance mais do que ninguém!

Para evitar que ela o visse chorar, Lúcio deixou a varanda quase correndo e se perdeu nos corredores do hospital. Reapareceu somente dez minutos antes de Élio ser levado para a sala de operações. De frente para porta do quarto do filho, não sabia o que fazer. Prestes a girar a maçaneta, a mão parou no meio do caminho.

– Você não vai falar com ele? – Laura apareceu às suas contas e o sobressaltou.

Meu deus, mulher, já não chega tudo o que tive que ouvi-la dizer? Devagar e com vergonha de mostrar os olhos avermelhados, ele se virou para encará-la.

– Preferia não ter que dizer nada. Se entrar ali, parece que estou indo me despedir. Não consigo pensar dessa maneira.

– Lúcio, entendo suas preocupações. Droga, eu também me sinto perdida! Mas o Élio só tem sete anos. Ele precisa ouvir que vai ficar tudo bem, ele precisa do pai.

Aquelas palavras o atingiram como um tapa, obrigando-o a despertar. Que espécie de pai abandonava o filho no momento mais importante de sua vida?

Laura levou a mão ao seu rosto e o acariciou. Parecia totalmente recuperada da conversa difícil, o rosto não denunciava sinal algum de que havia chorado. *Como ela consegue?*

– Desculpe se fui muito dura com você. – A voz dela soou delicada. – Com essa situação toda, estou em frangalhos. Acabei descontando minha frustração em você e isto foi errado.

Ele cobriu a mão dela com a sua e a guiou até os lábios.

– Não se desculpe, acho que mereci. Minhas convicções acabaram me cegando para o que realmente importa. – Admitiu envergonhado e finalmente abriu a porta. – Meu filho precisa de mim.

Foram necessárias duas semanas para Élio deixar a UTI e mais uma para que as funcionalidades do implante fossem avaliadas. Depois de se certificar de que o corpo do garoto não havia rejeitado as nanomáquinas e as placas solares, o Doutor Mateus decidiu que era hora de testar o implante num ambiente real. Então, ao meio-dia de uma manhã típica de verão, a equipe médica se concentrou ao redor do garoto e o levou até uma das sacadas do hospital.

Quando foi liberado para deixar a cadeira de rodas, Élio olhou para os pais com apreensão e só se levantou quando recebeu um sorriso incentivador de Laura. A insegurança era normal, mas deixava o clima na varanda ainda mais tenso. Uma enfermeira se aproximou e retirou a camisa branca e os curativos que cobriam o peito do menino, revelando dois triângulos negros que, sobrepostos, formavam uma estrela.

Com uma expressão hesitante, Élio respirou fundo e deu seus primeiros passos em direção ao sol. Não demorou muito e seus olhos se arregalaram.

– Estou vibrando por dentro. – Declarou com uma mistura de medo e euforia. – O calor está se espalhando pelo meu peito!

O Doutor Mateus deu um passo à frente e se ajoelhou para ficar na mesma altura que o garoto.

– Isso é normal, Élio. Você também pode sentir algo parecido com pequenos choques, mas não se preocupe.

O menino anuiu rapidamente e voltou os olhos para o pai. Lúcio prendeu a respiração diante do sorriso que lhe foi endereçado.

– Meu coração bate forte, papai! – Élio colocou a mão sobre o implante. – Já me sinto muito melhor!

Aquela declaração singela gerou uma pequena comemoração por parte da equipe médica. Laura soltou um gritinho de alegria e Mateus sorriu satisfeito. Todos começaram a se cumprimentar com tapinhas nas costas e elogios sinceros, mas Lúcio se manteve distante. Não conseguia desviar os olhos do filho.

Élio parecia mesmerizado. Mantinha os braços bem abertos, como se quisesse abraçar a luz que a cada instante o fortalecia. Seu peito subia e descia enquanto a *fototatuagem* brilhava de maneira discreta. O sorriso que trazia nos lábios era contagiante, mesmo que uma lágrima solitária ainda manchasse o seu rosto pálido. Tudo o que Lúcio mais queria era ir abraçá-lo, mas as primeiras horas de sol eram as mais importantes e não deviam ser interrompidas.

Aliviado, voltou a respirar. Levou as mãos ao rosto e esfregou os olhos cansados. Aquele último mês fora insuportável, mas finalmente acabara. Tudo devia entrar nos eixos agora e Élio poderia levar uma vida normal. No entanto, algo ainda parecia não estar certo.

Sei que tomei a decisão mais sensata, mas...

De repente, Laura tocou em seu ombro e o beijou com euforia. Ele a encarou com expressão surpresa. Mesmo depois do pedido de desculpas, o casal ainda se manteve estremecido. Foi natural, portanto, que se afastassem durante a recuperação de Élio, cada um preso a seus próprios temores. Agora, a esposa parecia disposta a esquecer as desavenças e recomeçar.

– Ainda pensando em pêssegos? – Ela perguntou com um sorriso divertido nos lábios.

Em vez de se ofender com a brincadeira, Lúcio sorriu de volta. Negou com a cabeça e abraçou a mulher amada, beijando-a suavemente na testa. *Chega de discórdias nessa família.*

– Não, nada de pêssegos. – Voltou a olhar para o filho. – Por hora, estar vivo é o suficiente.

Azul Cobalto e o Enigma

Gerson Lodi-Ribeiro

I'll fly a starship
Across the universe divide
And when I reach the other side
I'll find a place to rest my spirit if I can
Perhaps I may become a highwayman again
Or I may simply be a single drop of rain
But I will remain
And I'll be back again
And again and again and again and again...[1]

Jimmy Webb, Highwayman

---

[1] Voarei numa nave
Até o limite do universo
E quando eu chegar do outro lado
Descobrirei um lugar para repousar meu espírito, se puder
Talvez eu possa me tornar um salteador outra vez
Ou talvez eu possa ser apenas uma gota de chuva
Mas sobreviverei
E retornarei
De novo, de novo, de novo e de novo...

1 Lançamento Prematuro

Sob o olhar de aprovação do general grisalho, o sujeito alto dá três passos desajeitados em seu exoesqueleto metálico, até se posicionar sobre o disco brilhante instalado num pedestal elevado no centro do laboratório.

O general abana a cabeça, desalentado. O indivíduo sustentado pelo aparato computadorizado de titânio finge não notar a amargura do superior hierárquico. Mantém a máscara de indiferença cadavérica afivelada no semblante pálido. Até dois anos atrás fizera parte de um comando de elite da inteligência militar.

Antes do acidente.

Agora, quem sabe, se tudo der certo e o projeto for aprovado, não terá uma segunda chance?

Ereto no interior do arcabouço de titânio, vestido em calções sumários, o varapau cerra os maxilares, gira a cabeça com certo esforço para dirigir um olhar inquisitivo ao superior.

– Prossiga. – O general assente ao oficial que permanece hirto sobre o disco. Então fita o cientista corpulento a seu lado, sobrancelhas arqueadas numa interrogação tácita, mas enfática.

– Basta despertar a VIB por comando vocal. – O cientista-chefe do projeto esclarece o óbvio ao comandante da base secreta. – Vamos lá, Aranha.

– Ativar. – O militar tetraplégico subvocaliza o comando padrão.

O sistema de reconhecimento de voz da vestimenta inteligente blindada entoa o acorde indicador de ativação preliminar. O ex-integrante do Serviço Brasileiro de Inteligência ouve através do neurolink implantado no ouvido médio:

"Reconhecimento positivo do conteúdo primário. Informar código de acesso em dez segundos."

Jonas Aranha subvocaliza as três palavras que constituem o código vigente. O implante minúsculo em sua laringe capta as vibrações das cordas vocais e as transmite à vestimenta.

"Código de ativação correto. Reconhecimento vocal e retiniano concluídos. Preparar para ativação."

As bordas do disco vibram e se erguem, dobrando-se para dentro num movimento fluido, até envolver os pés do usuário. Dali se espalham, penetrando exoesqueleto adentro, escalando pernas acima. No início, o diâmetro do círculo metálico permanece inalterado, embora placas e pedaços se desdobrem do corpo principal do disco, escalando e recobrindo o corpo do tenente por dentro do exoesqueleto, como um origami gigantesco às avessas dotado de vida própria.

À medida que as peças do origami sobem pelo corpo inerme do tetraplégico, envolvendo-o e se ajustando umas às outras com perfeição, partes do exoesqueleto se soltam e despencam, tamborilando sobre o pedestal numa cacofonia de clangores estridentes.

– Incrível. – O general murmura ao pé do ouvido do cientista. – Por mais que assista esse processo de ativação, não me acostumo com a volição da armadura...

– Montar o exoesqueleto outra vez é o que costuma dar mais trabalho. Porém, se a vestimenta passar nos testes de hoje, nosso amigo Aranha não precisará mais disso. – O chefe do projeto faz um gesto vago em direção aos componentes de titânio espalhados em torno do pedestal. Esboça um sorriso pensativo ao contemplar o corpo do oficial, agora revestido do pescoço para baixo pelos segmentos auto-ajustáveis da vestimenta. Quatro placas côncavas simétricas emergem do colarinho espesso e se fundem num todo harmônico em torno da cabeça do oficial tetraplégico, gerando uma máscara semelhante a um elmo reluzente nos mesmos matizes prateados do resto do traje metálico. Mal consegue vislumbrar os olhos azuis do usuário fulgindo através das fendas retangulares estreitas. – De todo modo, não faria o menor sentido obrigar o usuário a vestir como roupa comum um traje biocibernético cujo funcionamento se baseia na integração de exércitos de nanobôs. Enfim, logramos êxito absoluto em nos apropriar da ciência pura de Palmares, convertendo-a em legítima tecnologia de ponta brasileira.

– Não esperávamos resultado diverso de sua equipe, meu caro Cabezas. – O general acena, sorridente. – Mesmo assim, confesso que me sinto um bocado orgulhoso de vocês. Finalmente, formulamos uma resposta à altura da suposta arma secreta do inimigo. Um aparato capaz de transformar um operativo incapacitado num supersoldado.

– Arma secreta inimiga cuja existência jamais foi comprovada. – Júlio Cabezas solta uma risada curta.

– Vocês cientistas e suas provas categóricas... – Bem-humorado, o comandante da base cruza os braços sobre o peito repleto de medalhas, algo incongruentes em seu rude uniforme de campanha. – O acúmulo de evidências parece ter convencido a maioria dos nossos analistas.

"Ativação completa." – A vestimenta inteligente sussurra no ouvido do portador. – "Todos os sistemas operam dentro dos parâmetros nominais programados."

– Esse tom prata me parece um tanto ou quanto conspícuo. – O comandante alfineta o cientista. Manobra desviacionista boba para mudar o rumo da conversa. – Os programas de camuflagem já foram realinhados?

– Concluímos os últimos testes hoje de manhã. – Júlio cofia o cavanhaque com ar divertido. – Mostre ao General Heinz, Aranha.

O oficial assente do interior da vestimenta e subvocaliza:

– Camuflagem. Demonstração.

Ante o olhar extasiado do comandante, a armadura escurece aos poucos, até se tornar indistinguível de uma sombra. Após alguns segundos, cambia para o verde com laivos castanhos. Então assume num átimo a cor das areias claras das praias brasileiras e, depois, o azul-esverdeado do oceano. Enfim, estabiliza numa tonalidade cinza, mais fosca e discreta do que o prateado original.

– Excelente, Cabezas. – O general aplica um tapinha amigável nas costas do cientista. – Vocês conseguiram!

– Repare que essas são apenas as opções primárias do modo demonstração. – Júlio gesticula, animado. – Numa missão real, a vestimenta está programada para decidir sozinha que camuflagem assumir, de acordo com as condições reinantes no ambiente à sua volta.

O comandante da base se vira para encarar o tenente na armadura.

– Então, Aranha? Sente-se melhor agora?

– Muito melhor, General. Aqui dentro eu me sinto inteiro outra vez. – Ele subvocaliza para que a vestimenta recolha o elmo. Como que dotado de vontade própria, a VIB assume a coloração azul cobalto e o pontilhado de estrelas douradas característico do pavilhão brasileiro. Com o rosto outra vez visível, sorri ao superior. – Mais inteiro do que antes do acidente. Quase como um super-herói. – Novamente sério, presta uma continência perfeita. – Pronto para voltar à ativa, Senhor.

– Muito bem, Tenente. – O militar mais graduado engole em seco, emocionado. – Bem-vindo de volta à ativa.

Não consegue decidir se deve elogiar o oficial reincorporado pela iniciativa ou admoestá-lo pelo excesso de liberdade com as cores da nação.

Então é isto? Precisamos de um super-herói, um Capitão Cobalto, para enfrentar a Arma Secreta de Palmares?

Preso ao dilema, limita-se a esboçar um sorriso tenso. Suspira fundo e muda de assunto:

– E quanto aos sistemas de energia?

– Além da bateria atômica convencional para geração própria de emergência, de acordo com a última mudança nas especificações, introduzimos uma matriz de batacitores quânticos experimentais, capaz de absorver energia diretamente de reatores de fusão compactos e conversores M-E.

– Esplêndido. – Heinz brinda o operativo envolto em azul cobalto com um olhar fulgurante. Uma vez que, com o apoio das Nações Unidas, Palmares lograra banir da Terra a produção de antimatéria em escala comercial, a absorção direta a partir de um conversor de matéria-energia só se fará necessária no espaço. – Exatamente o que o SBI precisava.

– Só não entendo uma coisa. – Júlio abana a cabeça, intrigado.

– Para que essa insistência em instalar batacitores capazes de extrair energia de conversores?

– Para responder esta questão, talvez seja melhor deixarmos de lado as congratulações e partir logo para o *briefing* da primeira missão de verdade por conta do projeto.

– Primeira missão? – O cientista esboça um sorriso inseguro. – Ao que me consta, ainda não concluímos os últimos testes.

– Calma, Cabezas. – O general apoia a mão no ombro do cientista. – Sob condições normais, é claro que todos nós gostaríamos de prosseguir com as baterias de testes e simulações da armadura, conforme o cronograma aprovado. Porém, infelizmente, a pátria precisa de nós o mais rápido possível e muito longe daqui.

– Como assim, Ivar? – Júlio gira para encarar o amigo de longa data.

– Agentes palmarinos infiltrados voltaram a fazer das suas lá nas luas de Júpiter. O fato em si não constituiria grande novidade, tampouco preocupação direta para nós. Contudo, os últimos informes acenam com a confirmação de uma suspeita terrível: o reaparecimento de um velho conhecido de nossos serviços de inteligência, o tal operativo misterioso de codinome Enigma, cuja existência e real natureza nós dois discutimos há tempos.

– Como mencionei há pouco, a hipótese que atende por esse codinome inventivo e original não passa de especulação. – Júlio cofia o cavanhaque com um sorriso irônico. – Se duvidar, um artifício, uma desculpa capaz de justificar num único golpe magistral a maioria dos nossos malogros dos últimos séculos.

– Especulação ou realidade, o fato é que perdemos três dos nossos melhores agentes tentando combater um adversário impalpável no sistema jupiteriano. O Ministro da Segurança praticamente exigiu que nosso projeto atue no caso, no sentido de contribuir para a... ahn... para a solução desse problema.

– Nos satélites jupiterianos? – Júlio franze o cenho. – O Projeto VIB simplesmente não está preparado para atuar...

– Mais especificamente, na base científica internacional recém-inaugurada sob os auspícios da ONU em Europa. – O gesto abrupto com a mão em forma de cutelo assinala que Heinz não admite discussão. – Se bem me lembro, a vestimenta inteligente blindada foi concebida justamente para lidar com esse tipo de contingência, a citar, o poder superior dos operativos inimigos.

– Não dispomos dos meios necessários para...

– Não se preocupem com os meios. O Ministério da Defesa Espacial liberará a verba necessária.

– Mas, Ivar, a vestimenta ainda não está...

– O que me diz, Aranha? – O comandante da base fita o oficial de queixo quadrado e olhos brilhantes, envolto no belo fulgor azul cobalto estrelado. – Sente-se preparado para se defrontar com o tal Enigma lá em Europa?

– Estou pronto para entrar em ação, General. Obrigado pela prova de confiança. Pode contar comigo.

– Se essa missão é inevitável, – Júlio dá de ombros e acena em direção ao vasto portal retangular montado num dos extremos do laboratório, – vamos ao último teste, então. Revele sua *identidade secreta* ao general.

– Com prazer. – Jonas exibe um sorriso de felicidade antes de subvocalizar à vestimenta. – Trajes civis.

– Perfeito. – Heinz exala um suspiro satisfeito. Ante seus olhos, o tetraplégico envolto na armadura cobalto se transforma num sujeito troncudo e bem-apessoado, cópia fiel do Tenente Jonas Aranha de antes do acidente. Na simulação convincente gerada pela armadura, o militar traja um terno riscado branco e azul de última moda. – Passa pela inspeção visual, tranquilo. No entanto, convém evitar o contato corporal.

– Sem dúvida. – Júlio assente. – Ainda não logramos disfarçar a consistência metálica da VIB.

– Não faz mal. – O general dá de ombros. – Vamos ter que nos virar com o que temos. E quanto aos detectores de metal?

– Mostre a ele. – Júlio gesticula ao tenente.

A versão civil de Aranha ruma em passos rápidos e elásticos até o portal retangular na extremidade do aposento.

"PRESENÇA DE CIRCUITO DE DETECÇÃO DE OBJETOS METÁLICOS." – A VESTIMENTA LHE SUSSURRA AO OUVIDO. – "DEFLETORES INTELIGENTES ATIVADOS."

O portal emite zumbidos e pulsos luminosos intermitentes para indicar a ativação.

Jonas cruza por baixo do dispositivo. O portal permanece silencioso, exceto por um bipe discreto de aprovação. Uma luz verde acende em seu painel de controle.

– Excelente. – Heinz esfrega as mãos. – Esse detector é idêntico aos instalados nas escotilhas de acesso da Base Galileo.

– Então, imagino que o Aranha não vá ter problemas em se passar por um técnico recém-chegado.

– Esta é a ideia. – Heinz encara o cientista com olhar sério. – A armadura dá conta dos raios X. Mas, e quanto aos infravermelhos?

– Ao que nos consta, não há nada desse tipo nas escotilhas da Galileo. – Júlio sorri. – E, uma vez lá dentro, a VIB mapeará a localização dos sensores infravermelhos e produzirá a pseudoassinatura adequada.

– Não são os sensores e as escotilhas que me preocupam. – O general franze o cenho. – Em absoluto.

2 História Oculta de Palmares

– Não fode, Pellê. Não tenho mais tempo para suas pesquisazinhas. – O sujeito gordo de meia-idade gira na poltrona dando as costas ao amigo, pouco mais velho e grisalho, mas em melhor forma física, sentado do outro lado da mesa multifuncional. – Ao contrário de uns e outros, não vivo de direitos autorais. Preciso trabalhar.

– Pô, Fernandes. Julguei que podia contar contigo. – Gilson replica, o tom de voz deliberadamente amistoso no afã de cativar o jornalista. Pelo visto, depois de todos estes anos, ele ainda não esqueceu a desavença que culminou na publicação vitoriosa de *Brasil dos Pés de Barro* em Palmares. – Você é o único em que posso confiar para esse tipo de análise.

– Olha só: não adianta vir com esse papo furado de "em nome dos velhos tempos". Não engulo mais essa porra. – Fernandes gira a poltrona de volta, encarando o amigo com o dedo em riste. – Nem por um caralho vou me meter nessa roubada. Porque, se as tuas suspeitas são infundadas, vai ser uma puta perda de tempo.

– Você está farto de saber que não são infundadas.

– Então é pior ainda. – Fernandes exala um suspiro irritado. – Porque, se o que você suspeita for verdade, aí mesmo é que eu quero estar bem longe quando o pessoal de Palmares vier atrás de você.

– Admito que o levantamento que estou fazendo implica certo risco.

– Vai ser eufemístico assim lá na casa do caralho, Pellê! *Certo risco* é um cara nas minhas condições de saúde comer o que eu como e beber o que eu bebo. Certo risco é atravessar uma rua movimentada depois de virar umas e outras. – Fernandes solta uma risada de desprezo. – Certo risco, o cacete! Aqui se trata de risco certo. Porque, neste caso, como você mesmo gosta de falar, a ordem dos fatores altera o produto.

– Não exagera, Fernandes.

– Exagerar, eu? – O gordo leva a mão espalmada ao peito num gesto dramático estudado. – Quem foi que insistiu para que só tratássemos desta investigação pessoalmente? Você mesmo afirmou que não era seguro trocarmos informações pela Rede.

– Está bem. Confesso que também receio o que pode vir a se abater sobre nós se o serviço secreto de Palmares souber o que descobrimos.

– O que você descobriu. Ou melhor, o que alega ter descoberto. Porque eu, meu caro, não quero ter nada a ver com isto.

– Tarde demais. Você já sabe quase tanto quanto eu a respeito desse festival de mortes misteriosas através dos séculos.

– Pois preferia não ter sabido de nada. – Fernandes murmura baixinho. – Maldita hora em que me procurou para revelar esse punhado de sandices.

– Não são sandices.

– Antes fossem. – Fernandes se remexe desconfortável na poltrona anatômica. – Escuta, cara, você não tem prova alguma. Só um monte de conjecturas vazias. Vamos pôr uma pedra em cima deste assunto...

– Provas, não. Mas possuímos evidências fortíssimas.

O gordo abana a cabeça com cara de quem gostaria de estar noutro sítio qualquer.

Porque, se o amigo velho e colega escritor estiver correto, a História do Brasil nos últimos três séculos e pau terá que ser reescrita.

Por outro lado, é duro de engolir que, desde os tempos das guerras travadas contra os holandeses, Palmares sempre possuiu um método sobrenatural, misterioso e infalível, de exterminar os desafetos portugueses e brasileiros que se colocavam em seu caminho.

Gilson Pellegrino parece intuir por onde andam os pensamentos do amigo ensimesmado, pois reaviva os fatos que o outro teria preferido esquecer:

– Lembra o que te contei sobre a primeira morte misteriosa que descobri?

– Fernão Carrilho, não foi? – Fernandes sente um arrepio. – Trucidado em seu acampamento às vésperas da Traição de Palmares.

– Esse mesmo. Descobri outro relato apócrifo, um documento guardado há mais de três séculos na Torre do Tombo, em Lisboa. Segundo esse relato, o cadáver do Mestre-de-Campo Carrilho teria sido encontrado sem uma única gota de sangue.

– Relato apócrifo, sei.

– De qualquer modo, descobri há poucos dias que o Carrilho não foi a primeira vítima.

– Ah, não?

– Negativo. Encontrei indícios duas sucessões de mortes em circunstâncias misteriosas. Uma delas em Salvador e a outra no Recife, ambas distribuídas até uns poucos anos antes da Guerra da Traição.

– Mortes em circunstâncias estranhas não chegam aos pés do massacre do Fernão Carrilho. Mesmo sem essa besteira de cadáver exangue, o desaparecimento do principal líder militar luso-brasileiro, poucos dias antes daquela batalha crucial à sombra das muralhas do Recife, facilitou um bocado a vida do primeiro Zumbi.

– Mudando um pouco de assunto, lembra aquela história de Diamantina de que te falei? Aquela do tal Capitão Diabo, morto pelo Contratador dos Diamantes?

– O tal que depois se escafedeu para Palmares com armas e bagagem?

– Esse mesmo. João Fernandes de Oliveira, um seu parente. – Gilson arrisca um sorriso. Quando constata que o outro não achou graça, prossegue em tom mais sério. – Sabe que encontrei um retrato falado, na verdade um esboço, do tal Diabo? Um desenho feito à mão por um popular no dia do enforcamento.

– Um desenho?

– Isto. Feito a carvão. Quer dar uma olhada?

Fernandes mordisca o lábio inferior. Abana a cabeça e resfolega antes de assentir a contragosto com um gesto mal-humorado.

– Libera o acesso, então. – Gilson dá três pancadinhas com o indicador no tampo da multifuncional.

Fernandes assente, agora mais enfático, a fim de se fazer entender pelas rotinas do equipamento.

O sujeito grisalho retira um cubo verde minúsculo de um dos múltiplos bolsos das pantalonas e o deposita sobre o tampo da mesa. A superfície negra começa a fulgir com laivos azulados e emite o pio característico da liberação de acesso.

– Capitão Diabo das Geraes. – Gilson resmunga baixinho. Contempla com impaciência os veios violáceos irradiando tampo afora a partir do cubo. Quando nada além disso acontece, explicita: – Esboço do dia da execução em Diamantina.

O rosto de um sujeito de feições grosseiras, vagamente ameríndias, embora não pareça nem de longe tupi, surge flutuante sobre o tampo negro. Um gesto ligeiro da mão esquerda de Gilson e o rosto disforme começa a girar no sentido horário.

À medida que o rosto se volta para o jornalista, esse exala devagar. O esboço retrata um indivíduo horrendo. Olhos gigantescos de íris amareladas e pupilas afiladas como as de um gato. Nariz porcino de narinas dilatadas, erguidas na vertical como um par de grutas escuras; lábios coriáceos; cabelos longos de fios grossos como piaçava.

– Essas cores, a epiderme, os olhos, como foi que seu programa extrapolou a partir de um simples esboço a carvão?

– Rotinas de inteligência artificial, é claro. – Gilson sorri. – Empregaram as descrições do Capitão Diabo coligidas à época para preencher os claros.

– Você não tinha dito que o serviço secreto de Palmares havia suprimido todas as descrições do criminoso?

– Eu me enganei. Ao que parece, o próprio João Fernandes cuidou disso. Só que havia descrições do Capitão Diabo de antes da época de sua captura.

– O cabra é realmente um monstrengo. – Fernandes agora

contempla a nuca do esboço holográfico coberta por pelos espessos à guisa de cabeleira.

– Realmente, além de monstruoso, parece um bocado com a descrição de um indivíduo que andou rondando o porto de Boston década e pouco mais tarde, ou seja, três ou quatro anos antes do começo da Revolução Norte-Americana.

– Vai me dizer que esse teu assassino misterioso andou fazendo das suas na guerra de independência dos ianques?

– Não tenho provas. – Gilson abana as mãos com um sorriso matreiro nos lábios. – Desta vez não há esboço oportuno algum do suposto homicida. Mas, se quiser, peço pro meu simbaac gerar um holo falado a partir das descrições das autoridades policiais da Boston colonial.

– Não precisa. – Fernandes solta uma risadinha de puro nervosismo. – Sei muito bem como esses simbióticos artificiais autoconscientes são espertos em antecipar as expectativas dos portadores...

– Você devia pôr seus preconceitos de lado e começar a portar um. É questão de qualidade de vida.

– Não, obrigado. – Ao sacudir a cabeça, o jornalista logra manter o olhar zangado fixo no semblante descontraído do amigo tecnófilo. *Pellê e suas engenhocas! Imagina se vou me tornar escravo de um conglomerado de rotinas de I.A. metido a besta...* – Tenho até medo de pensar no que os ciberneticistas palmarinos programaram dentro desses simbaacs...

– Já te vi nutrindo desconfiança análoga de outras invenções da Primeira República. – Gilson dá de ombros com um sorriso irônico. – De qualquer modo, lembra aquela tempestade em alto-mar que afundou a maior parte da força britânica enviada para debelar a insurreição no porto de Boston em 1775?

– Posso não portar esses simbióticos inteligentes, mas fique sabendo que eu tomo minhas doses de enzimas mnemônicas direitinho. – Fernandes lança um olhar desconfiado ao amigo. – Vamos lá, o que tem o naufrágio daquela força-tarefa a ver com os teus pretensos homicídios misteriosos patrocinados pelo serviço secreto de Palmares? Ao que eu saiba, não havia luso-brasileiros a bordo daqueles navios britânicos.

– De fato, suponho que não houvesse. Havia, porém, um interesse inegável por parte da elite palmarina em fomentar movimentos separatistas na América.

– Ninguém ignora esse interesse. O que não implica afirmar que agentes ou forças sobrenaturais da República tenham provocado aqueles naufrágios.

– E se eu te dissesse que o teu contraparente, o João Fernandes, esteve em Filadélfia poucas semanas antes daqueles naufrágios fatídicos?

– Eu responderia que não se trata de mera coincidência. – O jornalista exibe um sorriso inocente. – Afinal, sabemos que Palmares estava negociando o fornecimento de armas e munição aos rebeldes. Outrossim, sabemos que, ao fim da vida, João Fernandes se tornou uma espécie de diplomata informal de Palmares.

– Está bem. E se eu te dissesse que não houve tempestade alguma na noite dos naufrágios? Pode checar carregando as condições meteorológicas de todos os dias anteriores e posteriores em regiões próximas e distantes da Baía de Massachusetts. Daí, é só pedir para os seus sistemas interpolarem os dados numa simulação climática de curto prazo. Não houve tempestade. – Gilson entrelaça os dedos sobre o tampo da multifuncional. No fundo, sabe que o amigo, tecnófobo empedernido, não aceitará essa sugestão. – Se duvidar, tudo não passou de uma desculpa dos britânicos para justificar o motivo real dos sinistros.

– Vá lá, Pellê. E que motivo seria este?

– Não sei ao certo. Mas não afasto a possibilidade de uma intervenção naval palmarina.

– Contra a *Royal Navy*? – Fernandes solta um assovio e arqueia a sobrancelha em modo teatral para enfatizar descrença. – Os caras detinham o maior poder naval da época. Palmares não possuía nem de longe os meios flutuantes necessários para lhes fazer frente.

– Talvez não fosse preciso tantos navios assim.

– Tudo bem. Você é que serviu na Marinha, não eu. – O jornalista dirige uma piscadela divertida ao interlocutor.

– Estou falando sério. – Gilson fita o teto com ar pensativo. – Só um ou dois navios, com tripulantes dotados de poderes sobre-humanos.

– Lá vem você de novo. – Fernandes brinda o amigo com seu melhor sorriso de condescendência. – Que bruta obsessão, heim!

– Há ocasiões em que me pergunto se em vez de vários agentes com poderes sobre-humanos, não estaríamos lidando com um único indivíduo...

– Impossível. Segundo suas próprias pesquisas, os homicídios misteriosos se estenderam por mais de trezentos anos.

– É verdade. – Gilson assente com semblante intrigado. – No entanto, o *modus operandi* é quase sempre o mesmo e as poucas descrições, espalhadas por diversos países e centenas de anos, coincidem entre si.

– Não está, por acaso, insinuando que estaríamos diante de um assassino imortal, está?

– Confesso que esta tem sido uma das minhas hipóteses de trabalho. – Gilson abana a cabeça. – Uma hipótese de tirar o sono.

– Você está ainda mais biruta do que imaginei.

– Pois é, meu amigo. – O sujeito grisalho dirige um olhar desafiador ao gordo. – Justamente para verificar se estou ficando louco ou não é que vim lhe pedir uma mão. Preciso que analise os dados que coligi nos últimos meses e as correlações e hipóteses que estabeleci entre esses dados.

– Não quero participar disso.

– Mas você analisou a batelada de dados anterior.

– E me arrependi amargamente daquela análise. – Fernandes encara o amigo com olhar apreensivo. – Você não foi o único a perder o sono. Até hoje tenho pesadelos com suas conclusões.

– Você é a única pessoa a quem posso recorrer.

– Tudo bem. Confesso que me senti abismado com suas conclusões. – O jornalista sacode as mãos, contrariado. – Mas permanece o fato incontestável de que você não dispõe de prova alguma.

– Peço que me ajude a encontrá-las.

– Não, Pellê. Desta vez, não.

– Mas, por quê?

Fernandes libera um suspiro profundo antes de responder:

– Porque eu tenho medo. – Ele ergue a mão para sustar a réplica do outro. – Medo do que acontecerá conosco se essa história toda se configurar em fatos concretos.

– Olha só, Fernandes, eu também sinto medo. – Gilson encara o amigo com olhar franco. – Mas preciso saber. – Ante a falta de reação do interlocutor, propõe à guisa de última cartada. – Vamos combinar o seguinte, então: se minhas piores suspeitas se confirmarem, só divulgamos os resultados do nosso estudo se nós dois concordarmos quanto aos termos dessa divulgação, o.k.?

– E você vai resistir à tentação de pôr a boca no trombone?

– Tem a minha palavra.

Carlos Fernandes fita o velho amigo nos olhos. Não responde de imediato e, quando enfim o faz, não dá o braço a torcer:

– Você não vai mesmo me deixar em paz enquanto eu não concordar em lhe ajudar nesta maluquice, não é?

– Não é maluquice e, no fundo, você também quer saber a verdade.

O pior é que o Pellê estava certo.

Primeiro, Fernandes verificou a consistência das informações armazenadas no cubo verde cedido pelo amigo.

Do jeito mais discreto possível, seguiu os passos do escritor renomado, obtendo, grosso modo, os mesmos dados e fatos.

Depois, o trabalho de correlação. Como não dispunha do talento e da paciência necessários para empreender a tarefa sozinho, recorreu à intrarrede da *Voz da Manhã*, agência telejornalística para a qual trabalha. Lógico que adotou todas as salvaguardas de sigilo possíveis e imagináveis. Porque, neste quesito, é tão paranoico quanto o amigo velho. Nutre convicção arraigada que o serviço de inteligência de Palmares é capaz de se infiltrar em qualquer lugar onde exista uma rede pessoal, pública ou privada, de maneira que todo cuidado é pouco.

Quando o programa-gerente da multifuncional anunciou a conclusão da tarefa de processamento e exibiu os resultados, Fernandes ficou de cabelos em pé.

Além dos eventos elencados pelo amigo escritor em ocasiões anteriores, ainda mais esta: de acordo com as memórias de Sir Abraham Stoker, um índio disforme, associado à embaixada de Palmares em Londres o teria influenciado na escrita de sua obra-prima, *Drácula.*

– O filho-da-puta do Pellê estava certo!

Assustado, determina à multifunc:

– Me conecta ao Pellê.

O programa bem que tentou cumprir a ordem. Tentou cumpri-la

por setenta e duas horas, até comunicar, para desespero de seu usuário, que Gilson Pellegrino não estava conectado à Rede.

– Pellê desconectado? Nem que a vaca tussa! A não ser que...

Não. Melhor nem pensar nisto!

Agora que descobriu que tudo que Pellê suspeitara é verdade e que Palmares, muito provavelmente, dispõe de um agente secreto superpoderoso e imortal, não consegue contatar o amigo.

Paradeiro ignorado.

Sente-se apavorado. Sozinho diante de uma ameaça velada insondável. *Apavorado, não. Assustado.*

Apavorado mesmo, fica quando determina que o simbaac de Pellê não fizera conexão alguma nas últimas duas semanas.

3 Manobras evasivas

Para alcançar a órbita de Júpiter em tempo recorde, Jonas Aranha embarca num veículo não tripulado de aceleração elevada. Com seu conversor repleto de antimatéria, a *Fulgurante* é capaz de manter uma aceleração constante de 25 m/s^2. Embora projetada como nave não tripulada para conduzir cargas de alta prioridade ao Sistema Solar Exterior, ela possui uma cabine individual minúscula e até um aparato de manutenção de vida escamoteado em seus propulsores secundários. Claro que um tripulante ou passageiro comum não suportaria uma aceleração 150% superior à da gravidade terrestre por demasiado tempo. Tampouco sobreviveria incólume à radiação emanada das colisões próton-antipróton do conversor M-E, pois a blindagem do aniquilador de matéria fora reduzida ao mínimo indispensável, no intuito de otimizar o desempenho da nave e aumentar sua capacidade de carga útil. Contudo, a aceleração elevada e a radiação ionizante não constituem riscos insuperáveis para o portador de uma vestimenta inteligente blindada.

Ao contrário da maioria dos transportes não tripulados, veleiros espaciais gigantescos que vogam devagar da órbita da Terra para o Exterior, levando meses ou anos a fio até atingirem seus destinos finais, um veículo de aceleração elevada – pelo fato de denotar urgência – chama atenção. Por isto, não convém que Jonas chegue a

Europa a bordo de uma nave dessa classe. Ainda mais, uma nave que consta como não tripulada. Daí, a necessidade de realizar baldeação numa estação orbital discreta de Io, embarcando dali como passageiro normal para Europa.

Atado em seu leito para evitar que um movimento brusco espúrio o arremessasse camarote afora, Jonas Aranha lança um olhar intrigado ao holograma de Júpiter que gira vagaroso no teto do compartimento. Esboça um sorriso. Mesmo nesta aceleração gravitacional inferior à lunar, jazeria inerme, não fosse a proteção da vestimenta.

Uma semana em Galileo e nem sinal do adversário misterioso. O pior de tudo é a sensação de que o tal Enigma, seja quem for ou o que for, soube de sua vinda. Caso contrário, como explicar que houvesse desaparecido ou, hipótese alarmante, se ocultado, indetectável aos sensores de sua VIB?

O mais provável é que Enigma tenha se evadido da base científica internacional para outro sítio qualquer de Europa. Jonas não exclui sequer a possibilidade de o adversário ter subido para uma das três estações orbitais do satélite. Embora os registros de lançamento não indiquem partidas de veículos tripulados após sua chegada procedente de Io na *Oswaldo Cruz*, é possível que a inteligência palmarina disponha de naves não registradas. Não pretende incidir no velho erro ingênuo de subestimar o engenho do inimigo, responsável por boa parte dos malogros da história militar brasileira.

Tanta correria – a viagem da órbita terrestre até Júpiter efetuada numa aceleração superior a duas gravidades, proporcionada pelos novos conversores M-E e apenas suportável com o sistema de compensação da VIB ativado ao máximo – para nada.

É quase como se esse Enigma houvesse intuído minha chegada iminente... De todo modo, pelo menos não houve mais baixas entre os operativos do Serviço desde então.

O agente mais graduado, Vitor Machado, ingressa no camarote que compartilha com Aranha. Com patente equivalente a de major, Machado é um dos três operativos sobreviventes às incursões do Enigma e o único informado sobre a missão e os recursos do Tenente Aranha.

– Confirmado. – Machado para diante do outro e murmura com voz rouca. – Todos os 212 palmarinos residentes em Galileo são seres humanos normais.

– Portanto, ao que saibamos, não se qualificam como o Enigma. – Jonas se desata, ergue o tronco e se senta no leito para encarar o superior hierárquico. *E se, ao contrário do que a Inteligência vem afirmando há décadas, o adversário for apenas um humano normal, um sujeito cujos poderes extraordinários são proporcionados por uma armadura semelhante à VIB? Não conseguiríamos detectá-lo quando estivesse fora da concha...*

– Seguindo a recomendação do comando do Serviço, verifiquei os perfis tomográficos dos outros 397 estrangeiros.

– Também são normais. – Ante a expressão sombria do superior, Aranha conclui, desanimado.

– Exato. Por conta própria, chequei os 59 cidadãos brasileiros residentes na base. Como você já deve imaginar, eles são exatamente quem pensamos que eram.

– Enigma deixou a base.

– Como? – Machado franze a testa morena. – Verificamos todos os lançamentos anteriores à chegada da *Oswaldo Cruz*. Nossos agentes em outras bases de Europa e nos outros satélites verificaram as identidades de todos os estrangeiros que chegaram vindos daqui. Temos praticamente certeza de que Enigma não deixou a Galileo dessa maneira.

– E se ele usou um veículo de superfície?

– Possível, mas pouco provável. Os tratores pressurizados disponíveis aqui possuem autonomia de duzentos quilômetros e a estação mais próxima dista mais do que o triplo disso.

– Além do mais, é um mero posto de mineração de orgânicos do Consórcio Asiático. – Aranha assente ao superior. – Só há cinco residentes por lá.

– A não ser que nosso adversário esteja em algum lugar lá fora.

– Quer dizer, no exterior?

– Ou isto, ou num abrigo improvisado próximo à base.

– Podíamos lançar um punhado de microssondas para checar esta... – Aranha se interrompe ao lembrar o óbvio. – Não. Os sistemas de detecção das sondas interfeririam nos equipamentos que as diversas equipes científicas espalharam ao redor da Galileo.

– Pois é. – Machado cerra os maxilares antes de propor em voz baixa. – Você seria capaz de explorar as cercanias da base sem perturbar as experiências em andamento lá fora?

– É possível. A vestimenta possui circuitos de camuflagem sofisticados. Foi projetada com o propósito de ser praticamente indetectável.

– Talvez valha a pena empreender uma busca, então.

Um novo habitat para o Povo Verdadeiro. *Quem diria? Um filho-da-noite sob a luz de Júpiter...* Um planeta virgem inteirinho só para ele!

Jamais imaginara que o Ébano confiasse tanto em si a ponto de autorizá-lo a deixar a Terra, planeta ao qual seus antepassados se referiam como "Mundo Mortal". Muito menos para Europa, a fronteira científica mais empolgante do Sistema Solar.

Seus aliados palmarinos são engenhosos, cumpre reconhecer. Afinal, deve à ciência da Primeira República não apenas a própria existência, mas, sobretudo, a oportunidade de explorar este mundo de beleza exótica. Um satélite dotado de vida alienígena, conquanto microscópica e, em geral, selada sob camadas de dezenas de quilômetros de gelo mais sólido do que qualquer rocha terrestre.

Contudo, ali em Falha Aurora, essas dezenas de quilômetros se reduzem a pouco mais de cem metros. Por isto Galileo foi erigida neste sítio. Por isto, as prospecções científicas de uma humanidade ávida por encontrar vida alienígena multicelular se concentram ao redor da estação científica internacional.

O filho-da-noite externa as garras das mãos enormes com um sorriso satisfeito nos lábios coriáceos. Uma pessoa normal – um vida-curta – morreria em segundos ali fora sem um traje espacial hermeticamente selado e um sistema de manutenção de vida eficiente. O problema é que trajes espaciais podem ser rastreados à distância. Porém, no que lhe tange, basta esta roupa isolante e o tanque de oxigênio compacto para lhe proporcionar algum conforto, embora possa subsistir sem esses luxos, se a missão assim o exigir.

Relembra a si próprio que não deve se referir às pessoas comuns como "vidas-curtas". De acordo com os ensinamentos do Ancião, quando entre humanos, não deve sequer se pensar como "filho-da-noite" ou membro do "Povo Verdadeiro". Deve se esforçar para pensar em si mesmo tão somente como um agente privilegiado da Primeira República. Pois os humanos desta época esclarecida são sensíveis e deveras suscetíveis, além de demasiado ardilosos. Neste último quesito, os mestres palmarinos costumam ser ainda mais ardilosos do que os outros humanos. Daí, não convém descartar a hipótese de que seus sábios disponham de recursos secretos capazes de intuir, a partir de indícios minúsculos, seus pensamentos mais íntimos e a forma como considera seus colaboradores e antagonistas.

Músculos retesados, gira o braço esquerdo num movimento célere, afundando as garras afiadas no gelo aquoso duro como pedra. Atinge o controle do esquife meio metro abaixo da superfície. Uma vez ativada, a pilha atômica do dispositivo aquece o habitáculo, sublimando o gelo em vapor d'água.

Se lhe coubesse decidir, teria preferido permanecer em Galileo e enfrentar o inimigo brasileiro. No entanto, as determinações do Ébano foram inequívocas e, como sempre, inflexíveis. Deve manter o segredo de sua existência protegido do operativo especial enviado pelo Serviço Brasileiro de Inteligência. Cumprirá a ordem, não obstante a convicção de que seria capaz de derrotar o oponente em Europa ou na Terra.

Contrafeito, acomoda-se no esquife, cerra as pálpebras e se prepara para hibernar por alguns dias. Em seu íntimo, independente dos postulados do Caminho da Cautela e da doutrina que lhe fora inculcada pelo Círculo de Ébano, sufoca a impressão de que não há honra alguma nessa estratégia evasiva.

4 Duelo à Luz de Júpiter

Jonas percorre as cercanias de Galileo em círculos concêntricos de diâmetro crescente. A patrulha prossegue há horas. Sem resultados.

Não é que não haja rastros, trilhas e pegadas no entorno da base.

Muito pelo contrário. Evidências das perambulações dos cientistas e de seus tratores pressurizados abundam nas vizinhanças. Conquanto a maior parte das instalações da base seja subterrânea, os inúmeros sensores e equipamentos plantados na superfície que circunda à Falha Aurora exigem a presença ocasional dos residentes, bem como de seus robôs e veículos.

Quando o Sol passa do zênite na região, há ocasiões em que um sereno tênue de metano se condensa a partir da atmosfera residual de Europa. Nada que se compare às chuvas metânicas de Titã. No entanto, o bastante para apagar as trilhas e pegadas, fazendo com que a planície adjacente à falha recobrasse por algumas horas o aspecto liso imaculado, prevalente antes da chegada das primeiras expedições tripuladas.

Para bem e para mal, não orvalhava metano há dias. Portanto, é a profusão de pistas e não sua ausência que confunde os sensores de sua VIB. Numa temperatura da ordem de 70 graus absolutos, o rastreador infravermelho se revelava inútil. Em modo passivo – para não interferir nos instrumentos científicos – os detectores de metais e de radiação eletromagnética se manteriam inertes, exceto se lograsse passar perto do acesso ao eventual covil do adversário. Em condições tão adversas, só descobrirá o paradeiro do Enigma num golpe de sorte extremamente improvável.

Desalentado, aumenta uma vez mais o diâmetro do círculo concêntrico que teima em percorrer ao redor da base. Sob regência do gerente da VIB, os diversos sensores ativos da armadura se desabilitam automaticamente em intervalos imprevisíveis, sempre que Jonas passa demasiado perto de algum instrumento de observação mais sensível. Se por um lado as desabilitações tranquilizam o operativo brasileiro, ao confirmar que ele permanece indetectável, por outro, essa *cegueira* intermitente perturba a estratégia que tentava implementar em sua patrulha.

Quando completa seis horas no exterior, decide abortar a missão. Embora não descarte inteiramente a hipótese de Enigma estar oculto algures na vizinhança da Galileo, conclui que será quase impossível encontrá-lo.

Na caminhada rumo à escotilha de acesso mais próxima da cidadela, quando dista menos de cinquenta metros da casamata de gelo aquoso que abriga a escotilha, seu detector de metal primário libera um pio agudo. Em seguida, o localizador projeta uma seta verde animada em seu campo visual para indicar a direção. Então, o gerente conjura o holograma de um paralelepípedo encerrado no gelo. Segundo os indicadores, o compartimento dista seis metros avante e jaz a menos de um metro de profundidade.

Não é um acesso. Aparentemente, trata-se de um abrigo estanque autocontido.

Ergue a mão direita e subvocaliza a ativação do termolaser. Invisível à visão humana, mas não aos sensores da VIB, o jato coerente emerge de sua palma aberta, banhando a camada de gelo que reveste o paralelepípedo. Em questão de segundos, o gelo começa a borbulhar, evaporando por sublimação sem se transformar em água. A nuvem de vapor resultante precipita como neve esbranquiçada ao redor daquilo que, com seus sentidos ampliados, julga ser uma porta hermética retangular.

Antes da porta do abrigo se tornar visível a olho nu, uma explosão silenciosa lança-a para cima numa nuvem densa que se expande e então se derrama como gotículas de oxigênio líquido, enquanto o nitrogênio ali presente se mantém gasoso.

Através dos sensores, Jonas vê o vulto brilhante se erguer de um salto dentro da nuvem, um borrão insuportavelmente quente no infravermelho.

O gerente da VIB superpõe um "310 K" pulsante em verde intermitente ao vulto que se desloca na nuvem agora em franca dissolução.

Um ser humano. Enigma!

A temperatura do vulto despenca à medida que ele avança em sua direção.

Assustado, conclui que o sujeito não veste traje espacial, tampouco capacete, mas apenas uma roupa isolante flexível e uma máscara de alpinista. Calça botas extremamente largas. Plenamente visível agora, Enigma se apresenta como um indivíduo troncudo, de estatura mediana e mãos grandes.

Ele está com as mãos nuas!

Neste instante, atina que todos os exageros que o Serviço lhe doutrinou sobre o Enigma não chegam aos pés da verdade. *Porque, se esse cara consegue manter as mãos descobertas a 80 graus absolutos sem perdê-las por congelamento instantâneo, ele simplesmente não é humano...*

Como que para corroborar esta conclusão, o adversário ergue as mãos à altura da face e externa garras curvas enormes que fulgem amareladas sob a luz clara de Júpiter cheio.

Enigma salta de garras estendidas. Um ser humano normal teria sucumbido, trespassado pelo ataque feroz. Com a agilidade proporcionada pela VIB, Jonas se limita a dar um passo elegante para o lado no último instante possível. O oponente passa direto sem atingi-lo e agora precisa consumir segundos preciosos para recobrar o equilíbrio nesta gravidade tipicamente lunar.

Pouco disposto a assumir riscos, o brasileiro lança um pulso laser pela palma da mão. Erra o alvo, pois Enigma parece antecipar sua intenção e se desvia, movendo-se ainda mais rápido do que as estimativas dos analistas do Serviço, não obstante a gravitação reduzida. Faz nova tentativa quando o adversário investe em linha reta contra si e logra alvejá-lo desta vez.

A potência desse segundo pulso devia ser suficiente para matar um astronauta sob a blindagem de seu traje espacial. Enigma não porta traje. Ainda assim, embora acometido por um tremor intenso, mantém-se de pé e avançando.

No segundo seguinte o agente palmarino está parado diante de Jonas e desfere um golpe violento com as garras da mão direita. O brasileiro salta outra vez para o lado, de forma a se desviar do ataque. Só que agora Enigma lhe antecipa a finta e golpeia simultaneamente com a esquerda cruzada do lado oposto.

O impacto tremendo desequilibra Jonas, fazendo-o cair sentado e deslizar gelo afora, até parar a doze metros do oponente.

Enigma avança em zigue-zague, no intuito de evitar outro pulso laser.

Jonas sacode a cabeça para se livrar do torpor. Ouve a VIB lhe sussurrar ao ouvido:

"Microperfurações na blindagem externa em quatro pontos distintos."

Impossível! Com todas essas camadas de plastiaço flexível, nem mesmo garras de titânio seriam capazes de...

"Estanquidade marginalmente comprometida. Reparos nanobóticos em andamento."

O brasileiro se debate, lutando para se erguer ante o oponente que o aguarda, cavalheiresco, de garras em riste.

"O conteúdo primário não corre risco imediato de sufocar."

Ao menos, isto!

Enfim de pé, logra aparar o golpe do inimigo com o antebraço esquerdo. Os dedos da mão direita se cerram como tornos ao redor do pulso esquerdo do adversário quando esse, com garras distendidas, parecia prestes a desfechar a investida mortal contra seu capacete.

Os dois lutam aos tropeções durante longos segundos, forcejando para prevalecer sobre o gelo escorregadio.

"Amplificação muscular exigida em 62%." – A VIB informa. – "Nas condições atuais, a potência máxima disponível é de 83%."

– Ativar potência máxima. – Jonas vocifera, fitando as garras afiadas que se aproximam centímetro a centímetro de seu elmo. – Agora!

"Potência máxima disponível por 23 segundos."

Consegue deter o avanço das garras mortíferas, afinal. Recua a mão esquerda e então a utiliza para atingir o tórax do inimigo com um safanão.

Enigma desliza para trás. Jonas larga o pulso do adversário bem a tempo de não ser rebocado pelo impulso do outro. Concentra seus esforços em manter o equilíbrio precário sobre o gelo traiçoeiro nesta gravitação diminuta.

Sem que o brasileiro se manifeste, a VIB ativa o disparador laser em modo de espera. Quando Enigma cai de joelhos a quase dez metros de distância, Jonas o visualiza como um alvo pulsante em azul no visor do capacete. Abaixo do vulto brilhante que forceja para se levantar, ele lê: Potência de emergência disponível para disparo em fluxo contínuo.

Quando ergue o antebraço para disparar, o inimigo já saltou sobre si com garras estendidas nas duas mãos.

O disparo o atinge em pleno ar. Mais forte e duradouro do que os anteriores.

Jonas se agacha no último milissegundo e o contendor passa centímetros acima da sua cabeça para aterrar oito metros atrás de si. O brasileiro levanta dum salto. Ignora o silvo indicador dos batacitores em reserva e o pio de sobrecarga do laser da mão direita, avançando para engajar contra o oponente.

No entanto, Enigma permanece imóvel. Seu corpo jaz estirado ao comprido no sítio onde aterrou.

O brasileiro se aproxima com passos cautelosos. Varre o adversário inerte com sua pletora de sensores ativos. *Fodam-se os instrumentos da Galileo!*

Para ao lado do cadáver de Enigma. Por pouco não foi derrotado nesta planície hostil.

Então observa a presença de sinais vitais no cadáver. Fracos, mas inegáveis.

Está vivo! Órgãos e tecidos calcinados... Mas, ainda assim...

"ANÁLISE METABÓLICA PRELIMINAR DO AGENTE PALMARINO INDICA PROCESSO DE REGENERAÇÃO CELULAR ACELERADO EM CURSO NOS SISTEMAS NERVOSO E MOTOR. PULSAÇÃO E CONSUMO DE OXIGÊNIO APRESENTAM ELEVAÇÕES DIMINUTAS, PORÉM SIGNIFICATIVAS."

Os pesquisadores do SBI estavam corretos o tempo todo, afinal. Enigma possui capacidades de regeneração extraordinárias. Não espanta os relatos passados insistirem tanto no fato de que não podia ser morto...

Mas Jonas fora adestrado para lidar com esse tipo de contingência. Sabe o que é preciso fazer.

Num gesto decidido, arranca os dutos de respiração da máscara do adversário.

"PROCESSO DE REGENERAÇÃO ACELERADO DO AGENTE INTERROMPIDO." – A VIB INFORMA EM TOM SATISFEITO.

Jonas suspira fundo. Adoraria levar Enigma, vivo ou morto, de volta para Galileo e dali arranjar um meio de contrabandear seu corpo valioso para a Terra. Infelizmente, o plano é arriscado demais. A base científica está infiltrada de operativos palmarinos dispostos a lutar como loucos para evitar que o Brasil conquiste esse troféu de guerra, a presa que o Serviço sonhara capturar há décadas e que sempre deslizou por entre seus dedos. Até agora.

Porque existe um meio de conduzir o despojo em segurança para a Terra. Um método seguro de fazer o SBI desvendar os segredos do metabolismo fantástico do Enigma.

Jonas Aranha esboça um sorriso impiedoso dentro do capacete. *Quem disse que o Serviço precisa do corpo inteiro?* Cogita se a cabeça contém informação suficiente. Afinal, o que os analistas não lograrem obter dos tecidos cerebrais, descobrirão através de exames do material genético do Enigma. *Sim, a cabeça deve bastar.*

5 Visita do Homem de Preto

Quando Pellê sumiu do mapa há dois meses, Fernandes teve certeza de que estava ferrado. Nunca mais teve notícias do amigo. Desapareceu do apartamento sem deixar rastros. Não tem mais acessado sua conta universal e tampouco a Rede. Seu simbaac não pode ser rastreado. O simbiótico autoconsciente está fora de linha ou, quem sabe, destruído. Porque até uma zebra tecnofóbica como ele sabe que portador algum em sã consciência desativa seu simbaac. Em seu íntimo, teme o pior.

Por que é que eu tive que meter minha mão nesta cumbuca?

Apreensivo como sempre nos últimos tempos, duas horas após o término do expediente na redação, já tarde da noite, ele se prepara para encerrar seu escritório virtual. Enfim, o velho hábito de trabalhar em casa – uma residência confortável de dois pavimentos no Horto – acabou revelando-se sensato ante as circunstâncias. Pelo menos, desde que começou a temer pela própria vida. Afinal, como todo bom paranoico que se preza, possui a última palavra em termos de aparato de segurança e, portanto, sente-se bem mais protegido em casa do que na sede da *Voz da Manhã*. Qualquer tentativa de violar o perímetro defensivo da residência fará soar um alarme na delegacia policial da Gávea. Daí, se o pior acontecer, Fernandes sabe que basta manter a calma, rumar bem rápido para seu quarto do pânico blindado e permanecer abrigado ali no aguardo das forças da lei.

É por isto tudo que, sozinho em sua casa espaçosa nesta madrugada tépida de verão, sente um arrepio de pavor ao ouvir uma voz grave cumprimentá-lo em seu estúdio:

– Boa noite, Cidadão Fernandes. – O sujeito alto, alourado e de olhos azuis brilhantes, materializa-se aboletado na poltrona do outro lado da multifunc. Abre um sorriso que pretende tranquilizador.

– Trabalhando até tarde outra vez?

Palmares me encontrou! É ele, o facínora imortal... Veio para me impedir de revelar sua existência...

– Como... como entrou aqui? – Fernandes balbucia esfregando os olhos, sem acreditar plenamente na aparição.

O grandalhão apareceu do nada! Fita a porta do estúdio por desencargo de consciência, confirmando que permanece selada. Os alarmes não soaram. Um toque nervoso com a ponta do indicador e a multifunc o informa de que o complexo anti-invasão continua ativo.

Por outro lado, esse sujeito não guarda a menor semelhança com aquele índio de feições horrendas.

– Pela porta principal, é lógico. Quando você saiu para o pomar para verificar o serviço do robô-jardineiro.

– Mas isto foi ontem de manhã...

– Dezoito horas atrás.

– Impossível. Os sensores da casa teriam apitado. Meu gerente doméstico possui rotinas avançadas de...

– Reprogramei seu gerente para me ignorar.

Dezoito horas na presença da morte certa e eu nem aí...

– Quem é você?

– Pode me chamar de Aranha.

Fernandes contempla o sujeito de expressão jovial. Melhor seria se possuísse cara de poucos amigos. *Detesto assassinos amistosos!* O terno negro impecável do invasor lhe inspira receio.

Refestelado na poltrona anatômica, inteiramente à vontade, o homem de preto esquadrinha cada milímetro quadrado do semblante pálido de seu anfitrião involuntário com ar de telepata de holodrama de ficção científica com roteiro pueril. Fernandes não descarta a hipótese do visitante ser mesmo capaz de lhe vasculhar o espírito. *Com Palmares, nunca se sabe...*

De pálpebras cerradas, concentra-se na análise de suas parcas alternativas.

Se seu visitante inoportuno fosse retinto, trajado como está, Fernandes concluiria para além de qualquer dúvida razoável, estar diante de um agente do famigerado e onipresente serviço secreto de Palmares. Sendo branco alvacento, é até possível que seja brasileiro. No que se pese haver palmarinos brancos. Poucos, mas há. O fato desse tal Aranha se expressar num português sem sotaque não o tranquiliza. O português é uma das duas línguas oficiais da Primeira República.

– Você pareceu surgir do nada...

– Sistema de camuflagem. Quando o desativei, *voilà*! Tornei-me visível aos seus olhos.

Fernandes encara o semblante plácido do visitante com expressão pensativa.

– O que deseja, Sr. Aranha?

– Antes de mais nada, preciso que o senhor programe seu sistema doméstico em modo de privacidade absoluta. Nada do que direi a seguir deve ser registrado. – Jonas dá de ombros com um sorriso perfunctório de desculpas. – Sabe como é, não? Melhor jogarmos pelo seguro.

O jornalista entrelaça os dedos sobre o tampo negro da multifunc e, no afã de ocultar o receio-quase-pânico, emula um suspiro fatigado antes de retomar a palavra:

– Muito bem, Sr. Aranha. – Emprega o nome pelo qual o outro se apresentou. Decerto tão falso quanto o proverbial banto de olhos azuis. – Estamos isolados e, como sabe, inteiramente a sós. Será que agora pode se dignar a responder minhas perguntas?

– A única coisa que o cidadão precisa saber de antemão é que sou agente do SBI. – Jonas estende a palma da mão sobre o tampo da mesa. A VIB assume o controle e a multifunc se ativa, aparentemente sozinha, para projetar o holobrasão do Serviço, acompanhado de suas insígnias holográficas e da sua identificação funcional de agente. – Satisfeito?

– Muito. – Fernandes balbucia. – Eu pensei que...

– Pensou que eu fosse um operativo a mando de Palmares com a missão de silenciá-lo, certo?

– Ahn... Mais ou menos isto. Me desculpe.

– Sem problema. – Jonas esboça um sorriso compreensivo. – Até porque, a esta altura do campeonato, não é de todo insensato cogitar a visita de um assessor para assuntos fúnebres.

– Como é que é? – O jornalista é acometido por um arrepio na nuca.

– Jargão da Inteligência: operativo dotado de autoridade executiva para eliminar pessoas que os hierarcas palmarinos julgam inconvenientes ou nocivas aos seus interesses nacionais.

– Entendo. – Fernandes engole em seco. – E o Serviço mandou-o aqui no intuito de me proteger, certo?

– De certa forma.

– Como assim?

– Ao que saibamos, Palmares ainda não atinou com seus esforços hercúleos para desarquivar certas informações que a Primeira República almeja manter em sigilo.

– Espere um pouco. A ideia não foi minha.

– Sabemos que a iniciativa partiu do Cidadão Gilson Pellegrino.

– Ele está... desaparecido.

– Pode relaxar. Seu amigo se encontra em boas mãos. – Os olhos azuis do operativo fulgem com um brilho irônico. – E, sim, Cid Pellegrino já recebeu uma visita do nosso pessoal. No caso dele, como é bem conhecido em Palmares, julgamos melhor não arriscar.

– Compreendo. – Fernandes assente. *Brasil dos Pés de Barro* não apenas vendera milhões de cópias digitais na Primeira República, como ainda fora transformado em holodrama alternativo de grande sucesso de público e de crítica. – Isto explica o sumiço do Pellê.

– Pois é. Quanto a mim, fui designado para cuidar do seu caso.

– Do meu caso?

– Trabalhar em prol da sua segurança, Cid Fernandes.

– Então, você foi de fato mandado para me proteger.

– Eu diria que estou aqui mais para aconselhá-lo. – Sorridente, Jonas interrompe a réplica prestes a brotar dos lábios do jornalista com um gesto enfático. – Uma vez que Palmares ainda não reparou em suas *atividades investigativas*, por assim dizer, não se faz necessário protegê-lo como fizemos com Pellegrino.

– Por que está aqui, então?

– Vim para apurar o que o cid já descobriu e também para aconselhá-lo a parar de fuçar esse assunto da existência de um pretenso operativo inimigo invencível.

– Pretenso uma ova! O que nós dois descobrimos...
– É gravíssimo, concordo. De fato, uma questão de segurança nacional. – Jonas acena com a cabeça. – Estamos plenamente cientes da situação.
– Tem certeza?
– Absoluta.
– Há quanto tempo vocês sabem que...
– Sempre desconfiamos da existência desse operativo especial. Ao que eu saiba, pelo menos, desde o fim do Império. – O agente encara o jornalista com ar sério. – Há coisa de trinta ou quarenta anos, tivemos certeza.
– Se é assim, por que é que ninguém nunca fez nada a respeito?
– Quem foi que disse que não fizemos nada?
– Pela madrugada! Esse sujeito, entidade ou como quer que vocês o classifiquem...
– Enigma.
– Heim?
– A entidade recebeu o codinome "Enigma".
– Muito bem. Esse tal *Enigma* parece imortal e, pelo que nos consta, vem agindo há séculos, completamente impune.
– Cidadão Fernandes, por favor. – Jonas leva o indicador em riste aos próprios lábios. – Há assuntos que é melhor evitar abordar mesmo em ambientes isolados e seguros como este.
– Mas...
– Creia, nós estamos cuidando deste assunto.
– Como?
– Temos nossos métodos.
– Pelo visto, esses métodos não estão funcionando muito bem.
– Aí é que o cidadão se engana. Definitivamente, o cid não sabe do que está falando.
– Ah, não? Esclareça-me, então.
– Eu não devia nem estar tocando neste assunto com o senhor. – O agente afaga o queixo com um sorriso pensativo no canto dos lábios. – Portanto, espero que compreenda que tudo o que ouvirá a seguir constitui material classificado de teor extraoficial.
– Naturalmente.
– Com o simples intuito de tranquilizá-lo, com a certeza de contar

desde já com sua discrição absoluta, informo-o em caráter extraoficial de que o problema ao qual o cidadão se referiu há pouco foi solucionado com êxito no mês passado.

– Solucionado, como?

– Terminado.

– Terminado? Pelo que entendi, aquele índio disforme não pode ser morto.

– Sem me prender a detalhes desnecessários, volto a afirmar que desenvolvemos os métodos necessários para concluir tal missão com êxito.

– Quer dizer que exterminaram o maldito?

– Exato.

– Onde? Aqui no Rio?

– Não. Longe daqui.

– Em Palmares?

– Mais longe, Cidadão. Fora da Terra.

– Cacete! – Fernandes solta um assovio estridente. – Em Luna ou no espaço?

– Quanto menos detalhes o cid souber, melhor para sua própria segurança. – Jonas exibe um sorriso maroto. – O importante é saber que a situação foi definitivamente resolvida. Agora queremos que a poeira assente. Por isto, o cid precisa parar de fuçar esse assunto.

– Uma última pergunta, antes de arquivar este tema para sempre. – Fernandes sonda o semblante tranquilo do agente. Perante a ausência de reação, toma coragem para prosseguir. – O que era aquela criatura, afinal? Decerto não era humana...

Jonas Aranha respira fundo enquanto elabora a resposta mais inócua possível:

– Ainda não sabemos o que era, mas prometo que vamos descobrir. Porém, adianto-lhe que o Enigma não era humano. Contudo, o mais importante neste caso é que a ameaça foi anulada em caráter definitivo.

– Já fizeram exames no material genético do cadáver?

– Cidadão Fernandes, devemos encerrar este bate-papo informal agora.

– Com prazer. – Apesar do suspiro resignado, Fernandes esfrega as mãos com ar satisfeito. – Você me trouxe exatamente as notícias que eu precisava ouvir. Vou dormir mais tranquilo esta noite.

– Estamos conversados, então. – Jonas se levanta e estende a mão em despedida. Após o aperto de mão, gesticula a fim de liberar a multifunc do jornalista e abrir a porta. – Passar bem.

Fernandes percebe que o sistema de segurança da casa continua sem tomar conhecimento do Agente Aranha. Não aparece sequer nos holos dos cômodos que percorre para sair da residência. Ignorava que houvesse tecnologia assim.

Como se nunca houvesse estado aqui...

No entanto, apesar dos pesares, sente-se feliz. A ameaça que pairou sobre a existência do Brasil por séculos a fio foi eliminada afinal.

Como Pellê diria, "a pátria pode dormir tranquila."

Fernandes abana a cabeça com um sorriso cansado no canto dos lábios.

6 Dores Paternas

Ninguém teve a coragem ou a dignidade necessária para lhe transmitir a má notícia pessoalmente. Se duvidar, é provável que tenham receado uma eventual reação violenta da sua parte.

Como se estripar três ou quatro mbundos pudesse trazer meu garoto de volta...

O fato é que o Círculo de Ébano já não é mais o que era um século atrás. A organização possui muito mais agentes agora e a vasta maioria de seus associados atuais não conhece os detalhes do seu passado. Detalhes que não constam nos anais da organização mais secreta da Primeira República – incidentes que só ousou revelar a três vidas-curtas desde a morte do último rei de Palmares. Os novos associados ignoram que, ainda filhote, assistiu o massacre de sua gente pelas tropas de elite do Inca. O derradeiro Ancião do Povo Verdadeiro tombou degolado ante seu olhar infantil apavorado. Contudo, a erradicação dos últimos filhos-da-noite se deu há mais de meio milênio. Tempo suficiente para que a dor da perda afundasse para longe da superfície da consciência, até repousar nos recônditos mais profundos de sua memória infalível.

No entanto, uma coisa foi perder sua família na infância há muito soterrada sob o peso das recordações mais recentes. Outra, inteiramente distinta, é ser privado da sua semente, seu futuro, dessa forma estúpida.

Garras Afiadas não passava de um garoto... Seu primogênito. Um sonho impossível, concretizado graças às artes da gengenharia palmarina. Pouco mais de um século de vida, com a eternidade pela frente, e agora...

Desde o início, fora contrário ao plano de enviá-lo para a lua de Júpiter. Não obstante os prognósticos otimistas do Ébano, no fundo acreditava que o jovem ainda não estava pronto para atuar fora da Terra.

– Ora, o que pode dar errado, meu ganga? – Caio Lumumba, agente graduado do Ébano, tentou tranquilizar o filho-da-noite preocupado. – Gamma-Alpha concluiu seu treinamento há mais de duas décadas. Confie no rapaz, ele está bem preparado. Além disso, na altura da órbita de Júpiter, o Sol é pouco mais do que uma estrela brilhante. Imagino que seu filho permanecerá *ligado* o tempo todo.

– É justo aí que reside o perigo. – Inquieto, Dentes Compridos entrelaça os dedos das mãos enormes, um hábito adquirido aos vidas-curtas. – Garras Afiadas é novo demais para permanecer com seus dons ativos o tempo todo. Isto não é saudável, nem para um caçador experiente, que se dirá para um filho-da-noite tão jovem e imaturo...

– O ganga está soando um tanto superprotetor. Afinal, pelo que relatou aos meus antecessores, seu povo vivia no fundo de um complexo de grutas peruanas. – Ante o olhar inquisitivo do protegido sênior, Lumumba deu de ombros com um sorriso confiante nos lábios. – Devia ser bem escuro lá dentro, não é?

– Para vocês, sim. Mas, e daí?

– Daí, suponho que estivessem sempre ligados.

– Nós saíamos das grutas à luz do dia. Como sabe, somos preferencialmente noturnos, mas quase não precisamos dormir.

– É verdade. Bem, que efeito a ativação prolongada produz no organismo de um filho-da-noite?

– Em alguns casos, induz um excesso de confiança doentio, uma sensação de onipotência, como acontece com alguns humanos quando ingerem demasiado álcool.

– Percebo. – Lumumba fitou o filho-da-noite sênior com expressão preocupada. – Tem razão. Este percalço pode comprometer a missão do Gamma-Alpha. Determinarei que o rapaz se exponha à radiação solar artificial periodicamente durante sua permanência em Europa. Além disso, recomendarei que hiberne, se a situação no satélite assim o permitir. Satisfeito?

– Mais tranquilo. – Dentes Compridos esfregou as palmas das mãos enormes uma na outra. – Satisfeito, só se vocês dessem última forma nessa ideia estapafúrdia de mandá-lo a Europa.

No fim, a relativa paz de espírito não salvou o filho.

Quando o próprio soba do Ébano lhe transmitiu a má notícia da segurança remota oferecida pelo fundo de um tanque holográfico, ele ripostou num bramido:

– Tragam o corpo de volta para a Terra! Se o cadáver estiver em bom estado, talvez possamos reverter o processo.

"– Não será possível, meu amigo. Não desta vez." – João Negumbo gesticulou suas desculpas com ar compungido. – "Ao que parece, o inimigo sabia com quem estava lidando. Subtraíram a cabeça do rapaz..."

– Não!

"– Portanto, não dispomos do corpo incólume para proceder à ressurreição."

– Quem fez isto?

"– Aparentemente, um operativo especial brasileiro. Um agente dotado de aparato de alta tecnologia e potencial desconhecido. Um indivíduo enviado para Europa com a missão precípua de eliminar Garras Afiadas."

– Avisei que era arriscado demais operar tão longe da Terra.

"– Seu filho dispunha de apoio, meu caro. Havia dois agentes do Ébano na cobertura."

– Esse apoio não lhe foi de valia quando ele mais precisou.

"– Não sabíamos que os brasileiros dispunham de um operativo tão mortífero por lá..."

– Vou para Europa resolver este caso pessoalmente.

"– Acalme-se." – O banto grisalho gesticulou no fundo do holotanque, no afã de apaziguar o protegido. – "Não é a melhor ocasião para se pensar em vingança."

– Não se trata de vingança. – Dentes Compridos esboçou um

sorriso malévolo. – Mas, como os zumbis do passado costumavam colocar, de retribuição.

Negumbo contemplou seu principal protegido com olhar inquieto. Depois de mais de quatro décadas de convivência, por vezes ainda se sentia desconfortável na presença desse colaborador sobre-humano que conheceu a maioria dos zumbis de Palmares, a começar por Andalaquituche, o Sábio. Isto para não falar dos reis de antanho, como Ganga-Zumba e o próprio Zumbi, o Grande.

Por isto, pouco disposto a bater de frente com o pai pesaroso, brandiu a verdade à guisa de manobra evasiva:

"– É de todo provável que a cabeça dele não esteja mais lá."

– Não estou preocupado tão somente com a cabeça do garoto. – Mentiu descaradamente. – Meu filho está morto e desta vez nem mesmo a ciência médica de Palmares pode mudar este fato. Ainda que recobrássemos a cabeça, já é tarde demais. Não almejo encontrá-la. Vou até lá para eliminar o autor da façanha.

"– A cabeça de um filho-da-noite propiciará aos brasileiros um bocado de conhecimento sobre a natureza do Povo Verdadeiro."

– É verdade. Mais uma razão para que eu atue imediatamente.

"– Nem pensar." – O holograma de Negumbo cruzou os braços sobre o peito. – "Ademais, por que presume que o operativo brasileiro ainda esteja em Europa?"

– Percebo. – Na penumbra de seus aposentos particulares, Dentes Compridos externou as garras e os caninos protuberantes. Adoraria que seu chefe estivesse de fato consigo nas cercanias de Subupira. – O que o Ébano descobriu a respeito? O assassino do garoto por acaso deixou o satélite?

"– Ao que tudo indica, sim."

– Voltou para a Terra?

"– Não sabemos ao certo. O operativo que derrotou Garras Afiadas embarcou numa nave de aceleração elevada em Io poucas horas após o confronto. Nossa melhor hipótese de trabalho é que esteja escoltando pessoalmente a... cabeça, protegendo-a em seu regresso à Terra. O problema é que perdemos o rastro do sujeito quando sua nave cruzou a órbita lunar. Houve um indício já desmentido de que teria sido avistado no Rio de Janeiro há uma semana."

– Compreendo. – Dentes Compridos semicerrou as pálpebras

espessas. – Diga uma coisa: essa nave de alta aceleração parou para abastecer ou algo do gênero?

"– Não exatamente. Mas passou a menos de duzentos quilômetros da Fortaleza São Paulo."

– A base militar brasileira em órbita geossíncrona?

"– Essa mesmo."

– Bem à porta de casa, então. – Dentes Compridos arreganhou um sorriso de antecipação. – Um pulo e estarei lá.

"– Fora de cogitação. São Paulo é extremamente bem protegida. Impossível se infiltrar lá. Até mesmo para alguém como você."

– Isto é o que veremos.

"– Deixe esse assunto conosco. Planejamos abordar qualquer transporte que parta da São Paulo para a Terra."

– Prefiro resolver esta parada do meu jeito.

"– Considere-se terminantemente proibido de..."

Dentes Compridos jamais ouviu o resto. O soba do Ébano implodiu num ponto luminoso quando esmagou o painel de controle antiquado do holotanque com a mão esquerda.

Abanou a cabeça, desalentado. Foi um tolo em alertar o chefe sobre sua intenção de movimento. Deixou-se levar pela dor e agiu outra vez por impulso, como nos tempos em que era um predador ignorante e desregrado vagando nas ruas do Recife...

Agora, precisa correr contra o tempo. Antes que Negumbo feche sua janela de lançamento, por assim dizer.

Felizmente, dispõe de contatos dentro e fora do Círculo de Ébano. Porque, para fazer o que planeja, precisará cobrar boa parte dos favores que prestou para meia dúzia de bons amigos ao longo do último meio século.

Garras Afiadas está morto para sempre. Nada e ninguém poderá mudar este fato.

Durante séculos almejou a companhia de outros membros do Povo Verdadeiro. Agora que logrou engendrar sua prole com auxílio da ciência palmarina, eis que sofre esse revés terrível.

O mais doloroso desta perda é a noção de que seu primogênito morreu no cumprimento do dever. Tombou defendendo os interesses de Palmares. Dentes Compridos abana a cabeçorra. Os cabelos grossos à altura dos ombros balançam para um lado e outro. *Interesses vidas-curtas.*

Apesar de suas críticas, cumpre reconhecer que o filho fora bem treinado. Demasiado jovem e, ainda assim, possuía domínio pleno de suas faculdades de caçador. Ele bem o sabia, afinal, encarregara-se pessoalmente de boa parte do adestramento. Tanto foi bem preparado que executou com êxito diversas missões difíceis e perigosas. *Na Terra, não nos ermos do espaço exterior.*

No entanto, com a diáspora humana Sistema Solar afora, Europa estava longe de constituir um sítio ermo e desolado. Ademais, nesta era de comunicação instantânea, o filho jamais atuou sozinho e desamparado, como ele próprio o fizera nos primórdios de sua associação duradoura com os palmarinos. *Estava sozinho quando pereceu. Oculto no exterior gelado, de onde foi desentocado, encurralado e destruído.*

Da análise do cadáver decapitado resgatado pelo Ébano, o único legista vivo que pode se considerar, até certo ponto, um especialista na biologia anômala do Povo Verdadeiro concluiu que Garras Afiadas foi derrubado pelo disparo contínuo de um laser de alta potência.

– Não sabia que permitiam armas desse calibre na base científica internacional. – Dentes Compridos ironizou, amargurado.

Temeroso, o legista preferiu não retrucar à provocação retórica.

Aparentemente, o inimigo que tirou a vida do jovem caçador dispõe dos recursos necessários para camuflar seu armamento pesado aos sensores civis da Galileo.

Então, o garoto fora decapitado depois de morto ou, pelo menos, após seu metabolismo ter ingressado no estado de latência peculiar aos filhos-da-noite atingidos por traumas capazes de matar um vida-curta. A decapitação afastou qualquer possibilidade de sobrevida em estado latente, até uma eventual tentativa de ressurreição. Viu-se forçado a concordar com Negumbo: o inimigo sabia com quem estava lidando.

Um inimigo apto a eliminar um filho-da-noite com relativa facilidade...

Vida-curta algum é rápido ou vigoroso o bastante para enfrentar em pé de igualdade um filho-da-noite treinado e prevenido. Os próprios incas – bem-sucedidos na guerra secreta para extinguir o segmento sul-americano do Povo Verdadeiro – aprenderam que era necessário sacrificar centenas de soldados experientes para cada caçador abatido. Uma vez, na Londres vitoriana, Dentes Compridos se defrontou com um alienígena poderoso, capaz de derrotar até mesmo um filho-da-noite experiente. Só que Red Jack estava morto há mais de um século.

A menos que esse inimigo vida-curta disponha de implantes artificiais para aumentar sua força, velocidade e resistência...

Precisou de quase três dias e de seu toque especial para *persuadir* Escura Mbutu, diretora de uma das agências de espionagem de Palmares, a revelar tudo o que sabia sobre um projeto secreto hipotético, o "Azul Cobalto", desenvolvido sob os auspícios do Serviço Brasileiro de Inteligência. A fim de não deixar rastros de sua *sondagem*, induziu Angana Mbutu a esquecer toda a conversa íntima e prolongada que mantiveram.

Vestimentas inteligentes blindadas... Então, o SBI resolveu dotar seus operativos com superpoderes?

Pelo visto, terá que se armar com mais recursos do que julgou inicialmente necessários. Precisará tomar emprestado alguns itens do arsenal especial do Ébano. O pior é que não poderá se valer do poder de seu toque de dominação por lá. Incumbida de resguardar o segredo da existência dos filhos-da-noite, a organização mais secreta de Palmares aprendeu a tornar seus agentes imunes ao toque. Felizmente, o fiel do arsenal é um bom amigo. Djogo por certo entenderá seu dilema. De todo modo, será mais um favor a cobrar.

De todos os eventos, passagens e pormenores vividos ao longo de quase seiscentos anos de existência, Dentes Compridos se recorda de tudo o que vale a pena lembrar. Seu nascimento na Cuzco Imperial de Pachacuti Yupanqui, em plena Alvorada Final, o Tempo da Queda do Povo Verdadeiro. Sua infância nas Grutas Ancestrais, após a fuga para o poente. Os ensinamentos ministrados pelo Ancião das Grutas, numa época em que já não havia esperança de redenção para a estirpe sul-americana dos filhos-da-noite. O massacre empreendido pelos exércitos do príncipe Tupac Yupanqui e sua fuga desesperada cordilheira acima, e o mergulho de quase dois séculos na penumbra cálida da floresta amazônica, época em que subsistiu como predador solitário ao redor das aldeias dos vidas-curtas de fala jê e tupi.

Estima ter nascido em torno de 1450. Se essa data é confiável, então o massacre nas grutas deu-se circa 1480. Foi capturado pelos palmarinos no Mocambo de Dambrabanga em 1672. Daí a conclusão, muito a posteriori, – numa época em que já passara a se importar com a contagem de tempo dos vidas-curtas – de que levou quase dois séculos para cruzar a América do Sul de oeste para leste, da costa do Pacífico até poucas dezenas de léguas do Atlântico.

Hoje em dia, durante a maior parte do tempo, julga que sua vida começou de fato quando recebeu o indulto do rei Ganga-Zumba e deu início à parceria duradoura com os serviços de inteligência de Palmares. Porque, se o conhecimento íntimo e profundo sobre os hábitos e costumes de suas presas constitui parte integrante da existência de um caçador experiente, deve admitir que pouco conhecimento adquiriu em dois séculos como predador nômade na Amazônia. Somente sua convivência com a civilização palmarina – mais sofisticada, a seu modo, que a do Império Inca em seu apogeu – possibilitou que se tornasse, ele próprio, um predador civilizado, mestre consumado na arte de sobreviver e prosperar nos grandes centros urbanos erigidos pelos vidas-curtas que se estabeleceram nas Américas, vindos de Europa e África.

Ao longo de mais de três séculos de associação com a elite política, militar e científica de Palmares, foi protegido para que pudesse executar diversas tarefas relevantes para a sobrevivência da Primeira República. Foi espião, agente secreto, assassino, salteador, comandante naval, astrônomo, engenheiro, adido diplomático, explorador, montanhista e muito mais.

Quando seu velho amigo Andalaquituche regressou de Londres em 1718 para assumir a coroa que pertencera até poucos meses antes a seu meio-irmão, Zumbi o Grande, decidiu criar o Círculo de Ébano para ajudar o filho-da-noite em suas missões e manter a salvo o segredo de sua existência.

Foi um agente dessa organização secreta que, em meados do século XIX, numa expedição à antiga Transilvânia em busca do laivo de verdade sob a mortalha de mitos vampíricos medievais, encontrou duas sedentas, fêmeas do Povo Verdadeiro. Embora sepultadas há quase quatrocentos anos, Trevaterna e Negralua ainda se mantinham em estado de vida latente.

Ante o informe alvissareiro, Dentes Compridos exultou como um filhote das grutas em sua primeira noite-de-beber. Igualmente entusiasmado, o soba do Círculo de Ébano proferiu licença prévia para que o protegido fosse até a Valáquia. Confirmada a presença das sedentas, ele deveria providenciar seu translado imediato para Palmares. No entanto, uma missão de urgência atrasou sua partida e então veio a mensagem de que elas já haviam sido embarcadas.

Impaciente como um vida-curta, mal suportou os meses de espera, desde a notícia da descoberta até a chegada do cruzador *Negrume* ao arsenal naval de Ipojuca, com sua carga preciosa no porão.

Não importava que fossem sedentas da estirpe europeia. Eram gente do Povo Verdadeiro. E, mais importante, fêmeas com quem poderia conversar na linguagem do espírito e procriar para produzir novos caçadores.

Logo no desembarque, a decepção. As sedentas jaziam inertes. Soba Kanjika e os agentes do Ébano procuraram tranquilizá-lo, afirmando saberem como agir e, de fato, lograram trazê-las de volta à vida em questão de dias, após três repetições do ritual da ânfora e do alfanje. Só que as duas não recobraram a sanidade. Quiçá, já houvessem enlouquecido quando dadas como mortas na época em que Vlad Tepes assolava a Transilvânia. Ou, talvez, algo se tenha desarranjado em seus espíritos durante o Sono. Dentes Compridos jamais ouvira falar de alguém que despertasse, são ou louco, após um período de hibernação forçada tão prolongado.

Tampouco logrou falar-lhes na linguagem do espírito. Suas princesas valáquias só conseguiam transmitir sentimentos inarticulados de sofrimento e privação atroz. Não restavam pensamentos coerentes em seus espíritos alquebrados. Cântico algum que o caçador sul-americano entoou teve o condão de apaziguá-las.

O único idioma humano que articulavam era uma versão abastardada do valáquio do século XIV ou XV. Levou quase um ano até que o Ébano encontrasse alguém capaz de compreender as poucas frases desconexas balbuciadas de tempos em tempos por Negralua.

Iphigenia Camarão, maior geneticista palmarina de sua geração, propôs em fins do século XIX o aperfeiçoamento de técnicas de inseminação artificial para fecundar as sedentas com seu sêmen. Dentes Compridos relutou a princípio. Adepto do Caminho da Cautela, sempre fizera questão de preservar a privacidade do Povo Verdadeiro ante a curiosidade científica desmedida de seus amigos vidas-curtas. No entanto, todas as tentativas de *aproximação natural* fracassaram. Se por um lado, Negralua e Trevaterna aceitavam com sofreguidão salutar o sangue humano que lhes regurgitava, por outro, não se deslumbravam com seu cântico da sedução, talvez por não entenderem sua versão da linguagem do espírito.

A ideia de coletar seu sêmen e entregá-lo a Geninha o repugnava, não obstante o fato de confiar integralmente nela. Levou anos consumido pela dúvida até vencer a repulsa. No fim, quando logrou superar as barreiras morais, descobriu que sua semente era incompatível com as que se abrigavam nos ventres das duas princesas. As estirpes americana e europeia do Povo Verdadeiro haviam permanecido demasiado tempo separadas. Segundo a geneticista, talvez já não fossem mais férteis entre si.

Longe de esmorecer, a amiga declarou que nem tudo estava perdido. Com os avanços promissores no campo da gengenharia, era de se supor que, mais dia, menos dia, Palmares fosse capaz de combinar sua semente com os óvulos das sedentas europeias, manipulando-os de forma a engendrar embriões viáveis de filhos-da-noite híbridos.

Tal promessa só se concretizou década e meia mais tarde. De lá para cá, apesar de jamais terem recobrado a lucidez, Trevaterna dera à luz a quatro crias e Negralua a outras três. Na visão pragmática do Ébano, conquanto insanas, as sedentas valáquias constituem "matrizes cumpridoras". Portanto, embora jamais houvesse tido oportunidade de fecundar suas sedentas pessoalmente, Dentes Compridos se tornou pai de três jovens caçadores e quatro belas sedentas. Com mais de seiscentos anos de idade, líder inconteste de uma tribo minúscula, por vezes se compraz ao pensar em si próprio como Ancião.

Todavia, que Ancião em sã consciência teria abandonado seu primogênito à mercê dos desígnios dos vidas-curtas?

Não há como negar que os tempos mudaram. Houve época em

que talvez fosse possível ao Povo Verdadeiro pastorear rebanhos de vidas-curtas sem que as reses sequer soubessem quem de fato as conduzia. Porém, se tal proeza foi factível outrora, tornou-se estratégia suicida desde os tempos de Pachacuti Yupanqui. Os palmarinos lhe demonstraram há séculos e de forma cabal a precariedade de sua posição. Hoje, os vidas-curtas não são apenas os senhores do Mundo Mortal. Também se arvoram em protetores do último punhado remanescente de filhos-da-noite.

Um punhado, onde há pouco mais de um século e meio supúnhamos existir um único espécime... Não vale a pena me iludir. Só persistimos por causa de nossa associação com Palmares e só permaneceremos vivos enquanto formos úteis aos interesses da Primeira República.

Por outro lado, acabou de perder seu primogênito. Como os próprios palmarinos lhe ensinaram, cumpre partir ao encalço da justa retribuição.

7 Abordagens Frontais

De acordo com o último informe da Agência Republicana de Informação, graciosamente transmitido, ainda que de forma involuntária, por Escura Mbutu, o operativo brasileiro de codinome "Azul Cobalto" regressara à fortaleza orbital São Paulo.

O Ébano afinal intuiu seu objetivo. No entanto, ao menos até agora, logrou manter-se um passo à frente dos opositores.

Primeiro, apropriou-se do equipamento que julgava essencial à execução do seu plano. Depois, ludibriou a equipe de terra da base de lançamentos palmarina em Alcântara para subir até uma órbita baixa a bordo de um transporte de carga. Então, a parte mais arriscada do esquema: embarque como clandestino na *Caloji VIII*, nave de emprego geral dotada de propulsão mista. Dominou os três tripulantes com facilidade, transferiu-os, amarrados e inconscientes, para o transporte acanhado, e programou o sistema de manutenção de vida para despertá-los vinte quatro horas mais tarde.

Por aquela altura, Djogo decerto já se vira compelido a notificar a invasão do arsenal do Ébano e a subtração de certos protótipos especiais. Portanto, quando se encontra a meio caminho da São Paulo, não se surpreende quando o programa-mestre da *Caloji VIII* anuncia em seu tom plácido característico:

"Transmissão cifrada do Quartel-General em Subupira. Grau de prioridade: negro absoluto."

Dentes Compridos sorri. O grau de prioridade privativo do Ébano.

– Decodificar e abrir no holotanque.

A miniatura de um banto de fisionomia conhecida exibe um sorriso contrafeito no tanque holográfico da cabine de controle da *Caloji*. André Angoma, primo em segundo grau do zumbi atual e terceiro em comando no Círculo de Ébano, não obstante o fato de mal ter entrado em sua quinta década de vida.

"– Agente Delta Comma, você se encontra na posse ilegal de um veículo interplanetário da Primeira República. Regresse imediatamente à órbita baixa."

Não adianta mais fingir que não é consigo. Angoma acaba de se referir a ele por seu codinome, vigente para os demais serviços secretos de Palmares.

– Ativar holotransceptor. – Decide abrir o canal direcional. – Manter transmissão cifrada.

"Holocanal ativado." – O programa-mestre confirma a execução da ordem.

Agora, Gana Angoma também pode vê-lo com atraso inferior a um décimo de segundo.

– Saudações, André. Não sabia que havia regressado ao Q.G.

"– Sabemos o que pretende, D.C."

– Pudera! Não fiz lá grande segredo das minhas intenções.

"– Desista enquanto é tempo." – Angoma fita a holocâmera com olhar carregado. – "Regresse agora e passaremos uma borracha sobre o assunto."

– Quem me garante que será assim?

"– Promessa do Soba Negumbo."

– E onde nosso soba se encontra neste instante portentoso? – Dentes Compridos esboça um sorriso divertido ao intuir a resposta.

"– Foi convocado ao Palácio Mussumba."

A confissão o pega desprevenido. Jamais supôs que, nesta época de telepresença ubíqua, Sua Negritude, o Zumbi convocasse o soba do Ébano pessoalmente para prestar esclarecimentos sobre sua conduta. Pelo menos, não tão cedo.

"– Se prosseguir no curso atual, a guarnição da São Paulo o abaterá, não sem antes alertar o alto-comando brasileiro."

– Tem razão, André. A *Caloji* é um veículo um bocado conspícuo.

"– Pois então. Não há a menor chance de se aproximar da cidadela sem ser percebido."

– Sei disso. Aliás, para ser sincero, espero que a guarnição e o comando da São Paulo fiquem bastante preocupados com minha aproximação.

"– Isto não faz sentido, D.C. Você arrisca provocar um incidente de graves proporções. Não desejamos começar uma guerra com o Brasil."

– É, os tempos mudaram mesmo. Mas podem ficar tranquilos. – Declara, com fleugma eufemística, fruto de décadas e décadas de exercício diário. – Só almejo recuperar um item que o agente G.A. deixou para trás.

"– Tomaremos providências para que tal não ocorra."

– Não banque o tolo. Sabe tão bem quanto eu que Palmares não dispõe de veículos rápidos nas cercanias da São Paulo.

"– Regresse ou sofrerá as consequências. Você e os seus. É o nosso último aviso."

– Duvido muito. A Pátria precisa de nós, tanto quanto precisamos dela.

"– Não ouse..."

– Fechar canal. – Abana a cabeçorra com determinação fatalista.

Sempre soube que este momento fatídico de rebeldia final chegaria. Só não supôs que se daria tão cedo e tão longe da Terra.

– Comandanta, o vaso palmarino permanece em silêncio.

A oficial grisalha de perfil aristocrático examina a trajetória da nave invasora no holotanque do centro de operações de combate. Seus olhos cinzentos perscrutam o fluxo de dados tentando antecipar as intenções do adversário. Aparentemente, trata-se de uma espaçonave civil de emprego geral, uma *Caloji*. Segundo o banco de dados da cidadela, Palmares dispõe de dezessete unidades dessa classe em atividade. Não possuem armamento. A não ser, é lógico, que o inimigo tenha reaparelhado o veículo.

– Senhora, o vaso ativou o holofote de proa. – O oficial de comunicações de serviço no C.O.C. gira na poltrona para encarar a superiora hierárquica. – Está transmitindo pulsos em código padrão internacional.

A informação é supérflua. A Comandanta Prisca Didonet não precisa de auxílio para decodificar por si própria os pulsos luminosos em Código Mbuto:

"EXPLOSÃO A BORDO. SISTEMA DE TRANSMISSÃO AVARIADO. NÓDULOS DE ANTIMATÉRIA: CONFIGURAÇÃO INSTÁVEL. MEDIDA DE SEGURANÇA: DESATIVAÇÃO AUTOMÁTICA DA PROPULSÃO PRINCIPAL."

– COMANDANTA, A CALOJI ASSUMIU CURSO DE COLISÃO. IMPACTO CONTRA O CASCO EXTERNO MENOS CATORZE MINUTOS, TRINTA E QUATRO SEGUNDOS, TOPE.

– Que ideia idiota é essa de singrar tão perto de nós? – Prisca vocifera entredentes. *A merda é que escolheram justo o pior momento imaginável para dar as caras...*

– Ativar baterias equatoriais. – Prisca determina, lutando para aparentar uma tranquilidade que está longe de sentir. Disparar salvas de canhões de plasma contra a *Caloji* definitivamente não é uma boa ideia. Ainda que consigam destruir a nave desgovernada, os destroços prosseguirão rumando em direção à fortaleza com, grosso modo, a mesma energia cinética de antes dos disparos. No entanto, sempre resta a esperança de lograr desviar-lhe a trajetória com um tirambaço de raspão. – Concentrar fogo na extremidade superior do alvo.

– Senhora, o vaso palmarino...

A comandanta desvia o olhar da trajetória no holotanque principal para o cubo de serviço que exibe o holo da nave em ampliação máxima.

A *Caloji* começou a desfraldar suas velas. Hastes quilométricas de fibra de carbono se projetam do casco principal, desdobrando-se vezes sem conta, até que suas extremidades distem dezenas de quilômetros de distância. Então, as películas finíssimas que constituem as velas se desenrolam, fixando-se às hastes vizinhas, até compor a superfície de milhares de quilômetros quadrados.

Bem pensado! Prisca exulta. Com a São Paulo entre o Sol e a Terra, a pressão da radiação solar sobre as velas gigantescas empurrará a nave na direção contrária, atuando, na prática, como sistema de frenagem. *Será que dará tempo?*

– Última forma. – A comandanta cerra os maxilares. De qualquer modo, vale a pena arriscar. – Suspender ataque preventivo até segunda ordem.

– Comandanta, – a oficial da detecção informa, espantada, – o alvo parece ter recobrado parte da capacidade de manobra.

De fato. Além de perder velocidade, a *Caloji* começa a posicionar as velas para guinar, desviando-se pouco a pouco da São Paulo. O holotanque principal fulge com a reprodução do vaso civil palmarino que, uma vez desfraldadas as velas, tornou-se bem maior do que a fortaleza.

– Vaso invasor reduzindo velocidade. – A encarregada da detecção mantém o olhar pregado em seu holocubo de serviço. – Desvio angular de dois, agora três graus em relação ao curso original.

Não é o bastante. Prisca franze o cenho. Com as velas distendidas a pleno, a nave agora exibe uma seção de choque descomunal. Se não guinar mais rápido, varrerá o hemisfério sul da fortaleza com parte do velame superior. Ainda que possuam densidades ínfimas, as velas se chocarão com as estruturas externas da São Paulo numa velocidade de vários quilômetros por segundo.

– Puta merda! – A comandanta cerra as pálpebras, ofuscada.

O clarão fulgurante explode no holotanque, iluminando o ambiente até então penumbroso do C.O.C. numa resplandecência feérica.

– Detecção! – Prisca enterra o rosto na curva do cotovelo. – Informe.

A subordinada solta um gemido pungente antes de responder:

– Um instante, Senhora.

"– Aqui Controle de Avarias." – A voz grave ecoa no sistema de alto-falantes do C.O.C. – "Pulso de radiação ionizante proveniente do alvo."

– Interpretação preliminar. – A comandanta pisca os olhos sem enxergar.

"– Hipótese mais provável: descompressão explosiva do envoltório protetor de um ou mais nódulos de antimatéria."

– Senhora?

– Prossiga, Detecção. – A comandanta tenta focalizar o holotanque. O vaso palmarino parece estranhamente deslocado do curso anterior.

– Explosão no dispersor da propulsão primária da nave invasora.

Prisca abana a cabeça, desnorteada. Contempla a figura do veleiro espacial que gira, afastando-se lentamente da fortaleza. *Ao menos, não corremos mais risco de colisão...*

– Controle de Avarias, informe.

"– Radiação da explosão retornando aos níveis normais. Emissão não representa risco para nós."

– Entendido. – Prisca solta um suspiro de alívio. – Grupamento de abordagem em seus postos.

"– Comandanta, despressurização no convés quatro." – O encarregado do Controle de Avarias volta à carga em tom surpreso. – "Aparentemente, um fragmento espúrio da *Caloji* atingiu o costado. Equipe de reparos a caminho do local."

– Ciente, CAV. Mantenha-me informada desta ação. – Prisca afunda na poltrona de comando. – Grupamento de abordagem, partida autorizada. Prossigam com cautela. Apreendam os sobreviventes da *Caloji* e os tragam para bordo.

"– Entendido, Comando."

Se tudo correu conforme o planejado, ofuscados pela pretensa sobrecarga explosiva de um nódulo de antimatéria, os detectores da São Paulo não devem ter registrado as emissões minúsculas dos jatos do seu traje.

Dentes Compridos sincronizou seu avanço rumo à fortaleza de modo a emergir da sombra da *Caloji VIII* no instante da explosão ofuscante. Levou vários minutos para alcançar a escotilha de emergência da seção da São Paulo onde pousara. Julgou de todo provável que houvesse passado desapercebido. Confeccionado com material inteligente, capaz de absorver a radiação incidente, o traje deve parecer invisível aos sensores da fortaleza.

Um vida-curta não teria conseguido forçar a entrada através dos selos de segurança da câmara estanque, mas ele a arrombou sem maiores dificuldades.

Procura vedar a escotilha interna da câmara invadida quando o alarme estridente anuncia fortaleza adentro a falha na pressurização do convés. Irritado, afasta-se da câmara a passos rápidos.

Será que já me descobriram?

Torce para não ter aparecido no circuito interno de vigilância.

Ao passar em frente à escotilha aberta de um laboratório fotônico qualquer, para e lança uma granada de gás paralisante lá para dentro. Ativa o fechamento da escotilha e destrói o controle de abertura. Espera que a diversão seja suficiente para desviar a atenção do inimigo.

"– Microrrobótica para... Comando..." – A voz se interrompe num acesso de tosse. – "... sob ataque..."

– Repita, MR. – Prisca gira na poltrona para encarar os subordinados, tão atônitos quanto ela. *Agente duplo a soldo de Palmares? Alguém vindo de fora? Não.* A comandanta abana a cabeça com um sorriso irônico nos lábios. *Esse tipo de coisa só acontece em holothrillers de espionagem baratos...* – Comando na escuta. Microrrobótica, repita sua última.

Novos acessos de tosse informam à comandanta que algo errado aconteceu no laboratório de microrrobótica.

– Segurança, envie pelotão armado ao convés quatro. – Prisca fita o oficial de comunicações. – Circuito interno no laboratório sete.

– Afirmativo. – O tenente ativa três comandos no teclado virtual. – No holotanque.

Os quatro técnicos caídos no piso do laboratório sete não constituem um quadro esclarecedor.

"– Comandanta Didonet, aqui é o Tenente Aranha."

– Prossiga, Aranha. – Prisca gira na poltrona de comando para encarar o holocubo lateral. Tenta abafar a expressão de má vontade. *Que diabo esse agente metido quer agora?*

"– Senhora, estou convicto de que a São Paulo está sofrendo infiltração inimiga."

– Há um pelotão a caminho para apurar o incidente.

"– Se minhas suspeitas estão corretas, a segurança da fortaleza não está apta a lidar com o problema."

– Ah, não? – Prisca já anda mais do que farta desse operativo pernóstico. Primeiro, desovou aquela carga científica ultrassecreta na São Paulo. Depois, regressou da Terra com ordens para reservar o laboratório de análises biológicas mais moderno do habitat, a fim de "preparar terreno" para uma equipe especial do SBI que, segundo ele, está prestes a embarcar. *E durma-se com uma dessas...* – Ajudaria bastante se falasse em português claro, Tenente.

"– Tudo o que posso revelar é que a infiltração provavelmente está relacionada à carga que eu trouxe para bordo."

Grande! A comandanta abana a cabeça, irritada.

– A carga misteriosa que o senhor contrabandeou para cá sem a minha autorização. – Prisca conteira um olhar hostil à miniatura do agente encerrada no holocubo. – Aquela que insiste em guardar pessoalmente e que...

"– Comandanta, por favor." – O homúnculo do cubo gesticula, impaciente. – "Só estou cumprindo ordens. Trata-se de uma questão de segurança nacional."

– É o que vocês da inteligência sempre afirmam, por tudo e por nada. – A comandanta desvia o olhar do cubo para acompanhar o avanço do pelotão no holotanque. – Muito bem, Tenente. Afinal, o que deseja?

"– Autorização para lidar pessoalmente com esse foco de infiltração."

– Comandanta, informe do grupamento de abordagem. – Com os dedos da mão direita pressionando o auricular, o oficial de comunicações gira na poltrona para encarar a superiora. – Eles não encontraram ninguém a bordo da *Caloji.*

Pelo canto do olho, Prisca julga ver um vulto escuro se deslocando bem rápido, junto aos três membros do pelotão de segurança, no corredor comprido que dá acesso ao pavilhão dos laboratórios. O holo se desfoca quando a câmera gira para tentar acompanhar o movimento. Alguém murmura um palavrão abafado via áudio. Em seguida, ouvem gritos e uma espécie de miado roufenho. Então o tanque se apaga.

– Segurança, o que houve? – Prisca engole em seco. *Ou muito me engano, ou aquele vulto desfocado atingiu o astronauta que portava a microcâmera...* – Segurança, informe situação.

Após cinco segundos de silêncio agourento, sem que os militares em serviço no C.O.C. ouçam nada do pelotão enviado ao MR, o operativo do SBI volta à carga:

"– Comandanta, temo que o inimigo tenha interceptado o pelotão de segurança."

– Aranha, saia desta maldita linha!

"– Senhora, solicito permissão para engajar com o inimigo."

– O que?

"– Creia, tenho plenas condições de lidar com o problema."

– Como? Sozinho?

"– Afirmativo. Disponho de treinamento e dispositivos especiais. Além disso..."

– Comandanta, veja só aquilo! – O alferes de serviço no console de comunicações internas aponta para o holotanque. Aparentemente logrou acionar uma câmera de vigilância do corredor.

No início, Prisca não entende o que está vendo. Borrões vermelhos salpicam o piso, as anteparas e até o teto do corredor. *Isto não pode ser sangue!* Então se depara com o cadáver desventrado *através* da placa da couraça...

– Aumentar resolução. – Ela determina ao alferes com voz firme, apesar da náusea que lhe sobe à garganta. – Girar câmera até descobrir os nossos rapazes.

– Ou o que sobrou deles... – Alguém solta uma risada histérica, logo convertida numa série de soluços incontroláveis.

Outro corpo caído aparece no holotanque. Uma astronauta com o crânio esfacelado, estirada no piso sobre uma poça de sangue. Três metros adiante, Prisca contempla aturdida o que parece ser um braço arrancado, ainda em uniforme de combate, macabramente equilibrado sobre um painel de acesso.

– Quem diabos... – Ela balbucia sem lograr concatenar o raciocínio.

Neste instante, a escotilha do C.O.C. se fende para dar passagem a Jonas Aranha. O operativo se queda ante o espetáculo dantesco no holotanque, como que hipnotizado.

– Não é possível. – Ele murmura, afinal. – Enigma está morto. Eu mesmo...

– Quem é esse Enigma? – Prisca cerra os maxilares, lutando contra a ânsia de vômito. – Por acaso sabe quem fez aquilo? – Ela aponta para a cena pavorosa exibida no holotanque.

– Julguei que só houvesse um... – Jonas encara a comandanta com expressão assustada. – Jurava ter livrado nossa pátria desse martírio...

– Tenente Aranha, só vou perguntar mais uma vez. – Prisca se levanta dum salto, postando-se diante do operativo um palmo mais alto. Encara o agente e tamborila com o indicador em riste no peito do oficial. *Estranho, parece até um traje blindado...* – Quem chacinou meus astronautas naquele corredor?

– Enigma...

– Quem ou o que é esse tal Enigma?

– Um agente de Palmares. O pior inimigo que o Brasil já enfrentou.

– Você já o conhecia?

– Já o derrotei na Base Galileo, em Europa. Quer dizer, aquele foi um outro Enigma...

– Quantos desses monstros existem?

– Até agora pensávamos que só houvesse um.

– Você é capaz de enfrentá-lo?

Jonas engole em seco antes de responder:

– É meu dever. Ele veio atrás da cabeça do outro Enigma.

– Ótimo. *A carga secreta é uma maldita cabeça humana...* – Abalada, Prisca recua um passo e desaba em sua poltrona anatômica. – O que podemos fazer para ajudar?

– Evacuar todos os corredores e acessos. Ordenar aos tripulantes que se mantenham trancados nos compartimentos em que se encontram até segunda ordem.

Prisca assente num silêncio taciturno. Faz sentido. Quando menos gente circulando, menor a probabilidade de novas chacinas.

8 Azul Cobalto vs. Enigma II

Jonas avança pelo labirinto de corredores do pavilhão de laboratórios da São Paulo com todos os sensores ativados. Não se trata mais de denunciar sua presença em tom alto e claro, mas sim de não se deixar surpreender pelo inimigo.

Com guarnição de 382 astronautas militares e cientistas, a fortaleza é imensa. Girando em torno do próprio eixo, produz aceleração de uma gravidade padrão na maioria dos módulos habitáveis, dispostos num anel concêntrico ao redor dos módulos de energia e suprimentos. O maior habitat orbital brasileiro. Um mundo autossuficiente em órbita da Terra, estacionário sobre o centro geométrico da América do Sul, vigilante em proteger a pátria de todo o mal oriundo da superfície ou do espaço, pronto para retaliar em caráter definitivo, se o pior acontecesse.

A questão é que Enigma pode estar em qualquer parte deste complexo gigantesco.

Os sensores de movimento não indicam nada de anormal. Os corredores parecem vazios e os compartimentos próximos ao itinerário que resolveu adotar também não mostram sinais de atividade anômala.

Jamais imaginou que pudesse haver outro Enigma. Por suas características únicas, todos os analistas passados e presentes sempre julgaram que se tratasse de um único operativo pretensamente sobrenatural. *Sempre estivemos errados. Quantos desses monstros hediondos Palmares ainda dispõe para lançar contra nós?*

Em princípio, o Enigma atual deve ignorar sua existência. Contudo, também em princípio, a entidade misteriosa deveria igualmente ignorar a localização da cabeça de seu semelhante e, no entanto, veio direto para cá, infiltrou-se na fortaleza com facilidade e já provocou sete baixas, três delas fatais.

Preciso deter essa aberração. Jonas atinge um entroncamento de oito corredores. A VIB varre todas as direções com os sensores no máximo, à procura de movimentos. *Outra vez!*

Dentes Compridos percorre o emaranhado de corredores da São Paulo a passos largos. Pelo visto, já descobriram sua presença. Tudo conforme o planejado.

Não há mais tripulantes circulando entre compartimentos e corredores da fortaleza. Bem adestrados, desapareceram menos de trinta segundos após a sirene disparar "manter postos atuais".

Os corredores estão mergulhados na penumbra, iluminados apenas de quando em quando por luzes débeis que fulgem num rubro sanguíneo reconfortante a seus olhos sensíveis.

Não obstante a captura de Garras Afiadas, a inteligência brasileira ainda não parece ter descoberto grande coisa, a julgar pela intensidade luminosa reinante aqui. Pois, se houvessem estudado os globos oculares do garoto, concluiriam que os filhos-da-noite são criaturas noturnas e que, como tais, talvez se sintam ofuscados sob luz feérica.

Ouve as pulsações apreensivas dos vidas-curtas abrigados nos compartimentos próximos. O aroma amedrontado de seus feromônios presente nos corredores esclarece que já souberam da lição aplicada ao pelotão de segurança.

O comandante da fortaleza decerto trama capturá-lo numa arapuca qualquer. Aparentemente, desistiu do confronto direto. Pelo menos, por ora. Talvez pretenda gaseá-lo ou até expô-lo ao vácuo num compartimento estanque selado. *Se soubessem quanto tempo consigo sobreviver sem respirar...*

Concentra-se nos ruídos dos corredores mais distantes. Pode não significar nada, mas julga ter escutado passadas decididas coisa de quatrocentos metros avante. Infelizmente, esse piso revestido de borracha abafa a propagação sonora. Mesmo assim, constata que se trata de uma única pessoa.

O que um astronauta solitário pretende zanzando à toa num habitat sob toque de recolher? Provavelmente, ser morto.

O ritmo das passadas não denota cautela ou temor, mas determinação.

Azul Cobalto? Dentes Compridos acelera o passo rumo ao vida-curta solitário. *Tomara.*

Jonas ouve o bipe agudo do sensor de movimento verdadeiro. Ato contínuo, a VIB abre o holo esquemático daquela seção da fortaleza. Presença suspeita um convés abaixo, duzentos e trinta metros adiante. Toma a rampa de acesso seguinte para descer. Na conjuntura atual, prefere ao confiar nos ascensores.

– Acesso às câmeras de vigilância do convés três. – Determina à VIB.

Outro holo transparente abre ao lado do primeiro. O agente observa o corredor comprido. A iluminação tênue e espaçada invoca um conjunto de sombras. Enigma pode estar oculto em qualquer uma delas.

– Sensores infravermelhos?

"O CORREDOR SÓ DISPÕE DE SENSORES DE INCÊNDIO."

Jonas cerra os maxilares. Terá que chegar ao corredor para empregar os IV da vestimenta.

Ouve passos se aproximando. Azul Cobalto ou não, quem se aproxima está neste convés, a setenta e poucos metros da sua posição atual.

Comanda a retração do capacete e distende as presas num ricto de prazer. Expõe as garras retráteis das mãos e se esgueira para o interior de uma sombra mais densa dentro da penumbra.

O SENSOR MV APAGOU O HOLO. ENIGMA PERCEBEU SUA APROXIMAÇÃO E SE OCULTOU.

A VIB ATIVA A VISÃO INFRAVERMELHA SEM QUE PRECISE ORDENAR. É DE SE IMAGINAR QUE O INIMIGO POSSUA UM TRAJE INTELIGENTE O BASTANTE PARA ADEQUAR SUA ASSINATURA TÉRMICA À TEMPERATURA AMBIENTE, MAS NUNCA SE SABE.

O SONAR EXIBE UMA ANOMALIA FORTUITA QUE SE DISSIPA EM MENOS DE UM SEGUNDO.

– INTERPRETAÇÃO.

"INIMIGO GERANDO ECOINTERFERÊNCIA DESTRUTIVA. VEJA AGORA."

O eco de um vulto aparece outra vez, agora encostado à antepara lateral do corredor, menos de vinte metros de distância. *Tão perto!* Então volta a sumir, quando o gerador do inimigo emula o novo padrão de frequências.

– Solicite iluminação normal.

Três segundos mais tarde, o corredor se ilumina. Neste instante, o vulto escuro aparece a sua frente.

Ele se move mais rápido que eu. Jonas encara o sujeito feioso metido num traje colante negro, aparentemente capaz de absorver a luz incidente. *Mesmo com a VIB, ele se move mais rápido. Deve possuir reflexos mais rápidos também.*

– Azul Cobalto, eu presumo. – O adversário arreganha um sorriso feroz, exibindo caninos protuberantes do tamanho dos polegares de um homem adulto.

O brasileiro encara a entidade de olhos enormes. As íris amarelas preenchem quase todo o espaço entre as pálpebras. As pupilas não passam de fendas, como as de um felino num dia claro.

– Então, esse é o meu codinome em Palmares? – Nunca se imaginou dialogando com essa criatura não humana.

– Os analistas das nossas comunidades de inteligência não primam pela criatividade no que concerne ao batismo de operações e agentes. Julgaram mais simples tomar o nome do seu projeto.

Jonas abana a cabeça, sorrindo, mesmo a contragosto.

– Vocês estão com algo que nos pertence.

– Não imagino o que possa ser.

– Então vou esclarecer essa pretensa ignorância. A cabeça do outro Enigma. Entregue-me de bom grado e prometo partir sem causar mais baixas na São Paulo.

– Sinto muito. O que quer que tenha vindo procurar aqui, não está conosco.

– Neste caso, não se importará se eu vasculhar a fortaleza, certo?

– Infelizmente, não posso permitir que faça isto. – Jonas engole em seco. – Para ser sincero, minha missão primária consiste em combatê-lo e destruí-lo.

– O que estamos esperando, então?

Imbuída de um senso de humor peculiar, de moto próprio, a VIB abandona o cinza fosco camuflado e assume a coloração azul cobalto, pontilhada de estrelas douradas fulgurantes, sem que o portador sequer dê pelo fato.

Jonas salta para trás, ergue os braços e dispara pulsos laser com as duas mãos. Antecipando tal ataque, o oponente se esquiva para o lado. Os pulsos abrem rombos na antepara da curva do corredor, de onde começa a brotar faíscas.

Dentes Compridos avança e contra-ataca com um golpe da mão direita. As garras afiadas atingem o flanco do adversário à altura das costelas, sem lograr perfurar a blindagem da vestimenta.

"Microperfurações superficiais na blindagem externa. Reparos em andamento. Alarmes de ocorrência desabilitados."

Do confronto com o Enigma anterior, ficou mais ou menos estabelecido que as garras terríveis do oponente não conseguem produzir danos significativos na VIB. Com um suspiro aliviado, Jonas dispara um jato laser contínuo à queima-roupa. Embora atingido no tórax e lançado para trás, o agente palmarino não parece mortalmente alvejado.

Esse Enigma possui defesas. A seu modo, o traje colante também é uma armadura...

O filho-da-noite se levanta dum salto, desviando-se no último instante dos novos jorros laser que o adversário despeja em potência máxima pelas palmas das mãos.

"Baterias com carga inferior a 72%." – A VIB alerta o portador.

Esta estratégia não está resultando. Ele é rápido demais e eu estou gastando energia depressa demais...

Novo salto e Dentes Compridos atinge o tronco do operativo com os dois pés, derrubando-o. Levanta-se e desfere golpes com as duas mãos no elmo do brasileiro. Apesar das garras perfurantes não penetrarem no crânio do inimigo, esse se sente zonzo com a intensidade dos impactos.

O filho-da-noite se põe de pé e ergue o adversário ainda tonto pelo pescoço. Rosna num tom raivoso:

– Julgou que seria tão fácil quanto em Europa?

É impressão minha, ou esse aqui é mais forte e mais rápido do que o outro?

Jonas se recobra com a dose maciça de noradrenalina que a VIB libera em sua corrente sanguínea. Levanta os braços e desfere murros gêmeos contra a face descoberta do oponente.

Surpreendido pelo adversário que julgava derrotado, Dentes Compridos cai de joelhos. O chute do brasileiro o atinge em cheio no tórax, arremessando-o contra a escotilha de um laboratório, que cede ante o impacto.

Jonas cruza o portal da escotilha arrombada para capturar o adversário, mas esse rola para trás de um conjunto de bancadas, desaparecendo de vista.

"CARGA INFERIOR A 65%."

Está vencendo o duelo mortal, mas precisa resolver logo a parada, enquanto dispõe de energia para derrubar esse Enigma.

Corre para uma das extremidades do compartimento e começa a percorrê-lo, vasculhando os espaços entre bancadas, consoles e painéis com os sensores ativos zumbindo em potência máxima.

Empoleirado no topo de uma bancada alta, Dentes Compridos salta sobre o adversário, derrubando-o. Os dois se atracam e, com o impacto, saem rolando engalfinhados. Atingem um painel elevado, que se inclina e desaba sobre eles, provocando uma avalanche de equipamentos e consoles.

Em meio à luta, o filho-da-noite percebe que a armadura do inimigo executa uma tentativa frenética – e patética – de mimetizar os padrões caóticos mutáveis dos destroços caídos à volta deles. Talvez pudesse enganá-lo, se enxergasse tão mal quanto um humano...

Atordoado, Jonas tenta desferir socos e pontapés no oponente, mas só logra acertar consoles e dispositivos que despencam ao seu redor e que ora jazem como obstáculos entre os combatentes.

Uma cascata de ruídos em meio ao desabamento indica que Enigma conseguiu se erguer de dentro dos escombros do painel a cerca de três metros de distância.

Jonas vasculha o ambiente confuso em busca da entidade e não a encontra em parte alguma. A VIB ativa os sensores infravermelhos para plotar o calor residual do oponente. Acompanha a trilha resultante com o olhar, mas, antes que possa localizar o inimigo, esse o atinge pelas costas, derrubando-o outra vez.

Enraivecido, gira o corpo e dispara o laser a esmo em modo contínuo, ateando fogo em parte dos escombros dos equipamentos espalhados sobre o piso.

– Idiota. – Jonas ouve o resmungo acusatório lançado na voz roufenha do Enigma.

Quando logra inferir afinal a direção de onde a afronta proveio, o outro não está mais lá. *Enigma é um mestre neste tipo de ação.* Jonas abana a cabeça, irado com a própria estupidez. *Deve possuir séculos de experiência...*

"CARGA INFERIOR A 40%. SOBRECARGA NO TERMOLASER DA MÃO DIREITA. REPAROS NANOBÓTICOS EM ANDAMENTO."

Era só o que faltava! Preciso de uma nova estratégia...

Levanta-se em meio às chamas. Não liga para o incêndio. A vestimenta o protegerá das labaredas e suas reservas de ar impedirão que sufoque com a fumaça que os envolve.

Ao varrer o compartimento esfumaçado com os IV, percebe a aproximação sorrateira da entidade e finta o ataque. Ao notar a perda de equilíbrio momentânea do oponente, desfere-lhe um murro no rosto, mas acaba atingindo-lhe o ombro esquerdo. Enigma cai e desaparece outra vez em meio à fumaça.

Incrível! Por mais que o derrube, está sempre de pé...

Neste instante, o sistema anti-incêndio do compartimento decide que é hora de liberar jatos densos de dióxido de carbono sobre os focos principais.

Distraído, Jonas não percebe a tempo pelos IV quando o bólido vem voando em sua direção. O sensor de movimento pia o alerta tarde demais. A poltrona arremessada por Enigma o derruba como um pino de boliche.

Levanta assustado e se desvia no último instante de outra poltrona pesada, lançada contra sua cabeça. Uma haste metálica comprida emerge da fumaça e gira para golpeá-lo pelas costas.

"PANE ELÉTRICA GENERALIZADA NOS MICROATUADORES DA PERNA DIREITA. REPAROS EM ANDAMENTO."

Merda! Agora, não...

Tenta erguer-se, mas o oponente o atinge de novo com a haste maciça, agora no tronco. Zonzo, gira o corpo para se esgueirar para baixo de uma bancada derrubada, mas Enigma lhe antecipa o movimento e desfere outro golpe na cabeça, e então mais outro.

Não consegue se levantar. As panes citadas pelo gerente da VIB devem ser mais graves do que pensou. Vê o inimigo emergir do interior da fumaça. Já não porta o tacape de metal. Num salto, agacha-se a seu lado e o agarra pelo ombro, enquanto ergue o braço esquerdo com garras estendidas para desferir o golpe de misericórdia contra sua viseira.

Sem alternativa, segura o antebraço da entidade e libera a descarga elétrica mais potente que a vestimenta é capaz de produzir.

Dentes Compridos é lançado longe. Atinge a antepara da extremidade oposta do laboratório e despenca no piso com um estrondo.

Jonas se esforça para erguer o tronco apoiando-se sobre os cotovelos. Através da nuvem de fumaça, observa pelos infravermelhos o corpo inerte do oponente caído na outra extremidade do aposento.

"CARGA INFERIOR A 10%. RISCO SEVERO À SOBREVIVÊNCIA DO CONTEÚDO. RECURSOS DISPONÍVEIS ALOCADOS PARA REPAROS DE EMERGÊNCIA."

Não importa. Venci a parada. Jonas descansa a cabeça no piso coberto de escombros e fragmentos da batalha. Respira aos haustos enquanto a VIB efetua os consertos necessários. *Ninguém sobrevive com os neurônios torrados. Nem mesmo Enigma...* Reconfortado com a noção, desliza para a inconsciência.

Então, segundos ou horas mais tarde, desperta com um gemido de agonia, parecido com um miado rouco, saído do fundo da fumaça e dos destroços.

Não. É impossível... Devo estar sonhando...

Mas o pesadelo é real. A entidade vem se arrastando. Primeiro de gatas, então de joelhos e, enfim, de pé, caminhando curvado como um ancião, porém, mais forte e inteiro a cada passo. Interrompe o avanço trôpego junto ao brasileiro inerme.

Jonas abana a cabeça, incrédulo. Seus sensores devem estar loucos. Porque é capaz de jurar que o traje semidesfeito do outro está *fumegando...*

– Chega disso. – Dentes Compridos bufa entredentes. – Já perdi demasiado tempo com você.

O filho-da-noite extrai um artefato comprido e fino de um bolso delgado camuflado na lateral da coxa. Um bastão ou vareta. Inclina o tronco e espeta a vareta no peito do adversário. Cerra as pálpebras coriáceas para evitar o fulgor actínico que emana da arma.

– Não... – Jonas exala, sem forças. – Vai inutilizar a VIB.

– Esta é a ideia geral. – Dentes Compridos exibe o sorriso de caninos protuberantes. – Detesto apelar para essas engenhocas de alta tecnologia. – Aos poucos corta um círculo no tórax da armadura, tomando cuidado para não calcinar muito a carne por baixo da vestimenta. – É um pouco como trapacear, mas, ao que parece, não consigo perfurar sua blindagem com as garras.

Quando acaba, o filho-da-noite remove o disco metálico recortado da armadura do adversário. O círculo incandescente chia em contato com a palma da sua mão. O brasileiro deve possuir um autocontrole tremendo, pois não aparenta sentir dor. Só pesar.

– Por favor, não faça isto. – O elmo de Jonas se fende, deixando antever o rosto corado e os olhos azuis lacrimosos. – Você não entende...

Farto das lamúrias do inimigo, o filho-da-noite arranca a luva chamuscada e apoia a palma da mão nua sobre o peito do brasileiro, semiliberto da armadura.

– Durma agora.

– O quê?

– Não está funcionando... – Dentes Compridos contempla os olhos azuis do inimigo. *Um vida-curta imune à Dominação? Espere um pouco...* – Você não sente nada, não é? E eu, tomando um cuidado danado para não tostar o pernil...

– Sou tetraplégico. – Jonas esboça um sorriso débil. – Imagino que seu toque legendário não funcione em mim.

O filho-da-noite franze a testa. Por um instante, o brasileiro quase chega a considerá-lo humano, ao intuir traços de piedade no semblante do oponente vitorioso.

– Sinto muito. – Dentes Compridos assente com ar grave. – Será do jeito mais duro, então. Pelo menos, não sentirá dor.

– Como assim?

– Assim. – Ele afunda quatro garras afiadas no tórax exposto do assassino de seu filho e só as remove quando confirma que o coração parou de bater e o cérebro não voltará a funcionar.

Extenuado, guarda a agulha de plasma e se apruma. *Um tetraplégico. Quem diria...* Ainda tem uma missão a cumprir na São Paulo.

9. Sabotagem no Complexo Anduro.

Ele regressou à *Caloji VIII* e manobrou a nave híbrida para longe da São Paulo.

Enfim logrou encontrar a cabeça de Garras Afiadas num cofre-forte instalado no próprio camarote do finado Azul Cobalto, localizado com facilidade pela trilha olfativa do agente brasileiro. Amargurado, empregou a agulha para desintegrá-la. Ao se evadir da fortaleza, a bem da própria segurança, julgou melhor desabilitar as baterias de sua superfície defensiva.

Mal se afastou da São Paulo e o programa-mestre o alertou da holomensagem codificada com prioridade negro absoluto.

– Exiba no holotanque.

A face retinta de Negumbo flutua em tamanho natural na cabine de controle. Não obstante a fleugma e o autocontrole proverbiais, percebe no semblante do Soba do Ébano uma nota sutil de irritação contida, mesclada com uma pitada de decepção.

"– Contrariando nossas determinações explícitas, você invadiu a fortaleza orbital de um país amigo, arriscando não só a própria vida, como provocar uma crise diplomática de proporções interplanetárias."

País amigo? Dentes Compridos arreganha um sorriso cínico. Se há uma coisa que aprendeu de sua associação prolongada com a comunidade de inteligência palmarina é que, numa sociedade extremamente meritocrática como a da Primeira República, tudo costuma ficar bem quando termina bem. O que de fato importa é que logrou subtrair ao inimigo conhecimentos biológicos vitais sobre a natureza do Povo Verdadeiro. Ademais, comprovou a suspeita sobre a existência das vestimentas inteligentes blindadas e desenvolveu uma estratégia efetiva para combater operativos inimigos assim trajados.

"– Transfira imediatamente o comando da nave para o programa de pilotagem transmitido para bordo durante sua ausência. Informo-o de que será julgado pelo Ébano. Em caso de condenação, deve preparar-se para abrir mão de boa parte dos privilégios que hoje goza em Palmares. Saudações."

Pelo visto, desta vez se enganou.

Felizmente, antes de partir da Terra, tomou providências para tal eventualidade.

– Não habilite esse pacote de pilotagem.

"A DETERMINAÇÃO PARA HABILITÁ-LO POSSUI PRIORIDADE ELEVADA."

– Proíbo terminantemente a habilitação desse pacote. Negro absoluto. Confirme padrão vocal e assinatura retiniana.

"ORDEM CONFIRMADA. DETERMINAÇÃO ANTERIOR REVOGADA."

– Excelente. Otimizar posicionamento das velas para atingir o destino de contingência no menor período de tempo possível. Agregar empuxo da propulsão convencional em potência máxima e manter assim até ultrapassarmos a órbita lunar.

"O DESTINO SELECIONADO ENCONTRA-SE AFASTADO DO PLANO DA ECLIPTICA E FORA DO HOLOMAPA DO SISTEMA SOLAR."

– Apenas cumpra a ordem.

"ENTENDIDO. EM EXECUÇÃO."

Duas horas mais tarde, Negumbo volta a se materializar no holotanque da cabine de controle. Agora não faz questão de dissimular a irritação.

"– Se não iniciar manobra para regressar à órbita baixa nos próximos quinze minutos, inutilizaremos sua nave e em seguida enviaremos um comando especial de abordagem para trazê-lo de volta. Este é nosso primeiro e último aviso."

O Soba do Ébano se apaga num ponto brilhante sem uma palavra de despedida.

Dentes Compridos já deduziu o que farão.

Não pretende baixar a cabeça desta vez. Tanto ele quanto o Ébano foram longe demais para voltarem atrás. Se pudesse regressar à Terra sem sofrer represálias, talvez reconsiderasse sua decisão. Contudo, do jeito que as coisas se deram, não lhe resta alternativa.

A verdade é que há décadas sente-se farto desta sujeição aos vidas-curtas. É possível que o fato de não ser mais o único filho-da-noite vagando pelo Mundo Mortal tenha algo a ver com este sentimento de fastio.

Por isto, ao decidir vingar a morte inesperada do filho, planejou uma saída de emergência para o caso de precisar enfrentar uma ameaça de punição do Ébano. Uma saída à altura que, se bem-sucedida, proporcionar-lhe-á um período de férias bem longo.

Depois de mais de três séculos de convívio com os palmarinos, não lhe é difícil antecipar a estratégia. Afinal, como deter a fuga de um veleiro espacial em plena aceleração, com o velame inteiramente desfraldado? Simples: abatendo suas velas. Palmares não dispõe de belonaves ou fortalezas na vizinhança. Os próprios tratados para uso pacífico do espaço firmados com os brasileiros e outros vidas-curtas garantiu que assim fosse. No entanto, Palmares não precisa de naves ou baterias de plasma para derrubar uma nave espacial próxima à órbita terrestre, pois dispõe da Estação Anduro.

Recém-inaugurada numa órbita circular em torno do Sol, a um quinto da distância média de Mercúrio, o vasto complexo de baterias multilásicas alimentado por energia solar foi alvo de críticas severas por parte das outras nações, desde a época em que não passava de um projeto polêmico, apresentado por astroengenheiros palmarinos à comunidade científica internacional, num simpósio sob os auspícios da ONU.

A Primeira República asseverou que jamais empregaria Anduro para fins militares. Embora possa dirigir feixes coerentes concentrados por centenas de milhões de quilômetros Sistema Solar afora, o verdadeiro propósito do complexo é propulsionar sondas automáticas da gravitosfera solar até os sistemas estelares mais próximos numa fração considerável da velocidade da luz. Sondas automáticas e, quem sabe, no futuro, naves tripuladas, sob forma de grandes veleiros espaciais.

Como seus congêneres do passado, em fins de 2012, os estrategistas palmarinos deste início do terceiro milênio pensam em tudo e pensam grande. Daí, não obstante as promessas solenes e as salvaguardas legais, Anduro foi preparada para atuar como arma. Não que houvesse planos de empregá-la como tal. Apenas para uma eventualidade. Portanto, as mesmas baterias capazes de impulsionar as velas gigantescas de uma nave, acelerando-a continuamente até cem ou duzentas unidades astronômicas de distância do Sol, se empregadas em foco concentrado à queima-roupa, por assim dizer, poderiam perfeitamente destruir essas velas.

Anduro está bem posicionada para o golpe magistral. O filho-da-noite sênior receberia mais uma lição. Lógico que os estrategistas não resistiriam à tentação de empregar o brinquedo novo numa demonstração de força através do Sistema Solar Interior.

Intuindo tais fatos, num favor derradeiro cobrado de uma de suas melhores amigas vidas-curtas, logrou inserir certas instruções sutis nas premissas da inteligência artificial que gerencia Anduro.

Quando o Ébano conseguiu persuadir o Comando Espacial de Palmares a empregar as baterias multilásicas da estação para deter a fuga do filho-da-noite rebelado, essas funcionaram prontamente, mas não da maneira esperada. Os feixes laser atingiram as velas da *Caloji* com foco difuso, exatamente como deviam fazer para acelerá-la em vez de lhe cortar as asas. Quando os técnicos da Anduro tentaram colimar os lasers, o gerente revogou a ordem. Intrigado, o comandante da estação determinou a desativação temporária dos sistemas que abrigam a I.A. Contudo, tomados por invasores brasileiros, os técnicos enviados nessa missão foram postos fora de ação pelo aparato defensivo à disposição do gerente.

Quando uma belonave palmarina de aceleração elevada despachada especialmente da órbita terrestre logrou enfim atracar na Anduro e seus tripulantes reassumiram o controle da situação, a *Caloji VIII* já se encontrava fora do raio de ação destrutivo das baterias e, ademais, já singrava para fora da gravitosfera solar rápido demais para que alguém pudesse fazer algo para detê-la.

– Meu ganga, por que os agentes Djogo e Uiara não foram punidos de forma exemplar? – Lumumba suspira, deprimido ante o esplendor estrelado descortinado através da vigia holográfica do habitat orbital Amalamale. – A meu ver, mereciam um tratamento similar ao aplicado a João Anduro cento e setenta anos atrás.

Negumbo lança um olhar severo ao subordinado. Em quatrocentos anos de história, desde o estabelecimento dos primeiros mocambos na Serra da Barriga, pode-se contar nos dedos o número de traidores da causa de Palmares. Em compensação, esses poucos foram tratados de forma exemplar.

– João Anduro traiu seu juramento mais sagrado. – O soba replica com os olhos novamente pregados nas estrelas.

– Mas Uiara traiu a pátria. O que pode haver de mais sagrado do que...

– O que você jurou quando aceitou a convocação do Ébano?

– Não se trata disso, meu ganga. O que quis dizer é que...

– O que você jurou, Lumumba?

– Defender meus protegidos com o sacrifício da vida e até da honra. – O agente mais jovem sente os pelos da nuca se arrepiarem à medida que introjeta as implicações das palavras que começara a recitar em modo automático. – Ocultar o segredo da existência dos meus protegidos com minha própria vida, até mesmo dos cidadãos mais probos e eminentes da pátria.

Negumbo sorri ao lembrar que seus predecessores costumavam proferir o juramento com o "protegido" no singular.

– Então, meu jovem. Uiara e Djogo traíram seus juramentos?

– Ganga, não. Mas, eles...

– Protegeram Dentes Compridos.

– ... traíram a pátria.

– De certa maneira. – Negumbo suspira desalentado. *O dilema ético sempre tão crucial das lealdades divididas...* Há ocasiões em que ele se sente bem mais velho do que seus setenta e dois anos bem vividos. – Para preservar nosso protegido e cumprir seu juramento, Uiara introduziu um cavalo de Troia na Anduro para acelerar a *Caloji*, em vez de detê-la. Destarte, feriu os interesses da pátria.

– Isto não é traição, Mestre?

– Imagine que ela agisse de forma diversa.

– Ela teria agido corretamente, então. O ganga mesmo expediu a ordem para trazer Dentes Compridos de volta por quaisquer meios disponíveis.

– É verdade. Mesmo assim, a análise psicológica preliminar indica que Uiara sentiu que colocaria seu juramento em risco se cumprisse minha determinação ao pé da letra. Depois de décadas de doutrinação para pôr os interesses dos nossos protegidos acima de tudo e velar pelo bem-estar deles, é compreensível que Uiara tenha se sentido compelida a agir como agiu. Estava errada, é lógico. Por isto sofrerá as sanções adequadas. Mas respeitou seus votos e, portanto, não cabe falar em traição.

Lumumba contempla as estrelas fixas e imutáveis que riscam o firmamento. Permanece em silêncio por um bom tempo, antes de manifestar suas dúvidas ao soba do Círculo de Ébano:

– O que faremos agora, Mestre? O que será do Ébano?

– O que sempre fizemos. Nossa missão sobrevive. Ainda há filhos-da-noite a proteger.

– Mas, e Dentes Compridos?

– Ora, ele está vivo, não está?

– Suponho que sim. Mas inalcançável.

– É vero. – Negumbo sorri. – Pelo menos, por um bom tempo.

– Quanto tempo, meu ganga?

– Àquela velocidade, estimamos que leve cerca de duzentos anos para atingir Alfa do Centauro.

– Mas, então, quando finalmente chegar lá...

– Eu sei. É bem provável que nossos filhos e netos estejam lá à espera dele.

– Será que ele sabia disso quando tomou sua decisão?

– Decerto que sim. Dentes Compridos possui uma formação científica refinada, mesmo pelos padrões atuais.

– O ganga crê que ele chegue vivo ao seu destino?

– Com certeza.

– São duzentos anos, Mestre.

– Ele já passou três meses no fundo do mar e não morreu. Três semanas concretado no fundo das águas do São Francisco e sobreviveu. – Negumbo abana a cabeça com um olhar divertido dirigido ao sistema triplo de Alfa do Centauro. – O que são dois séculos hibernando dentro de uma nave confortável para um filho-da-noite tão experiente quanto ele?

– O Ébano precisará ter gente nossa nas colônias de Alfa do Centauro quando a época certa chegar.

– Estaremos lá.

– E como será quando ele despertar?

– Um novo começo, quem sabe? Para ele e para nós.

Organizador & Autores

GERSON LODI-RIBEIRO

Autor carioca de FC e história alternativa. Publicou *Alienígenas Mitológicos* e *A Ética da Traição* na edição brasileira da Asimov's. Autor do romance *Xochiquetzal - uma princesa asteca entre os incas* (2009), e participou das coletâneas *Outras Histórias...* (1997), *O Vampiro de Nova Holanda* (1998), *Outros Brasis* (2006), *Imaginários v. 1* (2009) e *Taikodom: Crônicas* (2009). Como editor pela Draco, organizou as antologias *Vaporpunk* (2010), *Dieselpunk* (2011) e *Erótica Fantástica v. I* (2012). Foi consultor da Hoplon Infotainment, sendo um dos criadores do universo ficcional do jogo online Taikodom.

Natural de Jundiaí (SP), é jornalista especializado em cobertura de temas científicos e escritor. Já publicou os volumes de contos *Medo, Mistério e Morte* (1996) e *Tempos de Fúria* (2005) e os romances *Nômade* (2010) e *Guerra Justa* (2010). Seus trabalhos de ficção aparecem em antologias como a *Imaginários v. 1* (2009), revistas e fanzines no Brasil e no exterior.

CARLOS ORSI

TELMO MARÇAL

É o pseudónimo de um quarentão aburguesadamente inquieto, que escreve histórias descabeladas com personagens desprendidas, condenadas a tentar sobreviver em mundos tão absurdos como familiares. Os primeiros contos aparecem em 2003, graças à dinâmica dos fanzines e das revistas eletrónicas, em Portugal e no Brasil. Estreia em livro na coletânea *Por Universos Nunca Dantes Navegados* e então em *As atribulações de Jacques Bonhomme* (2009), livro solo. 2009. Em 2012 participa na *Antologia de Ficção Científica Fantasporto*, publicada em Portugal e no Brasil.

ROMEU MARTINS

Jornalista, especializado em divulgação científica, e autor de literatura fantástica. Começou escrevendo ficção em 2008 para o próprio blog, Terroristas da Conspiração, por onde também publicou algumas dezenas de outros escritores. Hoje tem textos nas páginas de livros por três editoras nacionais, e um excerto de conto seu foi selecionado e traduzido para o inglês para a Steampunk Bible, dos americanos Jeff VanderMeer e S. J. Chambers. Na Draco, estreou como contista em *Sherlock Holmes – Aventuras Secretas* (2012).

ANTONIO LUIZ M. C. COSTA

Sempre gostou de literatura, fantasia e ficção científica em especial, mas formou-se em engenharia de produção e filosofia, fez pós-graduação em economia e trabalhou como analista de investimentos e assessor econômico-financeiro antes de reencontrar sua vocação na escrita, no jornalismo e na ficção. Hoje escreve sobre a realidade na revista CartaCapital e sobre a imaginação em outras partes. Publicou a primeira antologia *Eclipse ao pôr do sol e outros contos fantásticos* (2010) e o romance *Crônicas de Atlântida – O tabuleiro dos deuses* (2011), além de colaborar com os meios a seu alcance para o desenvolvimento da ficção especulativa no Brasil.

GABRIEL CANTAREIRA

Nasceu em 1990 e vive em Itatiba, São Paulo. É formado em Ciências de Computação pela USP e atualmente cursa mestrado. Além de escrita, tem interesse por artes visuais e música.
deviantArt: tioshadow.deviantart.com

DANIEL I. DUTRA

Natural de Pelotas – RS. É formado em Letras (UCPEL) e Mestre em Literatura Comparada (UFRGS). Sua Dissertação de Mestrado deu origem ao livro *Literatura de ficção-científica no cinema: A Máquina do Tempo – do livro ao filme* (2010), um estudo sobre a obra de H.G. Wells. Na ficção participou da antologia *Deus Ex-Machina – Anjos e Demônios na Era do Vapor* (2011) e de *Erótica Fantástica v. I* (2012) da Editora Draco.

Carioca, funcionário público, estudante de Letras na UFRJ. Começou na literatura escrevendo fanfictions inspiradas no seriado Arquivo X, ainda no final dos anos 90. Foi colaborador da OTP Filmes na roteirização de curtas-metragens e teve contos premiados no Desafio Literário 2011 e no Prêmio Henry Evaristo de Literatura Fantástica 2012, ambos pelo site A Irmandade. Pela Editora Draco, participou de duas coletâneas: *Dragões* (2012) e *Excalibur* (2013). Twitter @andressilva

ANDRE S. SILVA

ROBERTA SPINDLER

Nasceu em Belém do Pará, em 1985. Graduada em publicidade, atualmente trabalha como editora de vídeos. Nerd confessa, adora quadrinhos, games e RPG. Escreve desde a adolescência e é apaixonada por literatura fantástica. Tem contos publicados em e-book e em diversas antologias, incluindo Super-Heróis (2013) e Meu amor é um mito (2012) da Editora Draco. É co-autora do romance Contos de Meigan – A Fúria dos Cártagos.
Blog www.rspindler.tumblr.com
Twitter @robertaspindler

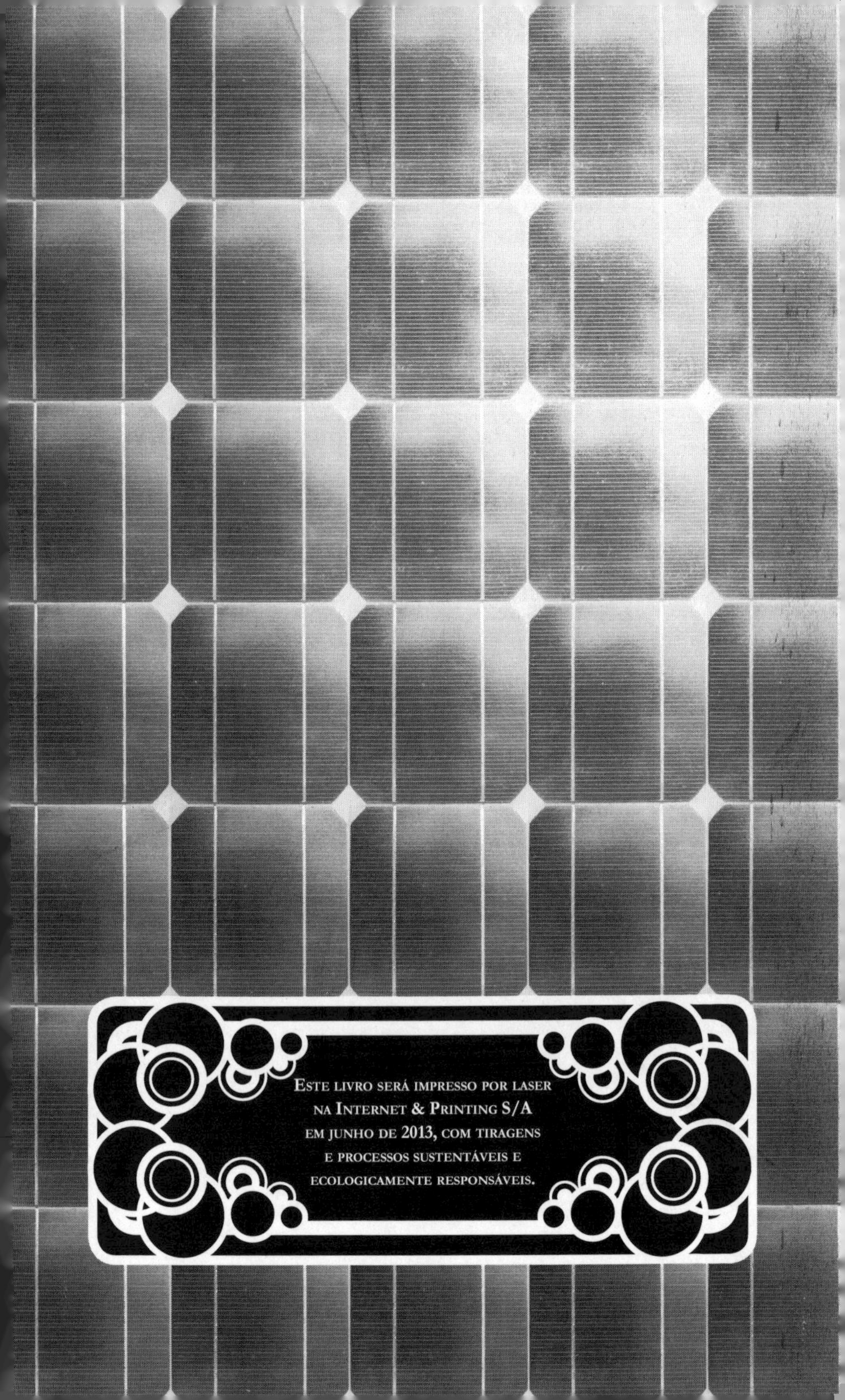

Este livro será impresso por laser
na Internet & Printing S/A
em junho de 2013, com tiragens
e processos sustentáveis e
ecologicamente responsáveis.